INSOUMISE

TOME 1 · AU-DELÀ DU MUR

MATHILDE SAINT-JEAN

INSOUMISE

TOME 1 · AU-DELÀ DU MUR

Guy Saint-Jean Éditeur
3440, boul. Industriel
Laval (Québec) Canada H7L 4R9
450 663-1777
info@saint-jeanediteur.com
www.saint-jeanediteur.com

• • • • • • • • • • • •

Catalogage avant publication de Bibliothèque et Archives nationales du Québec et Bibliothèque et Archives Canada
Saint-Jean, Mathilde, 1996-
Insoumise
L'ouvrage complet comprendra 3 volumes.
Sommaire : t. 1. Au-delà du mur.
Pour les jeunes.
ISBN 978-2-89455-913-0 (vol. 1)
I. Saint-Jean, Mathilde, 1996- . Au-delà du du mur. II. Titre.
PS8637.A457I57 2015 jC843'.6 C2014-942740-9
PS9637.A457I57 2015

• • • • • • • • • • • •

Nous reconnaissons l'aide financière du gouvernement du Canada par l'entremise du Fonds du livre du Canada (FLC) ainsi que celle de la SODEC pour nos activités d'édition. Nous remercions le Conseil des Arts du Canada de l'aide accordée à notre programme de publication.

Gouvernement du Québec – Programme de crédit d'impôt pour l'édition de livres – Gestion SODEC

Conception graphique de la page couverture et mise en pages : Olivier Lasser
Révision : Lydia Dufresne
Correction d'épreuves : Audrey Faille
Photos de la page couverture : iStock-RollingEarth/belterz/vithib

Dépôt légal — Bibliothèque et Archives nationales du Québec, Bibliothèque et Archives Canada, 2015

ISBN : 978-2-89455-913-0
ISBN ePub : 978-2-89455-914-7
ISBN PDF : 978-2-89455-915-4

Imprimé et relié au Canada
1re impression : février 2015

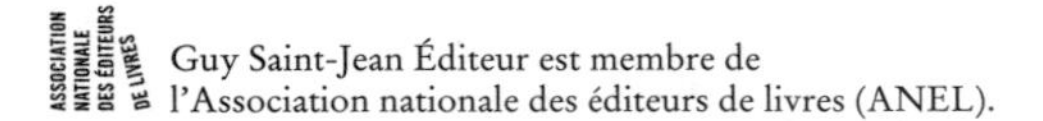
Guy Saint-Jean Éditeur est membre de l'Association nationale des éditeurs de livres (ANEL).

À grand-papa,
mon héros de tous les jours.

« *Ain't no suitcase, ain't no rain*
No sign of life or anything
At all »
Little Big Town, *Leavin' in your eyes*

Prologue

« Il faut, selon nos principes, rendre les rapports très fréquents entre les hommes et les femmes d'élite, et très rares, au contraire, entre les sujets inférieurs de l'un et l'autre sexe. [...] Si l'on veut que la République atteigne la plus haute perfection ; toutes ces mesures devront rester cachées. »

Platon, *La République, Livre V*

Ici, le terme « troupeau », originalement employé par le philosophe à l'endroit de « La République » afin de décrire sa société idéale, ne correspond pas à la nôtre. Nous valons bien plus qu'un vulgaire troupeau.

Modification apportée par le gouvernement en place, Haute République

Un

Le monde dans lequel je vis ressemble à un vase que l'on aurait fracassé au sol pour, ensuite, volontairement le réparer dans l'espoir qu'il soit mieux que le précédent. Le choc qui serait causé au vase représente la dernière guerre qu'il y a eu et chaque fragment de ce pot, une partie du monde. La Troisième Guerre mondiale semblait la solution aux problèmes existants, mais ignoraient-ils tous qu'ils n'en provoqueraient que davantage ? Comme si chaque morceau à recoller réussirait à combler les vides déjà existants dans notre société. C'est ridicule de penser ainsi. Malheureusement, tout ce que l'Union a recréé, c'est un monde instable et divisé, tout en répétant les erreurs commises plusieurs années auparavant. Il faut vivre aisé pour croire que l'endroit où on nous a laissés est bien. Ce qui n'est pas mon cas. Je n'appartiens à ni l'une ni l'autre de ces affirmations qui pourraient laisser supposer que je vis sans le doute constant du lendemain.

Qu'on le veuille ou non, les cicatrices restent et marquent nos mémoires d'une trace indélébile que tous les efforts du monde ne réussiraient à effacer. Pas même une reconstruction complète. Et pourtant, mon professeur, monsieur Fleisch, s'affaire à nous radoter chaque année – sans manuel pour le soutenir parce qu'aucun écrit n'est disponible – l'histoire de notre « belle » République qu'il a apprise par cœur je ne sais comment et par je ne sais quelle oreille. Toutes les fois, c'est la même, à quelques informations près. Après tout, s'il doit nous parler de vive voix de la création de notre « pays libre », son récit ne peut être identique chaque année. Il y a toujours quelques détails qui diffèrent, mais dans l'ensemble, nous en savons bien peu. Pourquoi ? Parce que les autorités ne veulent pas qu'on sache. Le peu d'enseignement qu'on reçoit est minutieusement contrôlé et réglé au quart de tour. Comme si le fait qu'on vienne à apprendre quelque chose de trop pouvait ébranler le peu de pouvoir que nous avons, ici, entre tous ces murs.

En gros, voici ce qu'il s'est produit avec notre République :

Plusieurs guerres intérieures ont éclaté après que le pétrole ait complètement disparu de la surface ou, plutôt, des bas-fonds de la terre. Du moins, c'est ce que les chefs de ce marché ont voulu nous faire croire en réduisant peu à peu les échanges commerciaux divers concernant cette ressource que nous pensions inépuisable. L'économie a ensuite chuté davantage quand la Chine a déclaré que l'exploitation de ses travailleurs devait cesser malgré les remontées économiques substantielles qu'un tel marché lui apportait. Par ailleurs, elle en avait la possibilité maintenant qu'elle était l'égale des États-Unis économiquement parlant. Se sont ensuivies diverses alliances et la Troisième Guerre mondiale s'est déclenchée quelques centaines d'années après la Seconde. Très exactement, je crois qu'on parle de deux siècles. Monsieur Fleisch n'a jamais donné de date précise, à croire qu'elle n'importe pas assez.

Une guerre sanglante et complètement dévastatrice, pire que toutes les précédentes. Les technologies atomiques faisaient des ravages considérables dans tous les camps et des millions de personnes ont péri. Soldats ou civils. L'Europe a dû choisir son camp puisque l'économie de son Union en dépendait également.

Des pays entiers ont disparu, décimés par les catastrophes humaines. Par contre, j'ignore lesquels existent encore et lesquels n'existent plus. De nouvelles frontières ont été établies et c'est à peu près tout ce que je sais dans la limite de ce qu'on nous autorise à savoir.

Il y a de nouveaux pays et notre République en fait partie. Nous sommes un allié de l'Union européenne dont le siège est dans un pays dont le nom m'échappe. La France peut-être ? Ou la

Suisse ? Si ma mémoire est bonne, nous nous trouvons sur l'ancien territoire qu'occupait un pays nommé l'Autriche et nous débordons à la limite d'un autre qui s'appelait la Pologne jusqu'en ancienne Ukraine. Notre République est grande, très grande et excessivement puissante.

Enfin, c'est ce que monsieur Fleisch dit.

Mais pour être honnête, je m'avance sur les limites de notre pays, car je n'ai jamais vu de mes yeux une carte de notre monde actuel. Pour être franche, je ne sais même pas à quoi cela ressemble. Ce ne sont que les échos d'un territoire vaste qui me viennent à l'oreille et les louanges d'un peuple fort dont on nous saoule – alors qu'en réalité je n'ai jamais vu de population aussi faible que la mienne – qui me donnent une idée de ce dans quoi je vis. Sans oublier que je ne peux considérer ma République grande et belle si j'arrive à en voir les frontières cerclées de fils barbelés d'aussi près que de ma demeure.

C'est pourquoi je déteste mes cours d'histoire : parce qu'ils sont remplis de questions sans réponse, de pages manquantes qui resteraient à écrire et de vérités auxquelles je n'adhère pas. Sur ce point, je suis tout à fait d'accord avec mon frère Noah qui croit qu'il n'y a aucune question sans réponse, qu'il n'y a au contraire que des réponses à des questions que l'on n'a pas encore posées. Ici, dans ce cours, c'est tout le contraire et c'est ce qui m'agace.

Notre République a donc choisi de prendre du recul et de reconstruire notre société pour qu'elle soit meilleure qu'avant. Si seulement mon gouvernement savait à quel point il a échoué.

Au fond, nous sommes un chef-d'œuvre terni par la présence de la Basse République. Les autorités après la guerre sont comparables à un artiste travaillant des heures et des heures à l'achèvement d'une toile qui ferait sa renommée jusqu'au jour où un minuscule détail semble prendre toute la place. Et qu'il choisisse de le faire disparaître en le couvrant de peinture, faute d'avoir une autre toile à porter pour recommencer tout à zéro, encore une fois.

Seulement, ce n'est pas en couvrant un défaut qu'on le fait disparaître. Il est toujours là. Couche par couche, il ne fait qu'empirer le problème, et ce, jusqu'à ce que la toile se retrouve à n'être qu'une œuvre des plus insignifiantes par ce qui grandit plutôt que par ce qui réduit.

Moi, je fais partie d'un de ces coups de pinceau en trop qui gâchent le chef-d'œuvre de notre République. Sur cette toile, nous sommes des erreurs qui s'empilent les unes sur les autres jusqu'à en voler la vedette au sujet principal: la Haute République. Or, elle représente ce que les autorités voudraient généraliser et avoir en surnombre. Ce qui, pour l'instant, n'est pas le cas.

Il faut croire que...

— Mademoiselle Kaufmann ! m'apostrophe mon professeur d'histoire d'un ton tellement sec que j'en bondis sur ma chaise. Auriez-vous l'amabilité de répondre à la question que je vous ai répétée plusieurs fois déjà ou poursuivrez-vous votre rêverie futile d'adolescente lunatique qui n'accorde aucune attention à mon cours ?

Ma voix chevrotante glisse entre mes lèvres pour troubler le silence glacial soutenu par le regard tout aussi froid de mon enseignant, exaspéré par mon attitude et mon désintérêt alarmant pour ses propos. Ses doigts qui pianotaient d'abord sur mon bureau ont trouvé refuge dans le pli de ses coudes tandis qu'il croise les bras dans un agacement de plus en plus grand.

— Je vous demande pardon ?

Je voudrais jeter une œillade à Gabriel, le seul ami que j'ai dans cette classe, il pourrait peut-être me porter secours face à ce séisme qui gronde juste devant moi, crevassant le sol sous peine de m'y faire sombrer. Aucune solidarité de la part des élèves ne vient me prêter main-forte. À croire que je suis complètement seule au centre d'une arène. Ici, on se bat tous à sa façon pour survivre, je les comprends de ne pas vouloir m'aider. Moi-même je ne crois pas que je porterais secours à un de mes camarades de classe s'il se retrouvait dans la même situation que moi.

Il répète donc en prenant soin de séparer chaque mot, chaque syllabe et chaque lettre ; à croire que je suis complètement arriérée.

— Comment est divisée notre République ?

— En Haute et en Basse République, Monsieur...

— Bien. Je suis heureux de constater que votre stupidité et votre ignorance ne sont pas totales et que votre cerveau n'est pas totalement estropié. Maintenant, dites-moi, qu'y a-t-il de particulier dans ses deux divisions ?

— D'un côté, nous avons l'Élite de la République, autrement dit ceux à qui vous voudriez enseigner au lieu de nous, gens médiocres qui persistent encore à vivre, au grand désarroi du gouvernement et du vôtre.

Ça, c'est ce que j'aurais souhaité dire. Au lieu de quoi les lettres se mêlent dans ma tête jusqu'à ne former qu'un vomi de syllabes mentales que je peine à assembler. De cet assemblage résulteraient peut-être des mots qui s'alignent d'assez belle façon pour créer une phrase cohérente qui parviendrait à impressionner mon professeur. *Tu rêves en couleurs, Emma.* Une fois l'usage de la parole recouvré, mon cerveau choisit les mots les plus *médiocres* pour former une phrase des plus *médiocres* digne de ce qu'on m'a toujours dit que j'étais : *médiocre*.

— Nous sommes plus nombreux ? dis-je sans trop d'assurance et d'une voix que j'aurais aimée plus forte.

Le professeur Fleisch lève les yeux au ciel d'un air à la fois méprisant et irrité. Il décroise ses bras avec découragement.

Mon professeur vient d'un milieu beaucoup plus aisé que le mien et il est à la limite de l'Élite, tout juste à la frontière du mur. D'ordre général, les quartiers qui se situent le plus près de la frontière entre les deux côtés sont également les plus riches. C'est logique, notre cité constitue en elle seule un dégradé de richesse phénoménal. Il est un peu plus fortuné, comme tous ses collègues. Premièrement, parce qu'ils ont les moyens de se payer une meilleure scolarité. Deuxièmement, parce qu'ils se rapprochent de la perfection à laquelle la République aspire tant. Une perfection indéfinissable que nous voudrions malgré tout atteindre tous autant que nous sommes.

— Mauvaise réponse. La hiérarchie sociale, Mademoiselle Kaufmann. Peut-être que la prochaine fois, vous porterez plus attention à mon enseignement qu'à vos rêveries méprisables, lâche-t-il en se détournant de moi. Nous avons aboli le système de castes depuis longtemps, mais la hiérarchie persiste. Les quartiers de ce côté-ci sont divisés en communautés dont la richesse est comparable entre elles pour soutenir l'économie. Contrairement à l'Élite, où la population se retrouve à peu près toute sur un même pied d'égalité de quasi-perfection économique. Pourquoi ?

Une fille aux cheveux brun foncé lève la main d'un air timide. J'ai peur pour elle, il pourrait la lui trancher d'un simple haussement de sourcils uniquement par la force du dédain qu'il nous porte tous.

— Parce qu'ils ne se mêlent pas à nous et leur richesse ne s'en retrouve pas affectée ?

— Entre autres, mais ce n'est pas complet, grimace-t-il. Quelqu'un veut ajouter quelque chose ?

Gabriel se redresse sur son siège et lève le doigt à son tour.

— Monsieur Braun ? lui dit l'enseignant.

Gabriel tente sa chance. Je dois avouer que cela m'étonne. Habituellement, c'est un élève qui parle peu, encore moins dans cette classe-ci, avec monsieur Fleisch, où tout le monde a peur de respirer.

— Leur économie est plus forte que la nôtre et ils sont moins nombreux. La concentration des richesses se fait donc plus efficacement.

Monsieur Fleisch acquiesce et prend appui sur le bord de son bureau. Ses lèvres pincées s'entrouvrent dès l'instant où la cloche annonçant la fin de mon supplice retentit. *Sauvée.*

— Au prochain cours, nous verrons les impacts de la Guerre sur la République, dit-il tout juste avant d'être enterré par le bruit des chaises qui se poussent et des élèves qui sortent d'un pas pressé.

Au moment où je quitte mon siège pour me diriger vers la porte, monsieur Fleisch me fait signe d'approcher. Il attend que tous les élèves soient sortis et que je dise d'un regard entendu à Gabriel de ne pas m'attendre. Je m'avance vers mon enseignant, les doigts serrés autour de la bretelle de coton élimé de mon sac qui se balance sur mon épaule.

Les secondes de l'horloge résonnent encore plus fort maintenant qu'il n'y a que nous deux dans la salle, et il me semble entendre les échos de mon cœur ricocher contre les murs pour se fracasser les uns contre les autres, tranchés par les coups d'aiguille.

— L'année commence mal pour vous, Mademoiselle Kaufmann. Vous feriez mieux d'être attentive dès le prochain cours. Je n'accepterai pas que vous me fassiez de nouveau perdre mon temps. C'est un privilège pour vous d'être ici alors que vous vivez de ce côté de la République. Ne l'oubliez pas.

Je hoche faiblement la tête, les yeux rivés sur le sol. *Comme si j'étais en mesure d'oublier de quel côté je viens.* Je dois me mordre la langue pour empêcher ces quelques mots de sauter en dehors de ma bouche. Je les laisse filer avec les secondes que je mâchonne:

— Bien, Monsieur.

— Vous pouvez disposer.

— Merci.

Je lui offre un mince retroussement du coin des lèvres en guise de sourire et m'éclipse hors de sa classe d'un pas qui se veut détendu. Décidément, je n'ai pas bien amorcé mon année...

À peine sortie de la classe, je sursaute en tombant sur Gabriel qui se détache du mur où il s'était planqué.

— Je t'avais dit de ne pas m'attendre, que je marmonne en me dirigeant vers l'administration pour connaître l'emplacement du casier qui m'a été attribué pour l'année.

Gabriel hausse les épaules d'un air indifférent et me suit jusqu'au secrétariat principal. Disons que ce matin je me suis plus ou moins levée du bon pied et que le fait qu'il décide de me suivre à la trace ne me plaît pas particulièrement. D'autant plus que mon amie Ariane est introuvable depuis mon arrivée. La savoir absente, alors qu'elle devrait être en classe elle aussi, m'inquiète.

— Nom et prénom ? me demande la secrétaire d'un ton posé.

— Kaufmann, Emma.

La dame, les cheveux tirés vers l'arrière en un chignon extrêmement serré, fouille dans ses papiers quelques secondes. Ses longs doigts osseux s'arrêtent, elle ajuste ses lunettes sur le bout de son nez aquilin, puis me tend une petite carte tellement mince que je vois au travers.

— Avez-vous votre horaire ?

J'acquiesce. Je l'ai reçu par courrier une semaine avant la rentrée. J'habite dans une région où la poste est plus accessible que les vivres.

— Merci, dis-je. Bonne journée.

— À vous aussi, Mademoiselle...

Elle prend une pause pour regarder Gabriel qui reste planté là, littéralement comme un imbécile. Elle retire ses lunettes et les laisse pendre par la chaînette à laquelle elles sont rattachées dans son cou.

— Monsieur Braun, je peux faire quelque chose pour vous ? Je vous ai déjà donné votre billet, il me semble ? souligne la dame en fronçant ses sourcils épilés en deux lignes minces au-dessus de ses yeux noisette.

— Oui, je sais, mais je crois l'avoir perdu.

La secrétaire lève les yeux au ciel et retourne à ses papiers sans même lui adresser un regard de plus. Elle remet ses lunettes et continue son travail tout en lui disant :

— Vous n'aviez qu'à le mémoriser, Monsieur Braun. Fouillez dans vos poches, je suis persuadée qu'il n'est pas si loin.

— Vous n'en auriez pas une copie quelque part ?

— Bien sûr que non ! Je ne peux malheureusement rien de plus pour vous. Passez une belle journée.

— Vous aussi, Madame Hänzel, grommelle le garçon.

Je ricane et tourne les talons pour rejoindre mon casier qui se trouve dans un corridor éloigné, faiblement éclairé, dont la noirceur est accentuée par le peu de lumière naturelle qui filtre à travers les épais nuages. Les quelques fenêtres de ce couloir sont si étroites que je me dis qu'elles ne sont là que pour nous donner l'espoir d'une porte de sortie que je ne pourrai jamais franchir. Les élèves d'ici sont tous dans le même bateau. Nous sommes ici simplement parce que le prolongement de l'éducation nous épargne une vie plus difficile encore et retarde le jour où il ne nous restera inévitablement que ça à faire: travailler pour survivre. Parce qu'au fond, nous voudrions tous partir.

J'ouvre mon cadenas à l'aide de la combinaison qui se trouve sur mon billet et y dépose mon sac afin de ne garder que mon carnet et un crayon que je glisse dans la reliure.

— Qu'est-ce qui ne va pas Em? Tu n'arrêtes pas de retrousser le nez et de soupirer.

— Ariane devrait déjà être ici. Je suis inquiète.

Ce que j'omets de lui dire, par contre, c'est que je suis également inquiète pour la famille qui manque à l'appel et dont je n'ai vu aucun membre arpenter ni les couloirs, ni les rues dernièrement. Des rumeurs laissent croire qu'ils ont été ciblés lors d'un raid contre les Insoumis. Une famille différente de la rentrée scolaire précédente, qui avait cette fois laissé derrière elle les Anton dans un terrible incendie. Pourtant, je persiste à me dire qu'on ne peut pas éliminer aussi facilement une famille aussi nombreuse que les Donegan, qui étaient huit, et encore moins sans causer le moindre émoi dans la population. Je ne devrais plus m'en étonner, c'est ainsi chaque an.

— Et si on allait voir Raphaël ? Il sait peut-être où elle est ?

Je soupire doucement puis referme mon casier. Le petit frère d'Ariane. Oui, il sait sûrement quelque chose, mais un détail pose problème :

— On ne peut pas parler aux élèves des autres années pendant les pauses et tu le sais tout aussi bien que moi. Peut-être qu'elle arrivera après le déjeuner ou au prochain cours. En quoi est-ce qu'on va ?

Mon ami hausse les épaules.

— Je ne sais pas. J'ai histoire avec toi pour le reste de l'année, mais j'ignore le reste de nos cours. Sors ton horaire, on va comparer.

Je le retire de mon carnet et le déplie. Mon regard glisse alternativement du sien au mien. J'ai effectivement tous mes cours d'histoire de la République avec lui et mes cours de littérature. C'est tout. Sur les six classes que je dois suivre, je n'en ai que deux avec lui. L'année risque d'être longue. À part Ariane et Gabriel, je me tiens avec quelques personnes ici et là, mais bien peu. J'essaie de garder un profil bas et de n'avoir qu'un cercle d'amis restreints comprenant essentiellement ma famille, Gabriel et Ariane. Du moment qu'on fait trop de bruit ici, on se fait rabrouer et ça comprend le fait d'avoir beaucoup d'amis. C'est pourquoi j'essaie de limiter mes fréquentations.

La cloche sonne et fait sursauter la plupart des étudiants qui bavardaient dans les couloirs.

— On se voit plus tard, Emma !

— Ouais, murmuré-je les yeux toujours rivés sur mon horaire.

Une élève me bouscule et j'échappe mon carnet au sol. Sans même prendre la peine de s'excuser, elle file vers son cours en riant. Je me penche pour le ramasser et récupère ma feuille déjà chiffonnée par les pas précipités des élèves qui ne l'ont pas vue par terre. Et c'est au pas de course que je rejoins ma classe, à l'autre bout de l'établissement.

Deux

J'arrive dans ma classe légèrement échevelée, le souffle court, au moment exact où la cloche sonne. Mon corps maigrichon est loin d'être dans les plus grandes formes et ma poitrine se soulève frénétiquement. Tous les regards se tournent vers moi et mon visage s'empourpre plus qu'il ne l'est déjà. Je balbutie une excuse, les yeux rivés sur le plancher et rejoins l'unique place libre au second rang. Monsieur Dinkel, un enseignant que j'ai eu l'an dernier, me dévisage tandis que j'essaie de remettre de l'ordre dans mes cheveux pour me donner un semblant de dignité.

— Si vous vouliez faire une entrée remarquée, c'est réussi. Mademoiselle... ?

— Kaufmann. Emma Kaufmann.

Je réussis à articuler mon nom sans trop le mâcher, heureusement pour moi. La honte me submerge et de nouveau, le rouge dégouline sur mes joues pâles déjà parsemées de coquelicots après ma course. Je soupire et pose mes mains sur mon pupitre en relevant les yeux vers le professeur.

Celui-ci attarde son regard une seconde de trop sur moi, ce qui a pour effet de me déstabiliser encore davantage.

L'heure passe lentement. Je compte chaque tac entre tous les tics de l'horloge. Ils retentissent plus fort encore que la voix de mon enseignant morne et terriblement ennuyeux. J'adore les mathématiques, seulement, rien ne pourra me les faire apprécier si la voix d'un professeur digne d'un métronome me les enseigne pour la seconde fois. Je jette régulièrement des coups d'œil à la porte dans l'espoir d'y voir passer Ariane, bien que j'ignore si son horaire concorde avec le mien. Les minutes s'écoulent, aussi longues que les équations que monsieur Dinkel écrit à la craie. Je suis son enseignement comme je peux et malgré tous mes efforts, je m'égare de nouveau.

Quand la cloche retentit pour annoncer le dîner, je peine à sortir de ma léthargie. Je n'ai rien pris en note. Tant pis, ça ira au prochain cours, ce n'est pas comme si je ne comprenais rien à la matière. Je sors de la classe, mon carnet contre ma poitrine, et récupère mon sac dans mon casier pour le dîner.

En me tournant, j'aperçois Adam qui vient vers moi. Manifestement, mon grand frère rayonne plus que moi.

— Comment ça se passe pour toi, Coccinelle ?

Je fais la moue et jette mon sac sur mon épaule.

— Pénible. Je n'ai toujours pas vu Ariane et monsieur Fleisch me déteste déjà plus que l'an dernier.

Il passe un bras autour de mes épaules et me serre brièvement contre lui avant de me relâcher. Un surveillant vient de poser son regard sur nous et nous nous voyons obligés de nous éloigner d'une bonne vingtaine de centimètres. Les contacts ne sont pas permis dans l'établissement, je devrais pourtant m'en souvenir après cinq ans passés ici.

— Plus qu'un seul cours et c'est terminé. En quoi vas-tu après le dîner ?

Je fronce les sourcils et réfléchis.

— Littérature, je crois.

— Ce n'est pas si mal, m'encourage-t-il.

Je m'efforce de sourire. Il me chatouille rapidement les côtes pour que mon sourire soit plus sincère et sourit à son tour.

Je scrute la foule en quête d'une petite tête blonde. Je trouve enfin ma petite sœur qui marche d'un pas rapide entre les tables tout en nous cherchant du regard. Je réussis à capter son attention et lui tire la chaise à ma droite quand elle arrive, la ganse de son sac serrée dans sa main.

— Comment ça se passe, Effie ?

Ma sœur hausse les épaules en soupirant.

— Ça va...

— Des nouvelles d'Ariane de la part de Raphaël ? ne puis-je m'empêcher de lui demander aussitôt.

Elle mord dans son sandwich et mâche un moment avant de me répondre, la bouche pleine. Je ne comprends rien qu'un *mâchouillage* de mots et lui fais signe de terminer sa bouchée avant de parler.

— Elle est malade.

Je jette un coup d'œil de biais à Adam. Ce n'est pas bon signe quand un membre de la famille est malade. Personne en Basse République n'a l'argent nécessaire pour soigner qui que ce soit et les remèdes maison sont peu efficaces si l'on peine déjà à se procurer de quoi se nourrir à cause des rations. Sans oublier nos services sociaux coûteux et difficiles d'accès. Bref, rien de très encourageant.

— Selon lui, elle devrait être ici la semaine prochaine, poursuit-elle.

— Croisons les doigts pour que ce soit le cas, dis-je en commençant à manger sans véritable envie.

Quand je vois ma petite sœur chercher dans son sac en quête de plus, je lui glisse ma pomme sous la main. Je n'ai pas vraiment faim de toute façon. Effie me remercie en me serrant dans ses bras et je referme doucement mon sac.

Adam se met à pianoter sur mon autre main. Mon frère a toujours été mon meilleur ami. Aussi longtemps que je me souvienne, nous étions chacun collé aux semelles de l'autre. Il a toujours été là pour moi, tout comme j'ai toujours été là pour lui. Nous nous supportons mutuellement et nous protégeons sans cesse.

Je ne compte même plus le nombre de fois où Adam a pris ma défense. À l'école ou n'importe où ailleurs. Dès que j'ai des ennuis, il me défend, coûte que coûte. Très souvent d'ailleurs, je suis la cause de ses problèmes qui, comme ma mère le dit si bien, « lui collent dessus tel le givre aux fenêtres ». Peut-être parce qu'il réagit trop promptement à la moindre menace. Après tout, il a toujours été comme ça. Impulsif, mais terriblement loyal.

Le nombre de coups qu'il a pris par ma faute est carrément honteux et accablant. Ils viennent soit des garçons qui me tournent un peu trop autour avec de mauvaises intentions ou des autorités elles-mêmes.

Chaque maillon de ma famille est primordial. Si l'un d'entre nous tombe, nous tombons tous avec lui. C'est ensemble qu'on arrive à vivre. Les loups solitaires ne font jamais long feu dans ce pays et ce détail, Adam l'a bien compris. C'est l'une des raisons pour lesquelles j'adore mon frère, même dans ses moments d'excès.

— Emma, tu es encore dans la lune ! s'exclame Effie en agitant sa main devant mon visage, son rire cristallin chatouillant mes oreilles et m'arrachant ainsi un autre sourire.

— Emma préfère la compagnie de la Lune à la nôtre, me taquine Adam tout en me gratifiant d'une pichenette sur le bord du front.

— Et de son piano, rectifie ma sœur. Tu vas en jouer ce soir ?

— Je ne sais pas, dis-je en tapant la main de mon frère. Ce n'est pas raisonnable de le garder. Je vais essayer de convaincre papa de le vendre.

Adam me lance un regard noir.

— Tu sais bien que notre père se vendrait lui-même avant de vendre le piano. Il va rester à la maison aussi longtemps que tu en joueras. C'est notre unique héritage et il y tient autant qu'à nous quatre. N'essaie pas de le faire changer d'idée. Il refusera de toute façon, il est trop têtu, me rappelle Adam. N'oublie pas Noah. Ça serait une catastrophe pour lui de ne plus pouvoir t'entendre en jouer.

— Ça reste déraisonnable, que je réplique en un souffle aussi bas que celui d'Adam quand il dit le nom de mon frère. Ce n'est pas prudent de parler de Noah ici.

— Je ne t'ai pas demandé de le vendre, mais si tu allais en jouer ce soir ! réplique Effie.

Ses doigts s'entortillent à une mèche de ses cheveux clairs et elle me supplie de ses grands yeux humides.

— S'il te plaît, Emma... S'il te plaît ! S'il te plaît ! S'il te plaît ! répète-t-elle en sautillant pratiquement sur sa chaise.

Je me renfrogne, mais finis par acquiescer. Si l'idée ne m'enchante pas, c'est que je devrai en jouer tous les soirs ensuite pour ne pas perturber mon petit frère dans sa routine habituelle et considérant mon horaire chargé, je n'ai pas vraiment le temps de m'encombrer d'une tâche supplémentaire, et ce, même si elle consiste à jouer du piano. Ma sœur m'offre son plus beau sourire et hésite à m'enlacer. Je secoue la tête en voyant un surveillant passer un peu plus loin, son regard fauve justement posé sur nous. Il ne faudrait pas qu'il nous voie et elle le comprend aussitôt. Après quoi, la cloche résonne dans la salle du dîner et il faut de nouveau nous séparer; Effie s'éloigne, mais Adam s'attarde encore un peu, à ses risques et périls.

— Tu dois traverser ce soir, n'est-ce pas? chuchote-t-il à mon oreille.

Je hoche la tête sans un mot.

— À quelle heure?

— Avant le souper. Je ne pourrai pas m'attarder, Adam. Tu crois pouvoir occuper Effie et Noah pour qu'ils ne s'inquiètent pas de mon absence?

Ma voix est aussi faible qu'un murmure, mais elle couvre suffisamment le son des autres élèves pour qu'Adam m'entende sans problème.

Il acquiesce, le visage plus sérieux qu'à son habitude.

— OK. À plus tard.

Il effleure doucement mon bras quand il passe tout près pour se rendre en classe et je m'éloigne à mon tour.

Cette fois, je m'assure d'arriver à l'heure et me fais le plus discrète possible. J'ai suffisamment fait d'impression dans mes deux cours d'avant. Je ne peux pas me permettre d'attirer encore plus l'attention. Je déteste savoir les regards posés sur moi pour me dévisager.

L'heure qu'il me reste à passer, je la comble en étudiant tous les visages qui m'entourent, plutôt que la matière même. Je peux voir chaque sourcil se froncer quand madame Weiss annonce un nouvel ouvrage qui sera à l'étude cette année. Je peux entendre chaque soupir poussé par les étudiants probablement dans la même situation que moi et qui se demandent peut-être pourquoi une vingtaine d'étudiants ne sont plus là cette année. Certains tapotent sur leur bureau, d'autres ne cessent de s'agiter sur leur siège. Comme tous les groupes, ils sont constamment en mouvement.

Je suis au centre d'un tourbillon de pensées qui m'échappent, de paroles refoulées par peur du ridicule et de rêves d'adolescents qui ont – pour la plupart – tous un thème en commun : espérer être encore en vie le lendemain.

Trois

En rentrant, pour faire plaisir à Effie, j'ai respecté ma promesse et j'ai joué du piano. Pour son plaisir, mais également pour le mien... Elle m'a écoutée un bon moment, puis elle a dû aider ma mère avec les corvées. Quant à moi, j'ai continué de jouer pour occuper mon petit frère. Ça, c'est ma corvée à moi : donner un répit à ma mère en m'occupant de Noah... en plus de toutes les autres tâches ménagères que j'effectue dans la maison bien sûr.

Noah s'assoit sur le banc comme toutes les fois, assez loin pour que je ne le touche pas même si j'ai à me déplacer pour atteindre une note un peu plus loin. Il fixe mes doigts qui glissent doucement sur les touches, sans les quitter des yeux une seule seconde. Il adore m'entendre chanter et jouer de la musique. Il est toujours extrêmement concentré et étrangement silencieux quand j'en joue. Ou encore il marmonne les notes ou bien fredonne des paroles que je ne suis pas encore arrivée à décrypter.

La seule chose qui puisse le distraire de l'une de mes pièces, c'est lorsqu'un train passe. Alors seulement, il se lève pour aller le voir, pour compter le nombre de wagons, puis il revient tout de suite après pour me regarder d'un air tout aussi attentif, comme si le train n'était jamais passé.

Il n'effleure jamais les touches même si je lui ai souvent proposé de le faire.

Je suis persuadée qu'il connaît chaque morceau par cœur et qu'il pourrait me les jouer les yeux fermés. Seulement, il n'a jamais ne serait-ce que frôlé ce piano et il ne le fera peut-être même jamais. Il y a un mur de verre entre lui et nous. Nous le voyons et il nous voit aussi, mais on ne peut l'atteindre. Pourquoi ? Parce que le jumeau d'Effie, de près de cinq ans mon cadet, est autiste.

Je regarde la partition tandis que mes doigts continuent de courir sur les touches, lorsque Noah se raidit d'un seul coup à ma droite. J'ai fait une erreur.

— C'était un *fa* ici et tu as fait un *mi*. Il ne fallait pas que tu fasses un *mi*. Un *fa*, juste un *fa*. Et tu as fait un *mi*. Tu ne devais pas faire de *mi*. Le *fa* est un demi-ton plus grave.

Et il continue de s'agiter, se trémoussant sur le banc, de plus en plus agacé par cette erreur d'un demi-ton seulement. Entre ses doigts, sa petite locomotive tourne de plus en plus rapidement.

— Un *mi*, Emma. Un *mi*, Emma. Un *mi*, Emma.

— Oui, Noah ! soupiré-je.

Je n'ai d'autre choix que de recommencer la pièce ; continuer le morceau pourrait déstabiliser

Noah au point de déclencher une crise.

Quand je rejoue la partition avec la bonne note, je peux justement le voir acquiescer subtilement. Ses yeux suivent mes mains avec plus d'attention encore. Je ne dois pas me tromper une seconde fois, sans quoi la crise sera bel et bien là.

Les erreurs sont pour lui une chose impardonnable. C'est un perfectionniste, on ne peut pas le changer. Je ne lui en veux pas, je le suis tout autant que lui, peut-être juste un peu moins excessive. Pour lui, la perfection est une obsession. Une faute et c'est la catastrophe. Pour moi, ce n'est qu'un accroc à corriger.

Ses yeux qui suivent mes mains avec une extrême attention sont d'une couleur que j'ai fini par qualifier d'indéfinissable. Oscillant entre le vert et le bleu sans pour autant qu'une couleur ait le dessus sur l'autre; les deux teintes semblent s'être engagées dès sa naissance dans un duel dont l'issue ne mène à la victoire pour aucun des deux partis, mais qui se solde plutôt en une trêve où les deux couleurs choisissent de coexister.

Ma sœur et Adam ont quant à eux la douceur des yeux de ma mère: d'un bleu calme, tout en étant profond et fort. Pour ma part, tout comme Noah, j'ai hérité du combat perpétuel des prunelles de mon père, à qui je ressemble beaucoup d'ailleurs. Les jumeaux sont presque identiques à l'exception de leur sexe et de l'autisme de Noah bien entendu. Quant à Adam, il est le portrait craché de ma mère.

— Tu veux bien changer la partition pour moi ? demandé-je gentiment à mon frère tout en continuant de jouer.

Je ne peux pas le faire moi-même pour ce morceau, il faut que je garde les mains sur le piano et il le sait.

— Oui.

Il avance la main vers la feuille et la retire pour la poser sur la pile qui se trouve sous le piano. Pile qu'il a méthodiquement rangée tout à l'heure.

— Merci, Noah.

— Oui, répète-t-il.

Quelques minutes plus tard, ma mère nous rejoint. Elle sait que je dois partir et que si elle ne distrait pas Noah d'une autre façon, il pourrait ne pas être fou à l'idée que je cesse de jouer. Le train, c'est la seule chose qui ne le perturbe pas quand quelque chose d'autre prend fin.

— Noah, tu viens ? Il y a un train qui va passer bientôt. Tu veux qu'on aille le voir ensemble ?

— Un train est un convoi constitué d'un seul ou plusieurs engins moteurs en ordre de marche, remorquant ou non un ou plusieurs véhicules, circulant sur un chemin de fer.

Cette définition, il l'a lue dans un vieux dictionnaire et la récite chaque fois qu'on prononce le mot *train*.

— Viens, Noah.

Il lève les yeux vers l'horloge accrochée au-dessus du piano.

— Il est 16 heures 27 minutes et 24 secondes. Le train passera dans exactement deux minutes et trente-six secondes. Il faut deux minutes et douze secondes pour se rendre au chemin de fer. Il faut y aller maintenant.

Il se lève et se dirige vers la porte d'un pas raide, ma mère sur ses talons. Quand j'entends la porte se refermer et que je les vois s'éloigner par la fenêtre, j'arrête le morceau que je jouais sans me préoccuper de la finale. Si Noah avait encore été ici, il aurait mieux valu pour moi que je termine le morceau pour éviter une crise de sa part. Mon petit frère déteste que quoi que ce soit se termine prématurément.

Je monte lentement les marches pour ne pas faire de bruit, ce qui alerterait inévitablement ma petite sœur de ma sortie, et je me rends à ma chambre pour me changer. Je ne peux pas traverser la frontière en portant des vêtements civils qui me feront passer pour une résidente de la Basse République. Je n'ai qu'un seul ensemble qui convienne à ce type de camouflage et heureusement, je ne le mets pas assez longtemps pour qu'on me remarque, ce n'est qu'une mesure préventive. Là-bas, de l'Autre Côté, j'ai un uniforme que je préfère ne pas rapporter ici. J'enfile mes vêtements et dénoue ma natte pour y passer un léger coup de brosse. J'aimerais garder mes cheveux plus longs, mais ils nécessiteraient de l'entretien. Quelque chose que je ne suis pas en mesure de me permettre en raison du coût excessif de tout produit corporel.

Mes vêtements plus « luxueux » se résument à un jeans usé que ma mère a teint à plusieurs reprises pour lui donner un air neuf. Mon chandail est blanc et je l'accompagne toujours de mon tricot de couleur grise que j'ai depuis des années, ouvert à la façon d'une veste. Je l'ai tellement porté que les mailles se sont étirées et amincies, créant de plus grandes ouvertures à certains endroits.

Quoi qu'il en soit, ce sont les seuls vêtements que je peux porter pour traverser et avec lesquels je peux me fondre dans cette masse de satin et d'angora qu'on trouve de l'Autre Côté. Je me glisse dans mon manteau et enfile mes bottes lacées en cuir élimé qui montent tout juste avant la courbure de mon mollet. Le soir, quand je reviens, la température est toujours plus basse, et je dois me préparer en conséquence. Je descends les marches et croise les doigts pour ne pas voir mon père. En raison de son travail, il ignore que je sors tous les soirs. En moyenne, il travaille quatorze heures par jour et il rentre si tard qu'il va bien souvent directement à sa chambre pour dormir et ce n'est qu'au matin qu'il passe dans nos chambres pour nous souhaiter une bonne journée. Il réalise bien sûr que je ne suis pas là, tout comme Effie, et je doute d'arriver à faire tenir le mensonge de l'aide communautaire à l'orphelinat du quartier pendant bien longtemps... Il n'y a que ma mère et Adam qui soient au courant, et il ne peut y avoir qu'eux deux. Ce dernier m'attend justement dehors à l'entrée.

— J'ai vérifié les groupes de sentinelles qui sont de garde, tu peux circuler dans le quartier nord sans problème pour te rendre à la frontière. Caleb y est déjà, je l'ai vu tout à l'heure quand il passait avec un commando. Le soleil se couche autour de 18 h. Vers quelle heure prévois-tu rentrer ?

Je hausse les épaules.

— Je l'ignore, Adam. Ça dépendra de Lanz et de l'achalandage au café. Leur couvre-feu est à minuit, mais cela ne change rien au fait que je ne serai pas de retour avant la tombée de la nuit.

Mon frère grimace, passe sa main sur sa nuque en expirant bruyamment.

— OK. Alors, fais attention aux lumières et aux groupes de sentinelles. Demande à Caleb avant de partir où ils sont et...

— Adam ! le coupé-je.

Je soupire en levant ma main devant son visage voyant qu'il souhaitait ajouter autre chose.

— Ça va. Je sais comment faire. Tout ira bien.

— Je déteste que tu aies à faire ça.

— Il le faut et tu le sais tout comme moi. Tu en fais déjà beaucoup, toi aussi.

Mon frère acquiesce. Il travaille en soirée dans une usine de charbon qui fournit la ville en électricité et où il pourrait bien rester.

Il me serre brièvement dans ses bras.

— Sois prudente, Coccinelle.

— Toi aussi, Coquerelle.

Je réussis à lui arracher un sourire et je tourne les talons. Une longue marche m'attend.

Je sais que je le traite de bestiole ignoble, mais c'est le seul insecte qui rime avec le surnom qu'il m'a donné et j'arrive toujours à le faire sourire en le traitant de Coquerelle. J'avais trouvé cette insulte pitoyable à l'âge de neuf ans quand j'en avais eu assez qu'il m'appelle de toutes les manières possibles et imaginables pour me taquiner, parce que, semble-t-il, il s'agissait de son passe-temps préféré à l'époque, avant que nous ne devenions tous deux inséparables.

Alors je lui avais sorti ce mot, tout bonnement, du haut de mon petit mètre, tellement dressée sur la pointe des pieds qu'ils m'en faisaient mal. Il avait serré ses longs bras sur sa poitrine, la mine renfrognée, et j'avais fini par éclater de rire à m'en rouler par terre. Et aussi improbable que cela puisse paraître, cette « insulte » est restée. En fait, c'est principalement parce qu'elle réussit toujours à lui redonner le sourire que j'aime l'utiliser. C'est une source de motivation pour moi et cela suffit à me faire avancer dans bien des cas, le cœur plus léger, quand il me semble avoir le moral dans les talons.

Quatre

Je dois rester concentrée sur ma route. Notre couvre-feu n'est que dans quatre heures, mais j'ai appris bien vite que je ne devais pas m'attarder dans les rues de la Basse République et c'est ainsi pour tout le monde à toute heure du jour, et ce, même quand le soleil n'a pas encore tout à fait atteint l'horizon comme présentement. Personnellement, il ne m'est jamais rien arrivé de très grave, mais j'en entends suffisamment pour savoir que je n'ai rien à faire ici plus que quelques minutes, particulièrement lorsque les aiguilles de l'horloge approchent 21 h et que les militaires insistent sur l'importance que nous soyons tous dans nos demeures respectives.

Je connais l'emplacement de chaque groupe de sentinelles. J'ai même fini par être en mesure de mémoriser leurs rondes et le nombre de gardes situés à chaque endroit. Sans oublier les caméras installées près de la frontière et sur quelques pignons. C'est une tâche ardue d'avoir à toutes les éviter et je dois me faire discrète.

Je n'ai jamais eu aussi peur de la nuit depuis que je sais ce qui s'y passe. Les rues grouillent de gardes, de coups de feu, de cris, alors que tout devrait au contraire être calme. Seulement, j'ai bien vite pris conscience du fait que le silence n'est pas plus rassurant. Bien au contraire, je ne l'ai jamais apprécié. Plus particulièrement quand je m'y trouve en plein cœur.

J'enfreins plus d'un règlement et je risque ma vie tous les jours ne serait-ce qu'en pensant traverser la frontière. Les contacts entre les deux côtés de la République sont strictement interdits et passibles de la peine de mort si les autorités viennent à l'apprendre. Par ailleurs, enfreindre le couvre-feu peut aussi conduire à ce châtiment si un commando nous surprend en délit. Le règlement est strict et difficile à violer si l'on n'a que la nuit comme complice.

Heureusement pour moi, Caleb, le meilleur ami de mon frère, est garde depuis quelque temps déjà. Il est la pièce déterminante de ce plan que j'échelonne depuis tellement longtemps. Si Caleb s'écroule, tout le bâtiment tombe avec lui. Sans lui, je ne peux *pas* traverser. Avec lui, je peux *potentiellement* traverser.

Il y a une brèche dans l'enceinte de briques que constitue le mur, suffisamment grande pour que je m'y faufile, bien qu'il ne soit pas rare que je m'écorche contre la pierre. Elle est à l'abri des caméras de surveillance et des autres gardes. C'est quasi sans danger. « Quasi » parce qu'il y a toujours un risque. Sans l'intervention de Caleb, franchir la frontière ne serait pour moi qu'une idée stupide, voire insensée. Quoique le fait de transférer chaque soir n'enlève rien à la stupidité de mes actes, ça nous permet de survivre. Étrange comme risquer sa vie peut en réalité vous sauver dans bien des cas…

J'agis donc dans l'ombre et je n'en émerge qu'une fois en sûreté de l'Autre Côté. Bien que « sûreté » soit un très, très grand mot. Je continue de risquer ma vie à tout instant. Si on vient à me demander mes papiers – qui dans le meilleur des cas seraient des faux, mais il s'avère que je n'en ai même pas –, je risque la pendaison pour bris de frontière, littéralement. Si on apprend que je viens de la Basse République, je meurs. Une balle, rien qu'une, ça suffira à n'importe quel garde qui viendrait à me surprendre. Pas de procès, pas de prison. La mort et c'est tout. Mon gouvernement ne traite pas avec les criminels. Un soldat qui n'est pas de mèche avec Caleb nous dénonce et il risque lui aussi la peine capitale.

Je m'en veux un peu plus chaque jour de les avoir impliqués, Adam et lui, dans ce plan suicidaire. Puis je me rappelle que c'est vital non seulement pour moi, mais pour tout le reste de ma famille, et ce, malgré tous les risques que je cours. Car de l'Autre Côté du mur, c'est un emploi qui m'attend. J'ai eu cette envie irréprochable de faire quelque chose quand j'en ai eu assez de voir mes parents nous offrir à manger sans qu'eux-mêmes puissent en profiter.

Il y a une barrière immatérielle plus puissante encore que le fil barbelé et l'enceinte qui entourent la Basse République: la peur. Une peur viscérale qui nous fait craindre la vie plus encore que la mort. Et cette peur est constamment entretenue par ceux qui sont à la tête de ma République.

Chez moi, c'est Adam qui travaille. Mon père s'occupe des réparations du chemin de fer, d'où ses absences prolongées, et ma mère est couturière à domicile. C'est le seul travail qu'elle peut accomplir tout en continuant de prendre soin de Noah à la maison. Elle reste perçue d'un mauvais œil par les autorités puisqu'elle ne contribue pas à l'effort collectif, mais c'est mieux que de ne pas avoir d'emploi du tout et ça, ça n'a pas de prix.

Par foyer, il ne peut y avoir plus d'un enfant qui travaille, à moins que ce dernier ne soit en service militaire. Le premier problème avec le service militaire, c'est qu'on ne revoit plus jamais l'engagé. Il disparaît et il ne peut plus entretenir aucun contact avec son entourage direct autre que la pension qu'il lui fournit pour son engagement. Le second problème est qu'à moins d'être à l'école, de soudoyer l'armée ou de posséder un emploi stable qui soit véritablement rentable pour la famille, le service devient obligatoire pour un minimum de cinq ans à partir de l'âge de 19 ans. Mon frère aura

19 ans dans deux mois, le 6 décembre pour être exacte. C'est donc un ultimatum considérable.

S'il respecte son engagement de cinq ans, il peut quitter le service et s'assurer une meilleure vie sans pour autant faire partie de l'Élite, bien entendu. On ne se transfère pas d'un côté à un autre, ça ne se fait pas. Il n'y a absolument rien qui le permette non plus. Alors pour contourner le système, le seul moyen que j'ai trouvé, c'est de briser la loi et de travailler de l'Autre Côté.

Je tourne subtilement sur ma droite quand je vois un groupe de sentinelles approcher. Je dois prendre tous les détours qui s'offrent à moi. Trop souvent, on m'arrête pour me demander où je vais et vu ma piètre capacité à mentir, je préfère les éviter.

Je lève les yeux devant moi. Plus qu'une centaine de mètres à parcourir.

À ce stade, le stress me gagne toujours. Il m'oppresse la poitrine, retourne mon estomac vide. Mes mains sont moites dans les poches de ma veste que je serre autour de moi pour me protéger d'un froid qui vient pourtant de l'intérieur.

Je m'arrête dans l'ombre d'un bâtiment et inspire un bon coup. Ici, il n'y a ni ronde de milice, ni caméra. Personne n'ose s'aventurer si près de la frontière, mais la surveillance reste accrue. Je jette un coup d'œil et localise Caleb presque aussitôt.

Il est seul à son poste, comme toujours. Les mains derrière le dos, ses cheveux bruns et courts dissimulés sous sa casquette militaire. Je sais par contre qu'ils sont juste assez longs pour qu'une fois que mes doigts s'y glissent, on ne les voie plus. Je sais que ses lèvres sont douces contre les miennes et qu'elles provoquent chaque fois une boule de chaleur sans pareille au creux de ma poitrine et qu'il nourrit sans cesse d'un petit quelque chose qui me permet d'oublier ce que je vis l'espace de quelques instants qui ont un agréable goût d'éternité.

Je dois arrêter d'y penser. Nous ne pouvons pas nous aimer ici. Pas plus qu'il ne peut revenir à sa vie d'avant. Il s'est engagé dès qu'il a eu 19 ans. Sa famille compte deux enfants de plus que la mienne et son frère plus vieux a péri dans un effondrement après une explosion dans le quartier ouest. Caleb représentait le dernier espoir pour ses parents qui, comme les miens, peinaient et peinent encore à joindre les deux bouts. La lumière au bout du tunnel est toujours loin, presque inaccessible, et d'autant plus difficile à atteindre quand il n'y a que l'obscurité.

Il n'y a personne d'autre que lui et moi dans un rayon de cinquante mètres. J'émerge légèrement de l'ombre pour siffler trois petits coups distincts. Il me voit aussitôt et me fait signe de me dépêcher. Le mur est fortifié par plusieurs colonnes de la même brique que l'enceinte qui m'offre une alcôve assez profonde pour m'y cacher. Normalement, c'est à cet endroit que les soldats se dissimulent en cas d'averse. Bien que les militaires soient nombreux, ce n'est pas la peine de les rendre malades avec les caprices de la nature.

Je me glisse derrière Caleb et il se poste devant moi. Il mesure 1 m 85, soit vingt centimètres de plus que moi, et ses épaules musclées par l'entraînement m'offrent une cache idéale.

— Pile à l'heure, murmure-t-il. Je dois changer de poste dans cinq minutes.

— Seras-tu là quand je devrai retraverser ?

— Tout dépendra de l'heure à laquelle tu reviendras, Em. Une chose est sûre, je ne reviens pas avant 22 h ce soir. Ma ronde doit se faire ailleurs, j'ai été transféré. Il n'y a qu'un garde de l'Autre Côté pour l'instant, j'ai vérifié, mais fais vite; sa surveillance est sur ton trajet.

Il ouvre la main derrière son dos et je récupère le petit papier plié entre ses doigts gantés.

— Voici mes heures pour la semaine. Ne le perds pas, surtout.

Je souris et enfouis le papier au fond de ma poche. Au passage, mes doigts effleurent sa paume que je m'efforçais de ne pas toucher malgré le tissu qui la recouvre. Je ne dois pas me laisser manipuler par mes sentiments. Ils pourraient nous être fatals. Et pourtant, il est là, tout près, si près... Je colle ma paume à la sienne et la serre brièvement avant de laisser ma main glacée retomber le long de ma hanche.

— Merci, Caleb.

— Tout le plaisir est pour moi. Maintenant, file avant qu'on vienne me remplacer. Bonne chance, Emma. Sois prudente, surtout.

— Toi aussi.

Il tourne à demi la tête vers moi et j'en profite pour admirer son magnifique profil. Son nez long et droit, sa mâchoire robuste et ses lèvres fines, sa barbe vieille de trois jours, ses yeux d'un tourbillon de bleu et de gris qui s'illuminent chaque fois qu'il me regarde dans un instant qui me rappelle que le bonheur existe : un bref moment que je m'empresse de saisir. Il se penche vers mon visage, sa bouche tout près de la mienne. Je me détourne avant qu'elle ne m'effleure et me glisse dans la mince brèche.

Une fois de l'Autre Côté, je me permets un soupir plus tremblant qu'il ne le devrait.

J'ai les mains moites, mes doigts tremblent comme les feuilles tombées de ces petits arbres qu'on ne retrouve qu'ici, de l'Autre Côté. Là où je suis. Là où tout le monde voudrait être. Je frétille d'excitation, mais aussi de cette peur qui me saisit chaque fois que je traverse.

Des pas sur ma droite m'alertent, je dois m'enfoncer dans la cité avant que le garde ne revienne. Je l'entends déjà me rejoindre, ses pas feutrés contre les dalles de pierre. Je me précipite dans la première ruelle que je vois et me cache dans l'ombre de la bâtisse. Dissimulée, j'attends de voir le garde passer, les mains croisées derrière le dos, les yeux rivés vers le ciel bien qu'il n'y ait rien à regarder.

Quand il s'éloigne pour de bon, je reprends mon souffle, les poumons brûlants. L'air me manquait depuis de longues secondes déjà, et ma respiration aurait pu l'alerter. Je retire la poussière et la terre de mes vêtements d'un geste sec et m'enfonce dans la Haute République comme si j'étais l'une des leurs et, pourtant, je suis une intruse, un parasite, une menace pour leur Élite. Je suis ce qu'ils veulent à tout prix éviter. Dans l'ombre, je suis leur plus grande peur. Et ils marchent à mes côtés, sans savoir qui je suis : un être médiocre. Un coup de pinceau en trop dans leur chef-d'œuvre.

Cinq

La ville grouille de partout.

Ici, il y a des lumières qui scintillent comme des étoiles, les gratte-ciel que j'arrive à voir normalement de la fenêtre de ma chambre sont à présent au bout de mes doigts. Des gens qui rient, qui marchent sans se préoccuper de ma présence. Ici, il y a un couvre-feu, mais il ne sonne qu'à minuit. Ici, les adolescents peuvent rire, bouger, danser, s'aimer sans craindre de se faire sermonner par les autorités. Ici, ils peuvent vivre.

Vivre. Un mot qui échappe à notre compréhension et qui possède autant d'impact que les sept lettres qui forment le mot *révolte*. *Vivre*, un mot de peu de syllabes qui signifie bien plus encore que ce qu'on pourrait imaginer pour les gens médiocres tels que moi. Il résonne avec écho entre mes oreilles pour se répercuter à l'infini entre les murs de la ville tandis que je sens en moi monter la liberté. J'ai des ailes et elles se déploient enfin, je peux presque les toucher, atteindre cet abandon, m'envoler vers lui.

Je vole, je flotte, je file. Or, en bien peu de temps, je me surprends à jeter un regard par-dessus mon épaule, vers tout ce que je laisse derrière. Ce sont mes remords qui tapotent le côté de ma tête ; je ne devrais pas m'abandonner si facilement alors que chez moi, on crève de vivre.

Ma liberté s'éloigne petit à petit et je galope à sa suite pour la rattraper. Alors seulement, je retombe. J'atteins le sol avec force. Je dégringole. Mes ailes se sont perdues dans les nuages qui, ici, semblent moins gris, et mon cœur explose en mille morceaux sur les dalles de béton. Comme des gouttes de pluie qui s'évaporent au soleil, mes rêves s'évanouissent.

La réalité fait mal, elle a toujours fait mal.

Je m'arrête devant le café concert où je travaille. Un café achalandé, sans doute l'un des plus animés de l'Élite et où on y fait ce que je préfère : de la musique. Je n'en joue pas, bien entendu, le patron sait d'où je viens et il sait aussi qu'il court un risque en m'engageant.

Lanz ne m'a engagée que pour une chose : les gens qui veulent travailler dans les bars comme le sien, bien qu'il soit extrêmement luxueux, sont rares. De ce côté, les adolescents sont tous plus fortunés les uns que les autres et n'ont nulle obligation de travailler pour subvenir à leurs besoins, contrairement à moi. Je ne suis donc qu'une serveuse, mais ça me convient tout à fait. Lanz ne veut pas empirer son cas en me prenant comme musicienne, de peur que je ne devienne populaire et que je lui cause des ennuis. Il me paie beaucoup moins que tous les autres aussi, je le sais, mais je m'en plains pas. Je n'ai pas de quoi me plaindre. J'ai un emploi payant considérant mon niveau de vie, et je peux aider ma famille à survivre. C'est tout ce qui m'importe.

À 17 h 30, il n'y a encore personne, mais c'est le moment que je préfère. Celui où le bar est encore tranquille, paisible et où je peux profiter des joies de l'Élite.

J'entre sans frapper malgré la pancarte « Fermé » dans la vitrine. La clochette au-dessus de la porte souligne mon arrivée par un doux tintement. Le café, dont tous les meubles sont noirs à l'exception des grandes nappes blanches qui couvrent les tables rondes disposées un peu partout dans l'aire ouverte, m'apparaît toujours aussi somptueux malgré son étonnante sobriété. Le bâtiment se trouve au coin d'une rue, ce qui permet à de grandes fenêtres à carreaux, hautes du plancher au plafond, de couvrir deux façades entières. Les chaises, rembourrées de coussins de velours noir, sont faites d'un bois sombre et riche. C'est un endroit somptueux tout en finesse et riche en élégance.

On y sert des gens de tout genre, pour la plupart très fortunés. Ici, on n'offre aucun repas, rien que des boissons à des prix qui m'ont toujours paru ridicules. C'est cher payé pour venir boire un verre si l'on ne prend que ce détail en considération.

Malgré tout, le concert, à mon humble avis, vaut bien le prix exorbitant que les gens sont prêts à payer pour à peu près n'importe quoi de ce côté. À croire qu'ils n'ont aucunement conscience de la chance qu'ils ont. Comme si *nous* n'existions pas de l'autre côté du mur, à rêver de leur fortune et de leur vie.

Derrière le bar, le serveur me sourit sans cesser de frotter son comptoir d'onyx à l'aide d'un chiffon blanc. Aleksander est un charmeur hors pair et c'est un des garçons avec qui je m'entends le mieux. Ses avances marquées à mon intention ne m'atteignent pas le moins du monde parce qu'il effectue le même manège avec la moindre fille qui passe le pas de la porte. Les compliments et les belles paroles ont toujours réussi à me faire dégringoler sans parachute, les joues barbouillées de couleur pourpre. Pour lui, je suis donc une cible excessivement facile.

— Emma ! s'exclame-t-il en regardant sa montre cachée sous sa magnifique chemise noire au revers de satin. Tu as de l'avance, une chance pour toi !

— Il n'est pas de bonne humeur ? dis-je en marchant entre les tables dont les chaises sont encore levées pour la plupart.

— Lanz n'est jamais de bonne humeur, tu le sais bien ! Va vite te changer avant qu'il ne revienne, me conseille-t-il en désignant d'un signe de tête la salle derrière le bar.

J'acquiesce et me dirige d'un pas rapide vers la pièce réservée aux employés. Mon uniforme se trouve sur un cintre: un pantalon noir et une chemise à volants sans manches, bleu royal, accompagnée d'une ceinture très mince de cuir noir, dont l'attache est en argent.

Les serveuses portent la seule touche de couleur du café puisque nous sommes vêtues de satin bleu. Il n'y a qu'ici que je puisse porter d'aussi beaux vêtements et je les laisse toujours dans le café de peur que mon père ou Effie ne les découvrent à la maison.

Ce n'est donc qu'un emprunt et Lanz me fait bien plus qu'une fleur en m'acceptant dans son établissement. Malheureusement pour moi, il semble prendre goût à abuser de ce détail...

Le prix d'un vêtement de ce genre représente sans aucun doute ce qu'il en coûte pour nourrir ma famille pour un mois entier, et je me sens toujours méprisable de le porter pour cette raison. Tout de même, je me dis que c'est la moindre des récompenses dont je peux bénéficier, avec mon patron insupportable et les longues heures que j'accomplis alors je me tais, encore une fois. Je l'enfile tout de même avec délectation et remonte mes longs cheveux blonds en une queue de cheval. Au bas de l'armoire de bois sombre, je récupère mes talons hauts de cuir noir laqué qui me torturent les pieds tout au long de la soirée, mais que je suis obligée de porter. Par contre, rien ne m'empêche de grimacer en les chaussant.

Je me regarde dans le miroir, impressionnée chaque fois par cette soudaine métamorphose. D'autant plus que je peux me regarder des pieds à la tête ici. Nous n'avons jamais possédé de miroir qui renvoie clairement notre réflexion de plus de trente centimètres de haut à la maison.

Je me détache de la glace et plie mes vêtements que je glisse dans l'armoire, à l'abri des autres employés qui pourraient découvrir le subterfuge que j'utilise en venant travailler. Il leur faudrait bien peu de temps pour s'apercevoir que mes vêtements ne sont qu'une banale imitation des leurs.

Je me redresse et me tourne vers la petite table. *Tiens, c'est nouveau, ça.* Une épinglette noire, sur laquelle mon nom est écrit en lettres cursives argentées, est posée dessus. La panique me submerge, mon cœur s'affole. Je ne veux pas qu'un client parte avec ne serait-ce que le souvenir de mon nom. Mon visage suffit à marquer leur mémoire d'un souvenir indélébile qui pourrait me trahir à tout moment. Si je pouvais, je changerais de visage tous les soirs.

Les doigts tremblants, je glisse l'épinglette dans la poche de mon pantalon. Je ne la porterai pas. Ni aujourd'hui, ni jamais. Je préfère encore prendre le risque de m'attirer le courroux de Lanz plutôt que de savoir mon identité dévoilée de ce côté de la ville.

Par ailleurs, on ne connaît que mon prénom ici. Ma piètre capacité à mentir m'a tout de suite vendue et je n'avais d'autre choix que de dire mon vrai prénom à Lanz. Celui-ci m'avait assurée, d'un ton qui laissait présager tout le contraire, que ce serait à jamais la seule chose que son café garderait de moi. Une chose à retenir à son sujet est que ses promesses sur mon anonymat sont aussi volages que le vent peut l'être, instables et auxquelles on ne peut jamais se fier.

Je sors de la salle les mains sur mon pantalon que j'effleure doucement. Pour Aleksander, ces vêtements doivent sembler d'une platitude déconcertante. Pour moi, il s'agit d'un privilège incontestable.

J'approche des tables et commence à baisser les chaises après avoir jeté un coup d'œil à l'horloge accrochée au-dessus du bar.

— Qui travaille avec nous ce soir ? demandé-je à Aleksander.

— Lisabeth viendra nous rejoindre et Frieda aussi, je crois.

Je hoche la tête lorsqu'il vient me prêter main-forte avec les sièges.

— Je te sers quelque chose ? me demande-t-il gentiment après avoir débarrassé une table entière.

— Je veux bien, oui. Merci, dis-je en posant la dernière chaise au sol avant de m'exclamer après un petit moment : sans alcool !

Je l'entends râler et il se tourne vers moi. Je lui offre un grand sourire qui se fige maladroitement lorsqu'il y répond, toujours aussi charmeur, et qu'une nouvelle couleur écarlate vient teinter mon visage. Mon regard bifurque vers le plancher au moment même où mes doigts se mettent à pianoter sur le bord d'une des tables. J'ai toujours été d'un genre timide et mon collègue en tire avantage plus de fois que nécessaire.

— Emma, Emma, Emma... Toujours aussi sage ! Un soda, ça te va ?

— Ça me va tout à fait.

Je me redresse et ouvre la bouche avant de la refermer aussitôt. Je viens de réaliser que je n'ai jamais pris de soda de ma vie. Je travaille ici depuis plusieurs semaines déjà, mais je n'ai jamais vraiment pris quoi que ce soit d'autre que de l'eau. Elle est bien plus pure de ce côté et beaucoup plus accessible. Tellement plus accessible qu'on l'embouteille ! Chose carrément inconcevable de mon côté de la ville.

Je monte sur la scène, chiffon à la main, et soulève délicatement le couvercle du piano pour dévoiler les magnifiques touches d'ivoire. Ce piano est décidément le plus beau que j'aie jamais vu et je me fais un plaisir de le rendre plus brillant soir après soir. Entièrement noir, il est si lustré que je peux m'y voir. Les touches d'un blanc immaculé sont alignées à la perfection. Cet instrument est un chef-d'œuvre à lui seul et les notes qu'il produit sont plus belles encore. Qu'est-ce que je donnerais pour en jouer !

La porte du café s'ouvre pour dévoiler Frieda et Lisabeth, mes autres collègues de travail. Elles sont toutes deux issues de l'Élite, par contre leurs parents les forcent à avoir un emploi pour les responsabiliser. Ce n'est donc pas une question de vie ou de mort, mais presque une punition. Lisabeth vient d'une famille de diplomates et les parents de Frieda possèdent une importante compagnie de vêtements.

Les cheveux de Frieda sont si bien bouclés qu'on les croirait irréels ; ils sont aussi noirs que le piano près duquel je me tiens. Son teint de porcelaine et ses joues toujours légèrement rosées en font jalouser plus d'une. Dont moi. Elle a de longs et magnifiques cils noirs et ses yeux sont d'une teinte marron chaleureuse. Dans l'ensemble, elle est parfaite. Quant à Beth, elle est tout aussi belle, mais d'une beauté plus exotique que Frieda. Sa peau café au lait est soutenue par une longue chevelure brune qu'elle natte toujours sur le côté. Ses yeux sont aussi verts que deux émeraudes et ses lèvres charnues font partie des fantasmes de bien des hommes, c'est évident. Ces deux serveuses sont l'image même de l'Élite et leur beauté m'éclipse complètement.

Je suis la seule blonde du café et, sans l'ombre d'un doute, la moins jolie des trois employées que nous sommes. Je suis menue, je possède de jolis traits, mais sans plus. Mes lèvres sont bien dessinées, sans être aussi belles que celles de Beth. Mon nez est petit, mais long. Mes sourcils ont l'avantage de ne pas être trop épais en raison de la couleur de mes cheveux d'un blond excessivement clair. En fait, il n'y a que mes grands yeux en amande et leur couleur indéfinissable qui me confèrent un certain charme. Du moins, j'ose le considérer comme tel. On a du mal à se trouver attrayante lorsque rien au monde ne nous en a offert la possibilité, alors j'ai reposé mes espoirs sur la couleur des yeux dont m'a fait cadeau mon père, quitte à ne pouvoir avoir accès à tous ces services d'esthétique que les jeunes filles d'ici s'offrent.

Je les salue d'un signe de main auquel elles répondent d'un sourire étincelant. Elles ignorent d'où je viens, tout comme notre barman, et sont d'une extrême amabilité. Amabilité qui mourrait aussitôt si elles venaient à apprendre mes origines médiocres.

Aleksander les salue gentiment avant qu'elles s'éclipsent pour se changer.

— Voilà ton soda ! dit-il en l'exhibant fièrement.

Je lui souris et m'avance au bar pour récupérer le verre d'une main. Le liquide transparent possède un léger dégradé rosé en raison d'un ajout de grenadine et frétille à la surface du verre. Des centaines de bulles glissent vers le haut pour s'envoler dans l'air. J'essaie de ne pas avoir l'air trop impressionnée par son aspect, mais je réalise bien que c'est peine perdue quand je vois l'expression qu'affiche mon collègue.

Aleksander me dévisage les bras croisés, ses yeux gris clair fixés sur moi. Je trempe lentement mes lèvres dans le liquide et recule la tête en sentant les bulles frétiller sur mes lèvres.

— Tu as drôlement l'air d'une fille qui n'a jamais bu de soda...

Je me rends vite compte que ma réaction est des plus inappropriées.

Je suis censée faire partie de l'Élite, je ne dois pas m'étonner de boire un soda. Je suis censée savoir ce que ça goûte. Je suis censée venir d'ici.

— La dernière fois que j'en ai bu un remonte à plusieurs années ! Ma mère m'a toujours dit que le sucre faisait grossir, dis-je en haussant les épaules avant de m'empresser de prendre une gorgée pour camoufler mon pieux mensonge.

— Ça ne te ferait pas de mal par contre, ajoute-t-il en se tournant vers la dizaine de verres et de coupes à sa disposition pour s'assurer qu'ils sont tous impeccables.

Je fronce les sourcils sans comprendre. Je répète sa phrase dans ma tête dans l'espoir d'y saisir ce qu'il voulait dire. Les lettres se mêlent les unes à la suite des autres et son énoncé repasse en boucle. Puis je baisse le regard vers mon corps et assimile enfin ce qu'il voulait insinuer.

Je suis maigre. J'ai des courbes, mais elles sont quasi inexistantes. C'est à peine si j'ai assez de hanches pour avoir une rondeur et des seins pour combler le tissu de ma chemise. Ma taille est encore plus fine et c'est bien l'une des seules choses qui puissent donner l'illusion que je possède des hanches. Je ne suis pas très grande non plus. On cesse de grandir rapidement lorsqu'on ne mange pas toujours à sa faim. Mais ça, Aleksander l'ignore. À ses yeux, je n'ai qu'une faible conformation puisqu'il s'imagine que je viens du même endroit que lui.

Du moins, je l'espère...

Je bois mon soda à petites gorgées, en espérant étirer aussi longtemps que possible le goût fantastique et si sucré des petites bulles qui éclatent sur ma langue. Elles titillent chacune de mes papilles gustatives endormies qui ont goûté de la nourriture fade pendant trop longtemps. Simplement avec cette boisson, j'ai l'impression de faire revivre ma bouche en entier.

Le liquide tombe dans mon estomac vide et je le sens encore pétiller sous mon sternum. Je pose mon verre sur le comptoir en remerciant Aleks quand Lanz entre dans son café suivi du musicien faisant la première partie du spectacle.

Aussitôt, je redresse mes épaules et mon regard glisse invariablement vers le sol. Je joue nerveusement avec mes doigts qui sont de plus en plus froids. Quant à mon collègue, il est nonchalamment appuyé contre son bar et salue Lanz d'un hochement de tête assuré.

Lanz approche et me dévisage des pieds à la tête. Son regard est sombre et sa carrure, imposante comparativement à la mienne. C'est un homme d'affaires chevronné, mais méprisant tout à la fois. Pour lui, la seule véritable chose qui importe, c'est la réputation qu'il s'est bâtie ici. Or, je crois qu'il oublie souvent que son succès ne vient pas de lui et de la main de fer avec laquelle il mène son pub, mais bien d'une seule personne, et c'est Henry, le pianiste qui travaille pour lui. Et sincèrement, j'ignore comment c'est possible qu'il soit encore ici et pas ailleurs où il aurait sans doute encore plus de succès. Henry est beaucoup trop exceptionnel pour n'être que le musicien d'un homme aussi désagréable. Je jette un coup d'œil à l'horloge : elle indique déjà 17 h 55. Henry arrive dans une heure et le café ouvre dans cinq minutes. En attendant son arrivée, un jeune musicien assure la première partie du spectacle. Le garçon suit mon patron comme son ombre et nous salue gentiment.

Lanz passe à côté de moi en me dévisageant avec dédain et s'enferme dans son bureau après avoir donné une maigre directive au garçon. En entendant sa porte claquer, je sens toute ma colonne vertébrale se détendre d'un coup tandis que je passe une main sur mon visage. Aleks passe derrière le comptoir et pose ses mains sur mes épaules, qu'il presse contre ses paumes.

— Tu ferais mieux de relaxer, Emma, la soirée risque d'être longue.

Je grimace et finis par acquiescer. Le musicien pose son étui au sol et nous serre la main à tour de rôle. Je prie pour que ma main ne tremble pas dans la sienne. J'ai l'impression désagréable qu'elle est aussi humide qu'un poisson mort. Aleks a raison, il faut que je me ressaisisse.

— Bonsoir, je m'appelle Lucas. C'est moi qui ferai la première partie d'Henry ce soir.

— Enchanté, Lucas ! s'exclame alors le barman. Viens, je vais te présenter la scène.

Mon collègue l'entraîne vers le piano en lui demandant ce dont il joue et depuis quand. J'écoute leur conversation d'un air distrait, encore absorbée par le regard méprisant que m'a lancé Lanz. Chaque fois qu'il me regarde, je semble tellement médiocre pour lui. La seule chose qui puisse me donner l'illusion qu'il a besoin de moi et qu'il ne me renverra pas à ma prochaine erreur, c'est que je suis disponible tous les soirs.

Aleks descend de la scène et se poste derrière son bar.

— Tu vas ouvrir, Emma ? me demande-t-il voyant que je piétine sur place.

— Oui, bien sûr !

Je frotte mes mains ensemble pour me donner confiance et avance d'un pas qui se veut décidé vers l'affiche pour la tourner du côté « Ouvert ».

— Que la soirée commence !

Ma voix glisse entre mes lèvres avec une aisance dont je ne me serais jamais crue capable et le sourire franc que j'affiche semble surprendre mon collègue. Aleks me glisse un clin d'œil.

À cet instant, les deux autres filles arrivent et me confirment d'un simple coup de tête qu'elles sont prêtes.

Les clients se présentent les uns après les autres et c'est Beth qui s'occupe de les accueillir. Quant à Frieda et moi, nous sommes chargées de les diriger à une table et de combler leurs demandes en boissons. Aleksander est un barman remarquable et tous les clients se voient satisfaits à la minute où leurs lèvres trempent dans les verres de cristal que nous leur servons. Lucas est un excellent saxophoniste, et la première partie d'Henry est extrêmement bien réussie. Il enchaîne des mélodies tantôt rapides et rythmées, puis des ballades de jazz qui nous transportent ailleurs dans un univers plus calme et détendu. Malgré ma fatigue, je sens peu à peu une énergie vivifiante monter et gravir les échelons de mon épiderme en laissant dans son sillage une traînée de frissons. De nouveau, je sens mes ailes se déployer, mais je ne peux pas m'envoler cette fois et je ne veux pas le faire non plus. Je ne veux pas parce que j'ai un salaire à gagner.

Six

La première heure se déroule sans encombre.

Rapidement, le café se remplit presque à craquer. Les gens parlent fort et envahissent le bar d'un sentiment d'excitation presque palpable. Il y a des gens de tout âge, mais la plupart sont dans la vingtaine ou dans la mi-trentaine. Je jette un coup d'œil à l'horloge puis me faufile entre les clients jusqu'à la salle réservée aux employés. Je fais signe à Frieda, qui lève deux pouces en l'air pour me dire que je peux aller le chercher. Je lui souris et m'éclipse derrière le battant. Au risque de me fouler la cheville, je cours sur mes talons hauts jusqu'à la porte arrière du café et je l'ouvre d'un geste ample pour laisser entrer Henry.

— Vous n'attendez pas depuis trop longtemps, j'espère ? m'exclamé-je le souffle court.

Le pianiste m'offre un sourire radieux et entre dans la salle des employés en retirant son manteau que je m'empresse de récupérer.

— Bien sûr que non, ma belle ! Je profitais de cette magnifique soirée. Il y a beaucoup de monde ?

— Comme toujours, Henry. Ils ne viennent que pour vous, vous savez ?

Il chasse mes paroles d'un geste et inspire longuement en secouant la tête.

— Ils ne viennent que pour moi et, moi, je ne joue que pour eux. C'est un partenariat entre le public et ma petite personne. Un contrat non officiel. D'ailleurs, qu'est-ce que je serais sans mon public ?

— Un excellent pianiste.

Il secoue la tête et ajuste sa chemise sous les bretelles de son pantalon, un fin sourire retroussant ses lèvres charnues. Henry est un grand homme d'une soixantaine d'années aux épaules bâties et au visage enjoué dont la mâchoire large est soulignée d'une mince ligne de barbe rugueuse. Sa peau noire le distingue de tous les membres de l'Élite que j'ai vus jusqu'à présent. Ses cheveux sont tellement frisés qu'il avoue n'avoir d'autre choix que de les avoir au ras le crâne, ce qui n'enlève rien à son charme et à sa bonne humeur, que j'ai toujours trouvée contagieuse.

D'habitude, il est accompagné de trois autres musiciens : un saxophoniste, un joueur d'harmonica et un trompettiste qui semblent lui avoir faussé compagnie ce soir. Ce qui, je suis certaine, ne modifiera en rien la prestation ahurissante qu'Henry nous livrera, comme tous les soirs.

Je tourne brièvement autour de lui pour m'assurer qu'il est présentable, bien qu'il possède tellement de charisme qu'il pourrait se présenter en haillons sur scène qu'on n'y verrait que du feu ; je me poste devant lui en replaçant subtilement l'une de ses bretelles.

— As-tu une demande spéciale, ma chère Emma ?

Un sourire candide étire mes lèvres alors que je lui tends son veston qu'il enfile par-dessus sa chemise blanche.

— Une demande spéciale ? Faites-moi la surprise plutôt. Vous m'émerveillez tous les soirs.

Il soupire et me tapote l'épaule tout en m'adressant un clin d'œil. Je réajuste son nœud papillon et lisse son veston sur ses épaules. Dans le café, j'entends la foule s'agiter et le tintement des verres reprendre de plus belle.

— Ils m'attendent, je crois.

— Je crois aussi. Allez, venez !

Je lui fais signe de me suivre et pousse lentement la porte. Les lumières illuminent déjà la scène et une passerelle mène jusqu'au petit escalier qu'il faut gravir pour y accéder. Je tiens la porte au pianiste et lui indique la route d'un geste en m'inclinant légèrement. Il me sourit, pince gentiment ma joue au passage et marche d'un pas rapide vers la scène où se trouve encore Lucas, prêt à l'accueillir.

Au moment même où la foule l'aperçoit, l'ambiance se modifie. D'abord énergisée, elle semble rapidement se charger d'électricité. Les gens applaudissent tandis qu'Henry les salue. Lucas s'incline à son tour et s'apprête à s'éclipser quand l'autre le retient.

Le jeune saxophoniste s'interroge un moment, mais ses yeux pétillent d'excitation. Le pianiste lui fait signe d'approcher. Il lui murmure quelques mots à l'oreille, et un sourire radieux éclaire le visage du garçon. Ce dernier sort son instrument au moment où Henry s'installe en ajustant le micro de métal argenté à la hauteur de sa bouche.

— Bonsoir, cher public ! J'espère que vous avez apprécié la prestation de ce charmant jeune homme parce que je compte bien le faire rester !

Les clients applaudissent d'autant plus fort, ce qui semble ravir nos deux musiciens.

— Excellent ! ricane le pianiste avant d'entamer immédiatement sa première chanson.

Du coin de l'œil, je vois Lanz passer une main sur son visage avant de lever les yeux au ciel. Les gens aiment Henry et se déplacent pour le voir ; la fraternité avec laquelle il joue de sa musique et l'ambiance qu'il amène avec lui séduisent le public et en font sa renommée dans toute la Haute République. Par contre, cette fraternité dérange Lanz. Pourquoi ? Difficile à dire, cet homme n'est jamais de bonne humeur, contrairement à notre musicien. C'est à penser qu'il craint qu'Henry ne lui vole le monopole de son bar. Et puis notre patron manifeste son mécontentement et sa désapprobation autant par ses expressions faciales que par les paroles désobligeantes qu'il laisse aller contre moi pour passer sa frustration ; il lui semble impératif que je serve de souffre-douleur.

Les notes s'élèvent dans la salle avec une aisance déconcertante. Henry a toujours su exactement comment nous faire planer avec sa musique et il excelle encore, comme si le temps n'avait pas d'emprise sur lui. Son talent inné fait de lui un autodidacte hors pair qui ne cesse de nous impressionner avec ses compositions et les textes de ses chansons. Je le connais depuis quelques mois à peine, mais c'est comme si je le côtoyais depuis des années.

J'adore le regarder s'exalter par la musique, le voir atteindre un état d'euphorie sans égal tandis que ses doigts parcourent les touches à une vitesse incroyable.

Malheureusement, j'ai autre chose à faire que le regarder et Lanz s'empresse de me dévisager. Voilà bien de longues secondes que je ne bouge plus et mon comportement semble l'exaspérer au plus haut point.

C'est donc avec empressement que je rejoins les tables où les verres sont vides, que je rapporte les verres et effectue de nouvelles commandes auprès d'Aleksander.

Lanz me toise de nouveau et se poste derrière moi alors que j'attends mes consommations au bar. Je suis aussi tendue que les touches du piano sur lesquelles Henry frappe.

— Pourquoi ne portes-tu pas ton épinglette, Emma ?

Je déglutis en sentant son haleine citronnée contre ma peau. Je déteste cette odeur simplement à cause de lui. Elle provoque chez moi des haut-le-cœur et un sentiment de dégoût profond.

— Une épinglette ? dis-je pour feindre l'étonnement. Je n'en ai pas vu.

— Elle a dû tomber dans ce cas, c'est dommage... Je l'ai fait faire expressément pour toi.

— Je ne la porterai pas, Lanz, et vous le savez.

Mes doigts soudainement glacés se posent sur le cabaret qu'Aleks vient de pousser sur le comptoir. Il fronce les sourcils en voyant notre patron si près de moi et son regard glisse jusqu'à mon expression à la fois terrifiée et dégoûtée. Je secoue brièvement la tête. Il ne doit pas s'en mêler. Ça ne ferait qu'envenimer les choses et augmenter mes risques de licenciement. Je me tourne vers Lanz et un soupir chevrotant se faufile entre mes lèvres.

— Veuillez m'excuser, mais j'ai du travail à faire.

Il plisse ses yeux noirs jusqu'à ce qu'ils ne forment que deux fentes dont le dédain à mon égard est saisissant. Il s'écarte lentement et m'agrippe le bras quand je passe à sa droite. Sa main presse mon biceps dans un étau et je serre les dents pour ne pas laisser la plainte que je voudrais échapper filer entre mes mâchoires closes.

Je lui arracherais les doigts un à un si j'en avais la possibilité.

Je regarde sa main le plus calmement possible.

— N'oublie pas que je peux te dénoncer à n'importe quel moment. Ne joue pas à ce jeu avec moi. Tu risques de perdre. Alors, fais ce que je te dis et porte ton épinglette.

Il me relâche brusquement et je me dégage rapidement en espérant ne pas lui avoir laissé la chance de voir la peur tétaniser mon regard. Je me dirige vers la table et dépose les boissons, manquant même de renverser quelques verres dans mon malaise.

Puis je m'empresse de m'occuper ailleurs. Je ne veux pas voir la marque de ses doigts sur mon bras parce qu'ils y ont bien laissé une marque et ce n'est pas la première fois. Pas plus que je ne veux penser à toutes les fois où ses menaces m'ont fait frissonner. Le sourire que j'offre aux clients est frigide, glacial, stoïque.

Je joue une mascarade qui les berne simplement parce qu'ils sont trop occupés à regarder le spectacle sur la scène alors que celui d'une jeune fille terrorisée qui ne vient pas d'ici se déroule tout près. Quand je reviens pour la énième fois au comptoir, tremblante, mon cabaret vide sous le bras, Aleksander pose sa main sur la mienne ; je me dégage d'un seul coup. Je relève vivement la tête vers lui et esquisse un sourire pâle.

— Va prendre une pause, Emma.

Je suis tentée de secouer la tête pour refuser, mais il hoche d'abord la sienne.

— Frieda et Beth se débrouillent très bien. Lanz est dans son bureau, il ne risque pas d'en sortir avant la fermeture. Tu peux y aller. Tu mérites bien quelques minutes de repos, tu ne penses pas ?

— Tu en es sûr ? Je veux dire, ce n'est pas de refus, mais...

Ma voix est faible, chevrotante. Je me dégoûte de parler si faiblement, mais je suis si fatiguée. Il opine d'un coup de menton et me désigne la porte des employés d'un geste de la tête. Je mime un merci du bout des lèvres avant de m'esquiver dans la salle adjacente. À la première chaise que je vois, je m'effondre. J'enfouis mon visage entre mes mains.

Je lisse mes cheveux jusqu'à l'élastique qui les retient, puis j'entortille mon doigt autour de la grande mèche blonde. Je ne veux pas l'admettre, seulement, je suis épuisée. En réalité, ce n'est pas d'une pause dont j'ai besoin, mais d'un repas. J'ouvre les armoires avant de tomber sur une boîte de biscuits qu'Aleks a apportée il y a quelques jours. Il a toujours de quoi grignoter et je le remercie en silence d'avoir laissé cette boîte dans l'armoire.

Ce n'est certes pas suffisant pour couper tout à fait la faim qui me tenaille, mais je pourrai au moins tenir jusqu'à ce que je sois revenue de mon côté de la frontière.

Je regarde l'horloge au mur et me lève. Moins d'une heure et j'aurai terminé. Une petite heure, plus la longue marche jusqu'à la maison pour le retour.

Sept

Il est presque minuit, heure du couvre-feu de ce côté, quand j'arrive enfin à la frontière. Je me glisse dans la ruelle, à l'abri des projecteurs, et me faufile jusqu'à l'alcôve où se trouve la brèche.

— Caleb ?

Mon murmure est si faible que je crains qu'il ne m'entende pas. Par l'ouverture, je peux voir sa silhouette se découper sous le clair de lune. Ma voix se porte jusqu'à ses oreilles, et il s'éloigne subtilement du mur pour me laisser traverser. Je trébuche en passant dans la mince brèche et m'affaisse contre son dos. Il ne bouge pas d'un centimètre, mais je l'entends ricaner.

— Désolée, soufflé-je.

— Ce n'est rien. Ça va ?

— Oui et toi ?

Il jette un coup d'œil à droite et à gauche, puis se tourne vers moi, un demi-sourire au bord des lèvres.

— Je vais bien, m'assure-t-il.

Je soupire faiblement et laisse aller mon front contre son torse, les bras repliés contre ma poitrine. Mes doigts s'accrochent au tissu de son uniforme duveteux tandis que ses bras courent le long de mon dos et de mes épaules frêles.

Je murmure en levant les yeux vers son visage:

— On s'ennuie tous de toi, Caleb.

— Moi, c'est ton si beau sourire qui me manque.

Cette phrase me fait inévitablement sourire et je baisse les yeux comme toutes les fois qu'il me complimente. Les papillons remontent le long de mon estomac et deviennent si lourds qu'ils me poussent à garder les yeux au sol. Son index relève mon menton et je croise de nouveau ses yeux majoritairement gris ce soir, bien qu'une touche de bleu persiste ici et là, les rendant plus lumineux. Mes paupières sont lourdes et il me reste encore plusieurs minutes à marcher.

Si seulement je pouvais rester dormir ici, avec pour unique couverture le ciel étoilé au-dessus de nos têtes et le torse de Caleb en guise d'oreiller.

— Je surveille tes arrières.

— OK. Merci, Cal.

— Tout le plaisir est pour moi, Em. Les tours de garde sont les mêmes que d'habitude, tu ne risques pas d'être prise de court.

— D'accord...

— Rentre bien.

— Bonne nuit.

— Bonne nuit, Emma.

J'adore la façon dont il étire les deux *m* de mon nom. Dans sa bouche, les consonnes qui le composent semblent avoir une connotation musicale. Je fais un pas vers l'avant, puis me retourne vers lui.

— Tu seras là demain ?

J'ai besoin qu'il me rassure et je veux entendre de nouveau sa voix avant de partir pour la graver dans ma mémoire et la rejouer dans les périodes les plus sombres.

Il me sourit et acquiesce doucement.

— Bien sûr.

— OK. À plus tard.

Caleb hoche la tête et je traverse l'étendue au pas de course. Je zigzague entre les faisceaux de lumière, m'arrêtant parfois beaucoup trop près des projecteurs qui ne s'avèrent pas tous stagnants. Dès que je déniche un coin d'ombre, je m'y faufile pour souffler un peu. Je me plaque davantage au mur quand j'aperçois une silhouette courir à quelques mètres d'où je me tiens. Je ne suis certainement pas la seule à déambuler dans les rues ce soir. Je vois souvent des jeunes filles, tout juste plus vieilles que je ne le suis, vendre leur corps à des hommes à peine plus fortunés et souvent pas mal plus âgés qu'elles ne le sont. Nous vivons tous dans la misère à notre façon.

Elles aussi risquent leur vie, mais par des moyens beaucoup plus sombres. Quand j'avais annoncé à ma mère que je voulais traverser de l'Autre Côté pour travailler, elle avait d'abord eu peur que ce soit pour me prostituer, et sa réaction immédiate avait été un refus catégorique. Rapidement, je l'avais rassurée en lui disant que ce n'était pas le cas et elle m'avait ensuite demandé de lui jurer que je ne m'abaisserais jamais à de telles pratiques. *Les filles Kaufmann valent beaucoup mieux*, m'avait-elle dit d'un air extrêmement sérieux et quasi solennel que je n'avais pas pris à la légère. C'était sa condition à ce que je traverse. Et ça me convenait.

Plus que quelques pâtés de maisons et je serai rentrée. Ici, les sentinelles sont légèrement moins nombreuses, mais elles sont postées à des endroits qu'on ne soupçonnerait pas. Je dois donc redoubler de prudence non pas en raison des gros escadrons, mais des gardes tapis dans l'ombre. Je me glisse dans la noirceur d'une ruelle avant de courir d'un pas feutré jusqu'à la porte arrière de la maison, qui n'est verrouillée que de l'intérieur.

Alors que je traverse notre jardin, une lampe torche balaie ma trajectoire et m'aveugle un court instant dans sa course folle.

— Hé ! Qu'est-ce que vous faites là ? Attendez une minute !

Je ne m'arrête pas et cours plus vite encore. J'hésite une fraction de seconde. Non, ce n'est pas encore le moment de rentrer. Il ne doit pas savoir que c'est à cet endroit que je demeure. Sans quoi, je risque d'avoir une très mauvaise visite demain matin.

Je sprinte entre les maisons pour lui fausser compagnie, mais je sens toujours sa lampe torche braquée sur les pas que j'ai laissés derrière. Je longe le mur extérieur de mon troisième voisin, penche la tête à la jonction des murs, le souffle déjà court alors que je n'ai parcouru qu'une centaine de mètres. L'angoisse me serre les tripes. Je m'éloigne encore. Il semble lui aussi avoir ralenti le pas, je l'entends d'ici. Je contourne le mur extérieur et ramasse une pierre au sol que je soupèse dans ma main tremblante. Ses pas se rapprochent. J'avance vers la rue à tâtons, retiens mon souffle et laisse tomber le gros caillou sur le macadam. J'aperçois aussitôt la lumière de sa lampe se diriger vers le bruit que j'ai provoqué. Je recule jusqu'à la cour. De là, je réduis la distance qui me sépare de mon voisin direct et parviens enfin à me faufiler dans la maison.

J'entre en expirant le plus silencieusement possible, mais j'ai les poumons en feu d'une fébrilité que je peine à contenir. J'entends alors les pas du soldat et je m'empresse de verrouiller la serrure. Je me laisse descendre le long de la porte, le visage entre les mains. Mon cœur bat si fort que je crains qu'il alerte le garde qui poursuit toujours ses recherches pour me retrouver. J'entends des pas dans le couloir de l'étage et je reconnais Adam. Il entre dans la cuisine et je m'empresse de lui faire signe de s'accroupir. Ce qu'il fait rapidement en voyant mon air effaré. La sentinelle semble m'avoir perdue de vue, mais je peux encore apercevoir sa lampe éclairer la maison et les environs. Je fais signe à mon frère de se taire et je me relève lentement jusqu'à ce que je puisse voir l'extérieur, là où se trouve le garde.

— Emma ! Cache-toi, bon sang ! s'exclame Adam en un murmure, les dents serrées.

Je me plaque contre la porte et retiens de nouveau mon souffle. Il est bien plus près que je ne le croyais. Mes poumons veulent exploser dans ma poitrine en même temps que mon cœur qui ne veut qu'en sortir le premier. Je suis un volcan en pleine éruption causée par un tremblement de terre qui se propage dans tous mes membres et qui menace de me détruire à chaque secousse. Je croise les doigts pour qu'il ne m'ait pas entendue fermer la porte de ma demeure.

Le garde braque sa lampe par la fenêtre de la porte et tente vainement de regarder à l'intérieur. Le mince rideau lui obstrue la vue et je remercie silencieusement ma mère de l'avoir installé. Adam est à l'abri derrière les caissons d'armoires, mais il suffirait au garde de baisser les yeux pour me voir, moi, celle qu'il recherche activement. Sa main essaie de tourner la poignée, en vain.

La porte est bel et bien verrouillée. Elle se secoue contre mon dos et je serre les dents pour ne pas me laisser gagner par la peur.

Je retiens encore mon souffle, mes poumons se sont transformés en charbons brûlants qui n'attendent qu'une étincelle de plus pour s'enflammer. Et cette étincelle, ce sont les secondes de plus que ce garde prend pour s'éterniser derrière la porte de ma maison.

Je l'entends grommeler contre le battant, puis la semelle de ses bottes fait crisser le gravier quand il fait volte-face pour aller vérifier à la maison d'à côté. Je retiens mon souffle enflammé jusqu'à ce que le silence apaisant de la nuit prenne la relève après son départ. J'expire bruyamment et laisse aller ma tête contre l'armoire à ma gauche, les yeux clos.

Ma respiration rapide se transforme en une course frénétique en quête d'air qui file entre mes doigts toujours tremblants. Adam se relève lentement pour s'assurer que le garde est véritablement parti avant de se précipiter vers moi, qui suis toujours accroupie. Il saisit mon visage entre ses mains, me forçant à ouvrir les yeux du même coup alors que je ne souhaite que les fermer pour de longues heures de sommeil.

— Tout va bien, Em ? Tu n'as rien ?

Je secoue faiblement la tête et pose mes mains sur ses poignets.

— Non, ça va, je n'ai rien. Je ne l'avais pas vu. Il balayait les alentours avec sa lampe pendant que je courais, alors j'ai essayé de l'attirer ailleurs. Je suis désolée de l'avoir attiré par ici, Adam, je ne voulais pas. Je ne pensais pas qu'il serait là, dis-je dans un souffle, d'un ton haletant, difficile à maîtriser.

Mon grand frère secoue la tête et me serre dans ses bras.

— Ça va, Emma, ce n'est rien. Je suis bien plus rassuré de savoir qu'ils ne t'ont pas eue et je préfère voir le garde se balader près de la maison plutôt que de savoir que tu t'es fait prendre !

Ma respiration se calme peu à peu et je réussis à reprendre la parole entre deux grandes goulées d'air.

— Qu'est-ce que tu as dit à Effie ?

— Je lui ai fait croire que tu étais passée voir Ariane, dit-il en se remettant sur pied.

J'acquiesce et Adam me tend les mains pour m'aider à me relever.

— Et Noah ? Il va bien ?

Adam passe une main sur sa bouche comme pour réfléchir, puis hausse les épaules.

— Il a remarqué que tu n'étais plus là, mais il n'a pas posé de questions. Il s'est réveillé peu avant ton arrivée, mais je l'ai ramené dans son lit ; ne t'inquiète pas.

— OK.

— Tu as faim ?

J'opine d'un coup de menton et je le suis jusqu'au comptoir. Ce serait un mensonge de dire que je ne m'écroule pas de fatigue, mais la faim prend le dessus. Il déplace doucement un gros pot pour libérer le coin de la table et me tend l'assiette brillamment dissimulée.

— Maman a laissé ça pour toi.

Je soupire de soulagement et récupère le plat avant de m'asseoir à la table dans la noirceur.

— Attends une minute, je vais allumer une chandelle.

Je l'arrête d'un geste et commence à manger.

— Non. Ne fais pas ça. Ça pourrait alerter le garde. Il ne doit pas être parti très loin. Je l'ai vu s'éloigner vers les maisons avoisinantes, mais il pourrait revenir s'il voit de la lumière.

— Tu as raison.

Sans un mot de plus, j'engloutis le contenu de mon assiette – froid, certes, mais ça ne me fait rien – en quelques minutes à peine. Je la pose dans l'évier sans la laver, soulagée d'être enfin rentrée.

Je pose mes mains de chaque côté de l'évier, la tête rentrée dans les épaules, les paupières si serrées qu'elles m'en font mal. Mon frère se glisse à ma droite, les bras croisés, et tire doucement sur l'une de mes mèches, qui a glissé en dehors de ma queue de cheval.

— Emma, arrête de te faire un sang d'encre. Il ne reviendra pas. Et puis s'il revient, il aura affaire à moi.

— OK.

Je finis par hocher la tête et soupire en frottant mes paupières closes.

Je dois simplement arriver à me convaincre que ce stress qui me pèse chaque fois que je traverse n'est qu'un léger désagrément et rien de plus, mais il est bien plus fort que je le voudrais. Il me tenaille aussi ardemment que la peur qui s'échine à m'insuffler de sombres pensées les soirs où je crains recevoir la visite d'une milice au petit matin.

Je me tourne vers Adam et lui souris faiblement. Il doit être fatigué lui aussi. Je parierais qu'il n'a presque pas dormi ce soir en mon absence. Il était de garde puisqu'il finissait de travailler plus tôt que moi et demain, ce sera maman et l'autre fois d'après, encore Adam. Ils se relaient comme ça à tour de rôle quand je dois rentrer tard.

Ils veulent s'assurer que je rentre en sécurité, plutôt que de me savoir encore en ville et en danger de surcroît.

— Va dormir, je vais me débarbouiller à la salle de bain et j'irai me coucher tout de suite après.

Mon frère acquiesce et me suit vers l'escalier.

— D'accord. Après toi, chuchote-t-il.

Je monte tranquillement les marches, la main sur la rampe. Mon pied droit glisse sur l'une d'entre elles et ma cheville fléchit. Je bascule sur le côté en m'agrippant à la rampe, mais ça n'est pas suffisant. Adam, qui se trouve juste derrière, prend ma taille à mains fermes et lève les yeux au ciel en me traitant de maladroite dans un murmure. Je ne peux m'empêcher de ricaner et je plaque une main sur ma bouche pour étouffer mon rire. Je suis tellement fatiguée que je ris pour absolument rien; Adam s'en est bien rendu compte puisqu'il s'empresse de me faire signe de monter, un sourire au bord des lèvres, malgré son air sérieux.

Une fois en haut, je lui envoie la main et je m'éclipse vers la salle de bain. Je ne peux pas faire grand-chose considérant que nous n'avons pas le système de plomberie le plus silencieux qui soit. D'autant plus que je suis en dehors des heures d'utilisation d'eau potable, alors je ne peux pas m'en servir plus que quelques secondes à la fois. Je ne fais donc que m'asperger d'un peu d'eau froide au visage. La douche attendra à demain.

Je me faufile dans la chambre que je partage avec Effie. Il fait terriblement sombre, alors je tire légèrement le rideau pour qu'un faisceau argenté m'illumine sans pour autant réveiller ma sœur qui dort à poings fermés.

Je me glisse dans mon pyjama et remonte doucement la couverture sur les épaules de ma sœur avant de me diriger vers mon lit. Puis, je m'enfonce sous les miennes pour une nuit de sommeil que je souhaiterais plus longue.

Huit

Il doit être près de 6 h 30 quand quelques coups contre le battant de la porte de notre chambre nous réveillent. La peur de revoir le garde cogner à notre porte me tourmentait bien plus que l'envie de dormir et je n'ai trouvé le sommeil qu'à 2 h cette nuit.

— Emma ? Effie ? C'est l'heure, mes chéries.

La voix de ma mère réussit à m'extirper des dernières secondes de sommeil et je sors de mon lit, une main sur le visage, alors qu'Effie n'a pas bronché.

— Emma ?

— Oui, maman ?

— Tu veux bien aller réveiller les garçons pour moi ?

— Papa n'est pas là ?

— Elle secoue la tête.

— Il a dû partir plus tôt ce matin.

— D'accord, j'y vais.

Ma mère s'avance vers le lit de ma petite sœur et lui caresse lentement les cheveux jusqu'à ce que celle-ci se décide à se lever véritablement. Quant à moi, je marche dans le couloir jusqu'à la chambre de mes frères. Je cogne trois petits coups contre la porte avant de l'ouvrir.

— Adam ?

— C'est bon, je suis réveillé, marmonne mon frère en se redressant d'un seul coup, les cheveux en bataille et les yeux bouffis.

Je ne peux m'empêcher de ricaner, puis je me dirige jusqu'à Noah. J'effleure son épaule et le vois ouvrir les yeux. Nous le réveillons toujours en même temps que nous même s'il ne va pas à l'école. La routine matinale le sécurise.

— Bonjour Noah. Tu viens ?

Il pousse ses couvertures d'un geste et se lève. Son bonjour est tellement détaché de ses lèvres qu'il semble chaque fois venir de l'écho d'une vieille lettre chiffonnée et non de lui. Il descend les marches et je suppose qu'il s'assoit sur le fauteuil du salon, comme tous les matins. Mon frère se lève et frotte mes épaules avant de se diriger vers l'armoire pour enfiler son uniforme scolaire. Je me tourne et sors de sa chambre sans un mot de plus pour prendre ma douche.

Nous avons la chance, s'il est possible de s'exprimer ainsi, d'avoir trois chambres dans la maison, que nous partageons tous en binôme. Ce qui n'ajoute rien à la taille déjà fortement restreinte de la maison. Posséder un trop grand espace nous coûterait une fortune en chauffage et cette minuscule maison est bien la seule chose que nous puissions relativement bien nous payer.

Après avoir moi-même enfilé mon uniforme, je descends au salon et m'assois sur le canapé, à droite de Noah.

— Qu'est-ce que tu as dans les mains, Noah ? l'interrogé-je en inclinant la tête sur le côté.

— Une locomotive. Ce n'est pas un train. Les trains ont des wagons et transportent des marchandises. Hier, le plus long avait trente-huit wagons.

— Wow ! C'est beaucoup ! Tu veux venir voir celui de 7 h avec moi ? Il passe dans très peu de temps.

— Dans une minute, quarante-sept secondes. Et il faut deux minutes, douze secondes pour se rendre aux rails. On va le rater. On va le rater. On va le rater. On va...

— On n'a qu'à courir pour s'y rendre, le coupé-je d'une voix douce voyant qu'il commence à s'énerver.

— Oui. On peut courir. On peut.

— Viens, Noah.

— On peut.

Je tends ma main, mais il ne la saisit pas. Il ne lève pas la sienne pour la prendre non plus. Je tente de ne pas laisser paraître ma déception, mais je suis attristée par le fait que ce genre d'attention que je lui témoigne ne l'atteint malheureusement jamais. Je déverrouille la porte, laisse passer Noah avant moi, puis je cours jusqu'aux rails, mon frère sur les talons.

À l'instant même où l'on arrive tous les deux, le sol tremble et la locomotive passe à quelques mètres de nous à peine. Mais plutôt que de regarder le train, c'est mon frère que je regarde. Je reste de longues minutes à l'observer. Il est si absorbé par le convoi qu'une bombe pourrait exploser juste derrière nous qu'il ne réagirait qu'une fois le train passé.

D'ailleurs, je le trouve bien plus fascinant à regarder que cette énorme machine bruyante.

Quand le train et ses trente-deux wagons ont disparu à l'horizon, Noah marche jusqu'à la maison en marmonnant des mots que j'entends à peine. Je le suis sans me forcer à comprendre davantage et referme la porte derrière nous, le regard perdu dans le vague des fils barbelés et du champ déserté.

À présent, nous devrons venir voir le train de 7 h tous les matins s'il ne veut pas être déstabilisé dans son refrain hebdomadaire, tout comme il devra aller voir celui de 16 h avec ma mère tous les soirs. Il retourne s'asseoir sur le fauteuil en tortillant ses mains contre sa poitrine.

— Un jour, je conduirai ce train. Oui. Je conduis très bien. Un jour, c'est moi qui conduirai les trains. Je serai un bon conducteur et je conduirai les trains. C'est moi qui le ferai. Je conduirai les trains.

Adam me rejoint à la cuisine.

— Tu veux venir nous aider, Noah ?

— Em... laisse-le, murmure Adam en se tournant vers moi.

— S'il veut nous aider, pourquoi pas ?

— Je veux, répond mon frère en se levant, et c'est bien l'une des premières fois que je l'entends répondre directement à l'une de mes questions.

Je sais qu'il est extrêmement méticuleux et perfectionniste, alors si je lui donne une tâche qui, je l'espère, n'est pas trop compliquée, il y arrivera sans problème.

— Tu veux bien sortir les couverts ? Préparer la table ?

— Sortir les couverts. Préparer la table.

— Oui, tu veux bien ? Nous sommes cinq ce matin.

— Oui cinq aujourd'hui, mais six hier.

— C'est ça.

Adam fronce les sourcils, mais finit par sourire et hocher la tête. Il sait tout aussi bien que moi que notre frère peut le faire. Je suis l'une des seules à pouvoir lui parler aussi normalement et à laquelle il répond de façon presque cohérente. Pour être honnête, ça m'emplit de fierté chaque fois. C'est un genre de privilège considérant qu'il a énormément de difficultés à créer des liens, même avec les gens qu'il connaît.

— Tu sais où sont les assiettes ?

— Tu sais où sont les assiettes, me répond Noah en se dirigeant vers l'armoire où elles se trouvent.

Il utilise le pronom me désignant moi et pas lui. Cela lui arrive souvent de faire ce genre d'erreur. Ça fait partie de ses nombreux problèmes de langage, mais qui ne gênent pas autant nos conversations qu'il n'y paraît. Il faut seulement être plus attentif.

Je souris doucement et continue de couper les pommes tandis qu'Adam prépare le gruau. C'est une céréale simple et nourrissante qu'on peut se procurer facilement et à peu de frais. C'est bien l'une des seules choses qui ne soient pas rationnées de façon exhaustive. Je ne compte plus le nombre de repas où mes parents ont prétexté ne pas avoir faim pour que, *nous*, nous puissions manger. Quant au sucre, c'est un luxe que nous ne pouvons nous permettre. Malgré nos carnets de rationnement, qui n'incluent bien évidemment pas un produit de la sorte, nous avons de quoi le remplacer dans la plupart des cas. Chaque mercredi, et le samedi en après-midi, pour notre quartier du moins, c'est le jour des rations et tout le monde doit se rendre à la place publique pour recevoir son épicerie de la semaine. Il vaut mieux s'y rendre tôt parce qu'il n'est pas rare que malgré les carnets de rationnement, il ne reste plus rien. À croire qu'ils coupent chaque fois un peu plus dans les vivres auxquels nous avons droit, sans égard à nos carnets.

Je pose les pommes que je viens de couper dans une assiette que je mets au centre de la table. Je regarde Noah de biais et le vois placer avec exactitude tous les bols devant chaque chaise, puis les couverts alignés parfaitement à droite de chacun. Il replace même mon plat de pommes pour qu'il soit vraiment au centre cette fois.

— C'est parfait, lui dis-je en embrassant le sommet de son crâne en passant derrière lui.

— C'est parfait, répète-t-il et je peux presque sentir une pointe de fierté dans sa voix.

— Tu vois ? Tu as réussi tout seul. C'est très bien.

Je tire la langue à Adam, qui s'empresse de lever les mains en l'air pour s'excuser d'avoir eu tort.

Ma mère descend l'escalier suivie d'Effie, qui sautille partout comme tous les matins une fois qu'elle est pleinement réveillée. Elle s'assoit à table, juste à côté de son jumeau, et se met à lui faire la conversation sans se soucier une seule seconde qu'elle ne soit que dans un sens.

Le fait qu'ils soient jumeaux semble avoir aidé au développement social de Noah. Un peu comme s'il savait que cette jeune fille était venue au monde presque en même temps que lui et qu'ils étaient bien plus identiques qu'il ne pouvait le croire. J'avais entendu dire que les jumeaux sont unis par un lien spécial et je suis toujours contente de constater que cela n'est pas tout à fait impossible entre Effie et Noah malgré son autisme. Ma mère passe derrière moi tandis que je nettoie mon assiette de la veille, qui a échappé au regard de mon père. Du moins, je croise les doigts pour que ce soit le cas.

Elle ouvre la bouche pour me parler, mais je la coupe pour dévier du sujet qu'elle souhaitait probablement aborder. Je n'ai pas envie de parler d'hier et connaissant ma mère, c'est sans doute ce dont elle voulait discuter.

— Félicite Noah, c'est lui qui a dressé la table.

Elle arque subtilement les sourcils et se tourne vers son fils.

— Bravo, Noah, pour la table, le complimente joyeusement ma mère en s'asseyant à sa place habituelle, à l'une des extrémités.

Mon frère ne réagit pas et se contente d'attendre que nous soyons tous assis avant de commencer à manger.

— Ariane va bien ? me demande Effie une fois que je me retrouve en face de Noah.

Je manque m'étouffer avec mon quartier de pomme. Je dois tousser à quelques reprises avant de pouvoir lui répondre, tout en espérant que le mensonge qui suivra sera crédible bien qu'il semble être resté coincé avec la pomme au creux de ma gorge.

— Oui, elle va bien.

J'essaie de ne pas me remettre à manger trop vite et de contrôler le rouge qui risque de me monter aux joues. Effie soutient mon regard sans ciller puis se remet à manger sans un mot de plus. Elle sait que je mens. Je ne suis pas douée pour ce genre de chose, pas plus que je n'aime lui cacher la vérité, mais je préfère la faire vivre dans un beau mensonge que de lui faire éclater au visage une autre vérité qui fait mal. Notre réalité est bien assez difficile ainsi, je n'ai pas besoin de la rendre encore plus scabreuse qu'elle ne l'est déjà.

Puis je vois Adam, à ma gauche, dévisager mon bras avec incertitude. J'avais presque oublié les marques que Lanz y a laissées la veille et que mon uniforme à manches courtes laisse inévitablement paraître. Mon bras est rougi, et de petits hématomes le couvrent par endroits. Ce n'était pas extrêmement douloureux, mais assez pour que, si j'y touche, ce soit sensible.

Il tapote mon genou à exactement quatre reprises. C'est un code entre nous deux qui signifie qu'il veut me parler et qu'il réclame une explication le plus rapidement possible. Ça n'aurait pas été si urgent s'il n'y avait eu que trois coups, mais le fait qu'il y en ait quatre veut soit dire qu'il est inquiet, soit qu'il est frustré. Je penche davantage pour la seconde option. Son message est raide et je sais qu'à la raideur seule de son doigt sur mon os je ne pourrai pas me défiler. Je contracte la mâchoire et retrousse le nez en guise de réponse.

Maintenant que tout le monde a fini de manger, je me lève et ramasse les plats avec Adam, qui ne me quitte pas d'une semelle. Il m'aide à faire la vaisselle et je m'abstiens de tout commentaire jusqu'à ce que ma mère allume la télévision pour

Noah. Cet outil technologique n'est nullement impressionnant. C'est un vieux téléviseur qui doit dater d'avant la Troisième Guerre. Vieux ou pas, ce téléviseur doit obligatoirement se retrouver dans chaque maison : c'est par là que le gouvernement passe ses nouvelles. Il est aussi muni d'un lecteur qui permet de jouer de vieilles vidéos. Je crois bien que Noah les connaît par cœur, il a dû les écouter une vingtaine de fois chacune.

Il dit chaque réplique en symbiose parfaite avec les personnages, ses grands yeux fixés sur l'écran, Effie à sa droite et ma mère, tout près, qui ajuste une fois de plus la tenue de ma sœur. J'ai l'impression de voir ma cadette maigrir de jour en jour.

— Qu'est-ce que tu as sur le bras, Em ? murmure Adam à mon oreille.

— Ne t'énerve pas, s'il te plaît, dis-je en faisant couler l'eau dans l'évier pour couvrir notre conversation.

— Promis.

— C'est Lanz. Il... enfin, il n'aime pas vraiment que je ne fasse pas immédiatement ce qu'il me demande. Il m'a fait faire une épinglette avec mon nom et j'ai refusé de la porter, c'est tout.

— Avec ton vrai nom ?

Je hoche la tête et lui tends un bol pour qu'il l'essuie.

— Comment ça, il connaît ton vrai nom ?

— Seulement mon prénom, que je m'empresse de le rassurer. J'ai été incapable de mentir. Il ignore mon nom de famille, par contre. Les Kaufmann sont depuis longtemps répertoriés de ce côté de la République, je ne suis pas assez stupide pour nous vendre, quand même !

— Je n'ai jamais dit que tu étais stupide, mais c'est dangereux qu'il connaisse ton prénom, Em.

— Je sais, mais pour l'instant, je maîtrise la situation.

Contrarié, mon frère passe une main sur son visage et se gratte la nuque d'un air distrait. Il fait dos à ma mère et s'empresse de me faire les gros yeux.

— C'est dangereux ce que tu fais. Tu peux arrêter, tu sais. On y arrivera sans peine. On peut le faire.

— Non, on ne peut pas, dis-je en secouant la tête. On ne peut pas. On a besoin de l'argent que ce travail nous rapporte. Sois réaliste, Adam. C'est comme ça, c'est tout.

Je retire le bouchon de l'évier d'un geste brusque et le pose sur le comptoir. Je lui arrache pratiquement son chiffon des mains et essuie les miennes avec. Je le compresse et le jette sur le comptoir juste sous ses yeux. Je bouillonne, mais pour une raison qui ne s'apparente en rien à celle de la veille.

Je *dois* avoir cet emploi et Adam le sait tout aussi bien que moi. J'ai 17 ans maintenant, je n'ai pas constamment besoin d'être protégée. Je ne serai majeure que dans deux ans, à l'âge où le service militaire devient obligatoire pour les garçons, mais qu'il veuille sans arrêt me surprotéger m'agace. De toute façon, Adam ne peut rien pour moi de l'Autre Côté et c'est ce qui le frustre autant, j'imagine ; de se savoir impuissant devant ce patron monstrueux qui me maltraite en Haute République n'aide d'aucune façon à enlever le mépris que mon frère ressent pour ceux de l'Élite. Bien au contraire, ça ne fait qu'augmenter son animosité envers eux.

— Emma, réfléchis un peu, on pourrait peut-être...

— Fin de la discussion, riposté-je alors.

Je me dirige vers mon sac posé à l'entrée d'un pas raide. Adam n'a pas bougé d'un pouce, sans doute trop surpris par le ton rude que j'ai employé avec lui.

— Effie, c'est l'heure, dis-je d'un ton un peu trop sec qui me vaut un froncement de sourcils désapprobateur de la part de ma mère.

— D'accord ! J'arrive, laisse-moi juste aller chercher mon sac.

— Dépêche-toi, lui réponds-je en désignant l'escalier d'un coup de menton.

J'enfile mes bottes et fais face à Adam dès que je me relève.

— Je déteste te voir fâchée contre moi, Coccinelle.

— Dans ce cas, fais-moi confiance, Coquerelle. C'est tout ce que je te demande.

Il acquiesce, un sourire en coin. J'ai beau avoir mes instants de faiblesse et de honte, mais s'il y a bien une chose que je puisse faire, c'est de tenir le coup jusqu'à la fin.

Neuf

En consultant mon horaire, je n'ai qu'une seule envie : me terrer six pieds sous terre pour ne plus jamais en ressortir. Je commence encore avec ce cher professeur Fleisch et je n'aurai donc aucune nouvelle d'Ariane avant l'heure du dîner. Pour faire bonne impression, j'entre dans son cours cinq minutes à l'avance et je contemple les aiguilles de l'horloge d'un air absent, en me disant que je voudrais être l'une d'entre elles aujourd'hui.

N'importe laquelle.

Rien qu'une aiguille. La trotteuse même, s'il faut que ce soit elle. Simplement pour que le temps arrête de se moquer de la lenteur perverse avec laquelle il prend plaisir à me faire stagner, et ce, chaque fois que j'observe une horloge.

Un jour, je serai voleuse de temps.

La cloche sonne et monsieur Fleisch commence son cours. Mon désintérêt revient instantanément, à mon grand regret. Je risque encore d'avoir des ennuis, mais il est déjà trop tard, je suis en train de m'égarer et même si je sais que ce n'est pas pour le mieux, je n'ai aucune envie de faire marche arrière. C'est tout juste si je fais acte de présence dans sa classe maintenant.

Parfois, j'aimerais devenir un astre solitaire autour d'une planète lointaine, révolutionner autour d'elle et contempler la vie d'un angle si objectif qu'il me serait impossible d'éprouver quoi que ce soit d'autre qu'une mystification sans égale pour ce qu'elle est. Jusqu'à ce que, peu à peu, je découvre un sentiment qui vaille la peine d'être observé avec un peu plus d'attention. Chaque jour, je changerais de forme pour représenter un mystère aux yeux des autres tandis que j'essaierais d'éclaircir celui que représentent leurs émotions pour moi. Je parcourrais le monde du regard en quête d'une seule et unique chose qui m'échappe encore aujourd'hui bien que je fasse moi-même partie de cet univers.

Alors seulement, je réalise que c'est ce que fait constamment la Lune. Silencieuse le jour, mais rayonnante la nuit, elle tente de percer notre secret alors que nous nous échinons encore à le comprendre nous-mêmes.

Et l'espace d'une seule nuit, elle nous fait languir afin que nous cherchions l'endroit où elle aurait bien pu filer. Sans doute se retire-t-elle pour pleurer en silence son impuissance face au mystère que nous représentons pour elle ? Ou au contraire, peut-être réalise-t-elle ces soirs-là que tous ses efforts pour tenter de nous connaître sont vains ?

Et donc, qu'en raison de nos erreurs et de nos nombreuses stupidités, il est préférable qu'elle se dissimule à nos yeux pour que ce soit nous qui pleurions son absence afin de réfléchir un peu plus sur nous-mêmes ? Ce doit être un genre de leçon d'humilité qu'elle nous...

— Emma Kaufmann !

La règle de monsieur Fleisch vient tout juste de s'abattre sur mon bureau dans un claquement. Sa voix, où le dédain qu'il me porte chevauche les mots avec la ferveur de la haine, bourdonne à mes oreilles pour se répéter en boucle dans ma tête. Et pourtant, il n'a dit que mon nom.

Mon expression se confond d'abord en étonnement, puis en frayeur quand je vois son visage figé par la colère. J'ignore ce que j'ai pu faire pour le choquer à ce point, mais je me statufie complètement. Mes yeux se sont transformés en deux billes dont la profondeur n'existe pas. Pour sa part, ses prunelles sont enflammées par la fureur.

Le silence est total dans la classe et je réalise peu à peu que je suis la seule à expirer à présent. Je me joins au groupe et cesse d'inspirer à mon tour. De toute façon, la peur m'en empêche. La peur est une émotion qui prend généralement le dessus sur l'envie de respirer.

J'ignore si ce que je ressens est partagé par mes camarades et que c'est pour cette raison qu'aucun souffle ne vient troubler l'atmosphère, mais je n'ose pas respirer tant et aussi longtemps que je n'aurai pas retrouvé l'usage de la parole. Malheureusement pour moi, cela risque d'être long considérant mon état de pétrification de plus en plus total.

Monsieur Fleisch pose ses mains de chaque côté de mon bureau et plisse les paupières. Sa mâchoire tombe de quelques centimètres avant qu'il ne se décide à parler.

— Sortez de ma classe.

Une phrase de peu de mots qu'il a méticuleusement choisis. Ils se répètent sans relâche dans ma tête et le silence en accentue l'écho.

— Tout de suite.

Sa voix est incroyablement calme et ce doit être ce qui rend son ultimatum si terrifiant. Malgré tout, je reste plusieurs secondes suspendue à ses lèvres, à le regarder sans être capable du moindre mouvement. Plutôt qu'avoir les poumons en feu par le manque d'oxygène, je me sens glacée par l'angoisse.

J'inspire une fois que l'éternité des secondes qui se sont écoulées est passée et que respirer m'ait semblé plus important que la parole. Je récupère mon carnet d'une main qui, je l'espère, ne tremble pas trop, et me lève en poussant ma chaise.

— Le directeur se fera un plaisir de vous recevoir dans son bureau, Mademoiselle Kaufmann.

Je ne fais que lui répondre du regard. Sans un hochement de tête, sans un murmure, sans un seul mot qui puisse lui signifier que j'ai compris.

L'humiliation que je subis actuellement est suffisante à me convaincre de devenir muette pour le reste de ma vie.

Et pourtant, je n'ai eu besoin d'aucun mot pour la subir. Je ne fais que la vivre, sous les yeux à la fois apeurés et désolés des élèves qui partagent mon malaise. J'hésite à regarder Gabriel avant de sortir, mais je préfère m'en abstenir et sortir en coup de vent. C'est mieux pour lui autant que pour moi. Je n'ai pas envie de croiser son regard. Ça n'en vaut pas la peine.

Je marche dans le couloir jusqu'à la cour, sans même un regard par-dessus mon épaule. Mon carnet serré contre ma poitrine, le regard perdu dans le vague, je réalise que je tremble comme une feuille. Ma vision s'obscurcit. Mes jambes flageolent. Mes doigts serrent mon cahier à m'en faire mal tandis que de l'autre main j'amortis une vilaine chute, le souffle haletant. Je suis tétanisée.

Je reste plusieurs minutes ainsi, le regard rivé sur les dalles de béton sous ma main. J'inspire de plus en plus régulièrement et ferme les yeux quand je n'en peux plus de fixer du gris. Il n'y a aucun tic ni aucun tac pour rompre le silence de la cour; seulement ma respiration qui se perd d'ailleurs lentement dans l'averse qui se met à tomber à quelques mètres de moi.

J'ai beau me faire éclabousser, je ne bouge toujours pas. Pas avant d'avoir compris ce que j'ai fait de mal dans cette classe. Pas avant d'avoir compris pourquoi j'ai mérité cette humiliation. Pas avant d'avoir compris comment j'ai pu perturber en silence son enseignement.

Et pourtant, je n'ai d'autre choix que de me lever. Il le faut, le directeur m'attend. Je marche jusqu'à l'administration sans me préoccuper de rien d'autre que du chemin devant. Madame Hänzel lève les yeux et n'arrive pas à dissimuler sa surprise en me voyant entrer, la moitié des vêtements trempés.

— Mademoiselle Kaufmann... Que faites-vous ici ? Pourquoi êtes-vous trempée ? Ne devriez-vous pas être en classe ?

Trois questions auxquelles je n'ai qu'une seule réponse. J'acquiesce et resserre les doigts autour de mon carnet.

— J'ai eu un... accrochage avec monsieur Fleisch. Il m'a demandé de venir ici pour voir le directeur.

La secrétaire déglutit et retire lentement ses lunettes qui tombent dans son cou.

— Que s'est-il passé ? me demande-t-elle doucement.

— J'aimerais le savoir, Madame Hänzel.

Elle fronce ses minces sourcils et se pousse légèrement de son bureau pour me désigner la porte du fond.

— Voulez-vous que j'aille cogner à votre place ?

Je secoue la tête tandis que le coin de mes lèvres se redresse pour la première fois depuis que je suis arrivée ce matin. C'est gentil de sa part de vouloir m'épargner une partie déjà pénible de ma visite chez le directeur, mais je crois être en mesure de le faire moi-même.

— Non, ça va. Merci, Madame.

Je me dirige vers la porte quand la secrétaire m'interpelle :

— Mademoiselle Kaufmann !

— Oui ?

— Quoi que vous ayez fait, j'espère pour vous que le directeur sera indulgent. Monsieur Fleisch n'a pas l'habitude d'envoyer des élèves à son bureau.

Mes lèvres se pincent pour retenir une grimace. Ce n'est rien pour me rassurer. Je ne fais que hocher la tête et me tourne vers le battant. Je lève ma main et y cogne trois coups.

— Entrez, me répond une voix d'une monotonie incomparable.

J'inspire une dernière fois avant de tourner la poignée pour entrer là où je n'aurais jamais cru mettre les pieds de ma vie.

Dix

Le directeur lève les yeux de son bureau alors que je ferme la porte derrière moi. Étonnamment, j'ai l'impression de voir une émotion passer dans son regard: de la surprise, ainsi qu'un mélange d'incompréhension. Les émotions de mon directeur d'école sont tellement peu fréquentes qu'elles me font penser à des éphémères, ces insectes qui ressemblent à des libellules et qui ne vivent qu'une journée. Depuis que j'ai appris l'existence de ces petits insectes en troisième année, j'espère avoir la chance d'en croiser un jour.

D'habitude, c'est mon frère qui se présente à son bureau, pas moi. Il doit me connaître par mon nom de famille uniquement à cause d'Adam et de la ressemblance que nous partageons, lui et moi. Et j'ignore si c'est vraiment positif qu'il ne me connaisse que d'une vague impression fournie par mon frère avant moi.

La pièce est faiblement éclairée et l'ensemble se détaille dans des tons aussi monotones que le directeur : gris, noir et quelques touches légèrement plus claires oscillant vers le vert foncé.

— Mademoiselle Kaufmann... Je peux savoir ce que vous faites dans mon bureau ?

J'ai envie de lui répondre la même chose qu'à madame Hänzel, mais je m'en abstiens. Je garde le silence et m'approche.

J'ai la sensation désagréable d'être une proie face à un prédateur dont j'ignore les intentions. Me dévorera-t-il en entier ou préférera-t-il me torturer rien que pour le plaisir de m'entendre le supplier de m'achever ? Sans oublier que ses expressions faciales sont si rares qu'il m'est difficile de percer à jour ses tactiques.

Il me désigne la chaise en face de son bureau d'un geste, et je m'assois le moins naturellement qui soit. J'ai le dos tellement droit que c'est à croire que j'ai un bâton à la place de la colonne. Je ne touche même pas au dossier, c'est à peine si j'effleure les accoudoirs, et j'ai posé mon carnet sur mes cuisses que je tiens de mes deux mains de plus en plus moites.

— Qui vous envoie ?

— Monsieur Fleisch, réussis-je à articuler d'une voix chevrotante que je m'empresse d'éclaircir pour conserver un brin de dignité.

J'ignore si ce changement de ton est causé par ma présence dans ce bureau ou par les évènements d'il y a quelques minutes qui refont peu à peu surface. Dans les deux cas, je préférerais ne rien ressentir du tout pour ne pas me trahir.

Je m'attends à le voir surpris, exactement comme quand je suis entrée, mais je ne vois rien dans son regard. L'absence de profondeur qui se trouvait dans le mien face à mon enseignant se retrouve maintenant dans les yeux de mon directeur, mais avec un petit quelque chose de différent. Il est impassible. Moi, je n'étais qu'ébahie par la situation. Il recule jusqu'à son dossier et fait tourner et cliquer un stylo entre ses doigts à des moments inopportuns.

— Quelles raisons motivent ce renvoi jusqu'à moi ?

— Je ne portais pas attention à son cours.

Il fronce subtilement les sourcils et incline légèrement la tête sur le côté. Un vautour. Oui, c'est exactement ce à quoi il me fait penser avec son énorme nez crochu et ses petits yeux noirs qui me dévisagent platement.

— Vous a-t-il posé une question à laquelle vous avez refusé de répondre ?

Je secoue la tête.

— Je l'ignore. S'il m'a posé une question, je ne l'ai pas entendue. Comme je vous ai dit, je...

— Vous ne portiez pas attention, oui, complète-t-il à ma place d'un ton uniforme où pointe tout de même un léger agacement.

— Sans doute trouve-t-il que je lui fais perdre son temps, d'où l'irritation dans sa voix.

Mon directeur est un homme d'au moins 1 m 90, au regard sombre, aux traits rudes et aux cheveux poivre et sel toujours impeccablement coiffés et tirés vers l'arrière, qui arpente les couloirs de son établissement un minimum de cinq fois par jour en quête d'un étudiant qui ne respecterait pas l'une des milles règles de son école. Il porte un complet noir tous les jours, accompagné – ou non – d'une cravate toujours noire. C'est un homme sobre dont les vêtements sont à l'image de sa personnalité, que j'ai toujours considérée comme morne et ennuyeuse.

Bref, il possède une façade extrêmement étanche qui lui confère une réputation d'homme sans cœur. Il ferait meilleure figure dans l'armée qu'en guise de directeur d'école.

— J'en conclus que vous lui avez terriblement manqué de respect pour qu'il décide de vous envoyer jusqu'ici ?

J'ouvre la bouche pour répliquer, mais me ravise aussitôt. Je ne veux pas m'enfoncer encore plus.

— C'est exact.

Il hoche sèchement la tête et fait cliquer son stylo, ce qui me fait légèrement sursauter.

— Je dois vous dire que je m'étonne de vous voir ici, Mademoiselle Kaufmann, réplique-t-il en inspirant beaucoup trop profondément. Je ne vous ai jamais vue dans mon bureau avant aujourd'hui, d'autant plus que la raison de votre présence ici est monsieur Fleisch, un enseignant avec énormément d'ancienneté dans cette école et que je tiens en haute estime. Ometteriez-vous certains détails de cette fâcheuse discorde, Mademoiselle ?

Mes sourcils s'arquent au-dessus de mes yeux tandis que ma mâchoire tombe de peu. Je m'empresse de la refermer et déglutis, soudainement mal à l'aise.

— Je n'ai rien omis, Monsieur. J'ai manqué de respect au professeur Fleisch par mon inattention et mon désintérêt à son cours. Je...

— L'histoire de notre République vous indiffère à ce point ? me coupe-t-il.

J'ouvre la bouche comme un poisson en manque d'air.

— Ce n'est pas ce que j'ai dit, marmonné-je.

— Votre désintérêt le prouve. Vous ne seriez pas ici si vous aviez daigné écouter monsieur Fleisch. Je me trompe ?

Je reste une, deux... trois secondes à le regarder avant d'acquiescer, je n'ai pas d'autre choix. Il hoche la tête à son tour en posant son stylo sur la pile de papiers étalée devant lui.

— Vous lui avez donc manqué d'égard en ne respectant pas la règle la plus importante de cette école. Pourriez-vous la réciter pour moi ?

Je déglutis, puis inspire. C'est à cet instant que j'opte pour la stratégie de la torture lente le concernant. Il attend que je sois une carcasse au sol pour me dévorer.

Ça ne risque pas d'arriver, j'ai une assez bonne mémoire: *« Tout élève de cette école se doit de se présenter à tous ses cours, et ce, en toute reconnaissance du privilège que ces cours représentent. De ce fait, il se doit de témoigner respect à son enseignant en lui faisant grâce de son écoute et de son intérêt. »*

De nouveau, un éclair d'étonnement se glisse dans les yeux du directeur en une fraction de seconde qui ne m'échappe pas. Je suis aux aguets de toutes ses réactions. J'ai une attention extrêmement sélective. Rien pour aider mes rapports avec monsieur Fleisch, qui considère qu'une attention totale rend justice à son enseignement, et non une piètre présence comme la mienne.

— C'est exact, lâche le directeur d'un timbre toujours aussi morne. L'école est un privilège, ne tenez pas pour acquis cet enseignement qui vous est octroyé, Mademoiselle Kaufmann. Vous avez de la chance d'être ici, puisque les autorités m'ont avoué vouloir fermer l'établissement en début d'année. Je suis parvenu à les convaincre du contraire en disant que les étudiants pouvaient fort probablement nous prouver qu'ils méritaient cet enseignement. Ne soyez pas une part de ce qui me ferait revenir sur ma parole.

— Bien, Monsieur, opiné-je.

— Pour votre manque de respect, vous resterez après les classes afin de présenter vos plus plates excuses à monsieur Fleisch. Excuses auxquelles j'assisterai, bien entendu. Nous verrons bien de quel genre de châtiment vous écoperez.

D'abord, il vient délibérément de m'expédier à une troisième humiliation qui me fait l'effet d'une tonne de briques. Ensuite, je viens d'avoir un exemple flagrant de son choix de vocabulaire peu judicieux. Je ne suis pas une criminelle, quand même, dire que je vais écoper d'un châtiment est un peu exagéré. Quoique je n'en attende pas moins de la part de monsieur Fleisch à cet instant.

Satisfait de son monologue qui m'a laissée sans réplique, il me fait sortir de son bureau. Je prends soin de fermer la porte derrière moi et, au moment où je sors de l'administration sous le regard attentif de madame Hänzel, la cloche annonçant le déjeuner retentit. Rapidement, les classes se vident et la cour se gorge d'étudiants bavards.

Je me mêle à eux et me dirige vers mon casier. Je suis tentée de sortir du périmètre de l'établissement pour aller voir Caleb. J'ai besoin de lui. De sentir ses bras autour de ma taille, son souffle dans mes cheveux et ses yeux dans les miens. Or, je me suis suffisamment attiré d'ennuis pour aujourd'hui et j'ai bien l'intention de voguer en solitaire pour le reste de la journée sans quoi Gabriel s'empressera de me poser une bonne centaine de questions et puis, Ariane est toujours absente. Il vaut mieux que je me tienne tranquille et puis je n'aurai qu'à partir un peu plus tôt pour rester plus longtemps avec Caleb ce soir.

Je croise les doigts pour qu'on ne me retienne pas trop longtemps.

Onze

À la fin des cours, quand je suis arrivée accompagnée du directeur dans la classe de monsieur Fleisch, rien ne m'aurait préparée à la honte que je m'apprêtais à ressentir. Dès le moment où j'ai posé le pied dans sa classe, à 15 h, il a tout de suite témoigné de l'hostilité à mon égard en croisant les bras et en me dédaignant du regard comme si je n'étais qu'un insecte abject. Et je n'en avais pas moins l'air, le regard rivé au sol et la mine basse, mais je doutais d'être aussi répugnante qu'il le prétendait.

Je lui ai donc présenté des excuses que je jugeais injustifiées et qui m'ont donné un goût amer pendant que je les récitais. Un peu plus et je lui demandais pardon d'exister. Dans tous les cas, ça n'a pas semblé suffisant pour mon professeur puisqu'il m'a interrompue pendant que je bredouillais les excuses les moins senties de toute l'histoire de l'humanité.

— Une dissertation sur la République devrait suffire à me prouver que votre désintérêt n'est pas total envers mon cours, Mademoiselle Kaufmann, avait-il répliqué, fier de son coup.

Je me suis éclairci la gorge pour ravaler la réplique acerbe qui me brûlait la langue.

— Très bien.

— Je vous donne jusqu'au prochain cours. Vous avez de la chance, votre horaire vous concède une journée supplémentaire. Ne me faussez pas compagnie jeudi matin. Je l'attends sur mon bureau. Sans faute. Dix pages devraient être assez, ne croyez-vous pas ? dit-il d'un ton condescendant.

— Excellent, l'avait alors coupé notre directeur. Mademoiselle Kaufmann, vous pouvez disposer.

Et je ne me suis pas fait prier. Je me suis éclipsée aussi rapidement que mes jambes et ma dignité me le permettaient et j'ai sauté dans le premier bus qui se dirigeait vers mon quartier. Or, ce bus ne m'amenait pas directement chez moi : j'avais encore une dizaine de minutes de marche à faire pour rentrer à la maison. C'est dans la Galerie des cendres que ma soirée a pris une autre tournure, là où des centaines d'affiches s'entassent sur ce qu'il reste d'une série d'immeubles ayant brûlé il y a de cela quelques années. Aujourd'hui, les autorités s'en servent pour nous faire mourir à petit feu devant ces images de liberté, de bonheur et de paix qui ne riment à rien pour moi. La liberté ne s'obtient pas en demeurant en cage.

Un cri retentit dans l'air sinistre. Je ralentis le pas en scrutant les ruines de la rue et je l'entends avant même de voir d'où il vient. Des gémissements mêlés à des marmonnements incompréhensibles. Du papier qu'on déchire et des piétinements incertains. Un homme. D'une quarantaine d'années, les traits étirés dans tous les sens, le bout des doigts en sang à force d'arracher des affiches d'à peine quelques millimètres d'épaisseur, mais qui entre ses mains ressemblent à des lambeaux de métal.

Dans sa main droite, il tient un seau de peinture blanche qu'il lance sur le mur pour dissimuler le reste du papier qu'il n'arrive pas à enlever. Ses vêtements en sont presque entièrement couverts et je dois prendre garde à ce qu'il ne m'éclabousse pas aussi quand je m'approche à pas feutrés.

D'ailleurs, il ne semble pas remarquer ma présence le moins du monde. Je tente de l'interpeller, en vain. J'entre dans sa vision périphérique. Rien n'y fait. Son attention est complètement rivée sur ce qu'il fait. Je m'approche pour poser une main sur son épaule. Dès l'instant où mes doigts l'effleurent, il se tourne vivement vers moi, sous l'impulsion d'une folie que je ne parviens pas à comprendre. C'est tout juste s'il ne s'arrachait pas les cheveux de la tête avant que je ne puisse capter son attention et maintenant, mon geste semble l'avoir électrifié. Je n'aurais pas dû le toucher. Je n'aurais même pas dû m'arrêter ici et pourtant, il crie au secours en silence. Je semble être la seule à l'avoir entendu. Je ne pouvais tout de même pas faire la sourde oreille et tout bonnement continuer mon chemin. Il y a de ces moments qui arrivent et qui s'imposent d'eux-mêmes. Où tendre la main semble l'unique chose à faire. Exactement comme à cet instant.

Je ne peux m'empêcher de sursauter en voyant son air. Je recule d'un pas préventif tout en tendant la main pour lui offrir mon aide malgré ma peur qui doit se sentir à des kilomètres à la ronde. Cet homme a besoin d'aide, je ne peux pas le laisser tomber sans avoir essayé.

— Monsieur, est-ce que tout va bien ?

— Les affiches. Il faut les enlever. Il faut les enlever, Mademoiselle ! Elles ne sont pas bonnes pour nous. Pas bonnes du tout, vous m'entendez ?

Je fronce les sourcils. Cet homme risque gros pour enlever de simples affiches qu'il pourrait ignorer comme tout le monde. Je ne sais pas s'il est au courant, mais c'est interdit, on ne peut pas les enlever. Si elles sont là, c'est qu'elles y sont pour rester. Les autorités n'aimeront pas ce qu'il vient de faire. Particulièrement si un groupe de sentinelles passe dans le coin. Je ne parierais pas sur la survie de cet homme si on venait à le surprendre.

— Vous devriez rentrer chez vous, Monsieur. Vous ne devriez pas rester ici, pas plus que vous n'auriez dû arracher ces affiches.

Il avance rapidement vers moi. Trop rapidement pour que j'arrive à esquiver les serres que sont devenues ses mains. Je crains que sa cible soit mon visage avant qu'il ne saisisse mes épaules entre ses mains couvertes de peinture et de sang séché. Son nez est tout près du mien et sa voix qui monte dans les aigus me crache sa crise au visage. Ses joues sont ruisselantes de larmes et de marques qu'il s'est lui-même infligées. Il est devenu fou, c'est clair.

— Ils ne pourront pas nous asservir. Ils ne pourront pas. Parce que nous sommes plus forts. Parce que nous savons ce que la liberté veut dire. Ce n'est pas ça, la liberté. Pas ça. Vous le savez, vous, Mademoiselle ? N'est-ce pas que vous le savez ? Elle est là, la liberté ! En dehors des murs !

Je secoue la tête, les yeux agrandis par la peur que m'inspire cet homme qui n'a plus toute sa tête. Mes genoux s'entrechoquent, ma trachée s'assèche à la moindre inspiration que je prends.

— Lâchez-moi, vous me faites mal, parviens-je à murmurer après un moment de stupéfaction plus fort que l'envie de parler.

— *Ils* nous font mal. *Ils* me font mal. Il faut que j'enlève les affiches. Il le faut. Plus de propagande, plus de fausses promesses d'une liberté qu'on n'a jamais connue. L'espoir oui. L'*Espoir* avec un grand E. C'est ce qu'il faut ramener. Ce qu'*ils* nous ont enlevé.

Je ne comprends rien de ce qu'il me raconte et pourtant, il m'interpelle, secoue quelque chose en moi que je n'arrive pas à saisir non plus. Ce que je comprends par contre, c'est que je ne peux pas rester ici. Je ne peux pas parce que si une milice approche, elle ne discutera pas avec moi pour savoir ce que je faisais avec cet homme. Je dois essayer de l'aider. Il faut qu'il parte lui aussi. Il faut qu'il s'en aille avant que les soldats n'interviennent.

— Partez, Mademoiselle. Partez. Partez maintenant.

C'est vraiment lui qui vient de me dire ça ? J'ai peine à y croire. Il est lucide ou non ?

— Pourquoi enlevez-vous ces affiches ?

Il ne me répond pas. Ses doigts saignent au moment où ils entrent en contact avec la pierre des murs où sont collées les affiches. Il y est totalement insensible.

— Pourquoi ? répété-je doucement.

Il me regarde droit dans les yeux. Je n'en ai jamais vu de semblables, tellement effrayés. Il m'a l'air à la fois terrifié et sûr de lui; il est sûr d'une chose, il ne sait pas ce qu'il lui arrive et je ne comprends pas non plus. La peur que je ressens n'est rien comparativement à celle que je vois danser au fond de ses yeux.

Il n'est pas comme les autres, pas plus qu'il n'est exactement comme moi. C'est l'un des premiers qui parle de la République en mal. Un des premiers qui *ose*. Il me fixe, cherche à savoir si je suis comme lui, si, d'une seconde à l'autre, je vais participer à son mouvement de contre-propagande.

Ce que je cherche à comprendre, c'est pourquoi il réagit ainsi. Pourquoi est-ce que je me sens interpellée par cet homme qui est conscient tout comme moi de cette oppression du gouvernement alors que les autres ne le sont pas ?

Ses lèvres s'entrouvrent, d'abord sans un son, puis il lâche :

— Je ne sais pas.

Je n'ai jamais entendu de vérité aussi claire. Il pivote pour retourner à son vandalisme. Des gardes approchent. Il faut que je m'en aille si je ne veux pas me faire prendre avec lui. Je voudrais le faire partir avec moi, mais j'ai trop peur qu'il ne s'énerve à nouveau.

J'entrevois l'uniforme d'une sentinelle à quelques mètres d'où nous sommes : je n'ai plus le temps de réfléchir. Je tourne les talons. Si cet homme dont je ne saurai jamais le nom souhaite vraiment vivre, il me suivra.

Je zigzague au pas de course entre les murs et les restants d'affiches qui ont été épargnées par cet homme. Je m'éloigne juste un peu, parce que la curiosité malsaine de savoir ce qu'il adviendra de lui m'empêche de fuir.

Le souffle haletant, je me dissimule derrière un des murs, forcée de m'accroupir parce qu'aucun n'est assez haut pour me cacher en entier. Je tends l'oreille et m'incline juste assez pour entrevoir ce qui se passe.

Un militaire retourne violemment l'homme afin qu'il soit dos au mur. Les quatre autres observent. Ses yeux exorbités ne supplient pas les soldats du regard comme je m'y attendais. Au contraire, ils les défient presque. Il sait ce qui l'attend alors que, moi, je le redoute plus qu'autre chose. Sans plus attendre, l'un d'eux braque son arme sur lui. J'ai tout juste le temps de croiser son regard qu'il se fait exécuter sous mes yeux.

La brique autant au sol qu'au mur se colore d'écarlate. Sa poitrine n'a même pas pris la peine de se soulever une dernière fois, son cœur a cessé de battre en même temps que le mien si ce n'est que mes pulsations ont repris contrairement aux siennes.

Ma respiration s'accélère, mes oreilles cillent, mon estomac se retourne. Le haut-le-cœur me submerge, je ne peux le retenir. Pas après ce que je viens de voir. Je voudrais fermer les paupières, ne pas assister aussi impuissante à ce qui se déroule trop près d'où je me tiens, mais j'en suis incapable. Ma vue se brouille et j'ignore pourquoi jusqu'à ce que le goût du sel s'infiltre par la commissure de mes lèvres. Je tremble des pieds à la tête, secouée de soubresauts suffisants pour alerter ces hommes de ma présence et de ma potentielle complicité envers ce rebelle.

Je me relève seulement après qu'ils soient partis en parlant beaucoup trop normalement pour qu'ils semblent humains à mes yeux après ce qu'ils viennent de faire. L'un d'entre eux crache même sur le cadavre du pauvre malheureux. Les rues étant vides et silencieuses, je peux sans peine entendre ce qu'il lui dit d'un ton hargneux:

— *Insoumis.*

Cet unique mot fait écho dans ma tête. Ces huit lettres qui ensemble forment un mot tabou dans notre République résonnent, claquent à mes oreilles, me secouent de l'intérieur, comme si je n'étais pas assez secouée déjà.

Au matin, je sais que le corps de l'homme, comme toute trace de son passage, aura disparu. Personne ne se souviendra de son nom. Personne ne se souviendra de sa vie. Personne ne se souviendra de lui.

À l'exception de moi. Parce que, moi, j'ai entendu ses dernières paroles et qu'il me faut m'en souvenir.

Je m'éloigne sans même faire attention au fait qu'on pourrait me voir. Je sèche mes larmes d'un geste de la main, avant de serrer les bretelles de mon sac si fort que seule la douleur qu'elles me procurent me permet d'arrêter de penser à ce qui est arrivé à cet homme.

Je m'arrête dans une ruelle quand je réalise que mon manteau porte encore les traces de mains de cet homme que j'ai vu mourir. Il ne faut pas que ma famille le sache pas plus que je ne veux véritablement en garder les traces. Je le retire brusquement et m'approche d'une petite flaque d'eau pour retirer le plus de peinture et de sang possible. Je dois me ressaisir. Il le faut. Je ne dois pas perdre la raison. Pas maintenant. Malgré le froid qui s'intensifie, je ne peux pas porter mon manteau dans cet état; je le roule et le fourre dans mon sac, puis je reprends la route jusque chez moi.

J'entre dans la maison, non sans me faire bombarder de questions par mon frère. Je suis rentrée tard et il sait que j'étais avec Fleisch, d'où son interrogatoire auquel je n'ai aucune envie de me soumettre.

Derrière lui, j'aperçois Noah qui va et qui vient en marmonnant. Je pince les lèvres et regarde l'heure: hier, à pareille heure, je jouais du piano, et il attend que je m'asseye pour en jouer. Je m'empresse de faire taire Adam avec ses questions et me dirige jusqu'au piano. C'est tout juste si j'ai la force de le faire. Dans ma tête, la vision d'horreur se répète.

Je sors une partition au hasard et commence à jouer. J'entends les pas saccadés de Noah derrière moi, et il s'assoit à son tour. Il est plus détendu maintenant que mes doigts dansent sur les touches. Je joue pour lui, mais aussi pour moi. Pour oublier ce que je viens de voir. Pour reléguer cet évènement à rien de plus qu'un cauchemar que j'ai eu le malheur de faire éveillée.

Sans même que j'aie à lui demander, il change la partition de l'introduction pour moi et j'amorce le premier couplet en mélodie autant qu'en chant. Ma voix s'élève dans l'air en harmonie avec la chanson tandis qu'elle se fait plus intense sous mes doigts qui ont cessé de danser pour se mettre à courir. À ma droite, je vois que Noah murmure les paroles en se balançant légèrement d'avant en arrière.

Il suit la mélodie et fixe mes doigts en clignant des yeux rarement, comme s'il craignait de manquer l'instant où mes doigts changeront de notes. Peu à peu, le crescendo ralentit et j'amorce les toutes dernières notes. Pour cette partie, je n'ai même plus besoin de la partition. Je joue de mémoire et je me laisse bercer par la musique. Quand j'effleure la dernière note et que ma voix s'éteint en même temps qu'elle, mon regard glisse vers mon petit frère qui sourit. Pas d'un sourire où l'on peut voir ses dents. Pas d'un sourire qui accompagne souvent un rire joyeux. Rien qu'un sourire qui retrousse assez ses lèvres pour apaiser mon âme.

— Tu as joué ma chanson préférée.

— Vraiment ?

— C'est ma préférée, répète-t-il.

— Je la jouerai pour toi plus souvent, alors.

Il hoche la tête et son regard glisse vers mon visage sans pour autant croiser mon regard.

— Oui. Tu la joueras plus souvent pour moi.

Je ne peux m'empêcher de sourire, puis je me tourne vers ma mère qui approche.

— C'est l'heure du train, Noah, lui dit-elle en lui tendant la main avant de la laisser retomber, sachant qu'il ne la prendra pas.

À l'instant où il se lève, il effleure les doigts tendus de ma mère, puis se ravise. Ce contact qui la surprend d'abord a ensuite l'effet de lui donner les larmes aux yeux. Il ne dure qu'une fraction de seconde, mais c'est l'un des plus directs qu'elle a eus avec lui depuis qu'il semble avoir aboli tout contact humain, et ce, depuis sa naissance.

Elle glisse une main dans son dos et le pousse gentiment vers la porte. Encore une fois, son toucher est si léger qu'on croirait qu'elle ne le touche même pas et pourtant, si. Mieux, encore, Noah réagit bien à son contact et ne se crispe pas. Ma mère se tourne brièvement vers moi et me sourit avant d'approcher et d'embrasser mon front.

— Merci d'être si bonne avec lui, Emma. Ta musique a des effets miracles sur Noah. C'est tout simplement incroyable.

Je lui souris et serre sa main dans la mienne.

— Ce n'est rien maman, voyons.

Elle secoue la tête, de l'eau plein le regard.

— Non, ce n'est pas rien, ma chérie. C'est loin de n'être rien du tout.

Je lui souris et elle se détourne pour rejoindre Noah, qui attend qu'elle vienne déverrouiller la porte. Je me laisse tomber sur la causeuse à côté d'Adam.

— Où est papa ?

— Il travaille encore. Et toi ? Tu ne devrais pas être en train de te préparer ? me demande-t-il après avoir jeté un coup d'œil alentour pour s'assurer qu'Effie n'est pas dans les parages. Pas que je tienne vraiment à ce que tu t'en ailles, mais il me semble que tu traverses même le mardi ?

— Oui, mais je ne commence qu'à 19 h, à l'arrivée d'Henry. Le mardi est toujours la soirée où le café est le moins bondé. J'espère seulement ne pas terminer trop tard, soupiré-je. Monsieur Fleisch a fait preuve d'un peu de clémence au moins. Il aurait très bien pu me dire de lui apporter ma disserte demain matin, ce qui aurait été catastrophique. Dans tous les sens du terme. Au lieu de quoi c'est jeudi matin sans faute qu'il m'a demandé de lui remettre le tout.

Mon frère fronce les sourcils et reporte son attention sur son devoir en disant :

— Tu sais pourquoi il a fait ça ? Cet acte de générosité ne lui ressemble pas.

Je secoue la tête et commence à écrire dans mon cahier de rédaction.

— Non... mais cela ne l'empêche aucunement de me détester depuis le deuxième cours. J'ai toujours su qu'il ne m'aimait pas, mais cette année, c'est vraiment horrible.

Mes yeux s'agrandissent rien qu'à penser à ses expressions faciales quand son regard se pose sur moi, et je fais la grimace. Adam ricane et me tapote le genou.

— Essaie de ne pas trop divaguer dans ta disserte. Ne lui dis que ce qu'il veut bien entendre. C'est difficile, je sais ! me coupe-t-il en voyant que mes lèvres sont entrouvertes, prêtes à répliquer. Mais c'est comme ça, Em. Si tu te mets à dire ce que tu penses vraiment, tu en paieras le prix. Et tu n'as pas les moyens de payer ce prix-là...

Je fais la moue puis soupire. S'il n'en tenait qu'à moi, je décrirais à ce cher professeur Fleisch tous les désavantages de la République, mais je m'en abstiens. *Ce qu'il veut bien entendre.* Très bien.

Le pire, c'est qu'Adam a raison. Je ne peux pas dire ce que je pense. Si je le fais, ce sont les coups de fouet qui m'attendent et mon frère sait de quoi il parle. Il lui est arrivé de dire un peu trop fort ce qu'il pensait vraiment. Une fois, au marché, Adam s'en était pris à un soldat qui donnait une correction à un garçon qui avait ramassé un chou tombé du sac d'une dame qui partait avec ses rations. Quand il l'avait frotté sur l'intérieur de son manteau pour en retirer la poussière, le militaire avait cru que c'était pour le voler et il lui avait fait un mauvais parti. Mon frère s'était empressé de défendre le jeune garçon, quitte à prendre le coup à sa place. Il avait effectivement payé le prix pour s'être opposé à l'autorité et, depuis, de longues marques blanches zèbrent son dos. Ces cicatrices le marqueront à vie, mais elles vont bien au-delà de la simple empreinte physique. Elles l'ont atteint psychologiquement aussi.

— J'ai raison de croire que tu n'étais pas la même en rentrant ? lâche-t-il après un moment.

Ma mâchoire se crispe. Il soupire le plus paisiblement du monde pendant que je commence à bouillonner.

— Que veux-tu dire ?

Je sais tout à fait ce qu'il veut dire. Il hausse les épaules, les yeux toujours rivés sur son devoir.

— Je ne sais pas. Différente, peut-être ? Quelque chose dans ta voix de plus tendu et dans tes yeux de plus... effrayé. Et puis, tu n'avais pas ton manteau.

— Je ne sais pas... je ne l'ai pas réalisé. J'ai dû oublier mon manteau dans ma case à l'école. J'étais si pressée de partir après être passée voir Fleisch.

Je déglutis la pluie acide qui me perce la gorge. D'ailleurs, mon frère arque les sourcils et redresse la tête vers moi au moment où mon regard fuit vers mon devoir.

Je n'en parlerai pas avec lui. Ni avec personne. Ce que cet homme m'a confié veut dire quelque chose. Et j'ai bien l'intention de trouver quoi. Ça a un lien avec ce qu'il m'a dit, sur l'Espoir avec un grand E. Ses paroles m'interpellaient pour une raison.

Ici, on ne dit pas ce que l'on pense, ni même ce que l'on croit. On dit ce que l'on veut bien qu'on croie, ce que les autorités veulent nous entendre dire.

C'est en tenant les gens dans l'ignorance qu'on les garde sous silence. C'est en éliminant les rebelles qu'on maintient tout le monde dans la peur. Moi, je le sais, parce que je l'ai vue, cette peur, habiter les yeux de cet homme avant qu'il ne meure sous les miens.

Douze

Quand je sors ce soir-là, le soleil décline déjà à l'horizon, dissimulé derrière d'immenses nuages gris. L'air sent la pluie et j'ignore s'il pleuvra de nouveau quand je reviendrai une fois la nuit tombée. Je croise les doigts pour que ce ne soit pas le cas puisque j'ai laissé mon manteau à la maison. Je n'étais pas pour porter un manteau taché en Haute République! Je l'ai donc roulé sous mon lit en attendant d'avoir la chance de le nettoyer moi-même. Et puis, avec la pluie, j'ai toujours plus de mal à me déplacer et à être attentive aux tours de garde. J'arrive à la frontière trente minutes avant d'avoir à entrer au café. Ce qui me laisse la chance de rester avec Caleb un peu plus longtemps, comme prévu. Je sens immédiatement le baume se poser sur mes plaies rien qu'en y repensant. Il me voit presque tout de suite lorsque j'émerge de l'ombre et me fait signe d'approcher. Je jette néanmoins un coup d'œil à gauche et à droite, puis je cours dans sa direction pour me jeter dans ses bras. Il répond à mon étreinte et respire doucement l'odeur de mes cheveux.

— J'espérais que tu arrives plus tôt, Emma, murmure-t-il à mon oreille.

— J'ai quinze minutes à passer avec toi, pas plus.

Il me sourit avant d'effleurer ma joue du revers de la main. Il vient justement de retirer ses gants et le contact de ses doigts ne m'a jamais semblé plus apaisant qu'aujourd'hui, alors qu'un million d'images et d'évènements défilent dans ma tête.

— Ça me suffit.

Il glisse sa main dans la mienne et nous nous asseyons le long du mur.

— Comment ça se passe ?

— Ça pourrait être pire si ce n'est que de monsieur Fleisch qui me déteste à mourir.

Caleb fronce les sourcils.

— Comment peut-il te détester ? Ce vieux bonhomme ne ferait pas de mal à une mouche.

— Pas avec moi en tout cas... J'ai bien cru qu'il allait me frapper avec sa règle en bois ce matin.

Le regard de Caleb devient glacial et je m'empresse de secouer la tête.

— Mon bureau s'est interposé entre lui et moi à ta place, Caleb. Je ne risquais rien.

Il lève les yeux au ciel et je ne peux m'empêcher de pouffer de rire.

— Je vais bien, Caleb. Ne t'en fais pas, on tient tous le coup. C'est plus pour Ariane que je m'inquiète.

— Elle est encore malade, c'est ça ?

J'acquiesce, et mon regard glisse sur mes chevilles croisées.

— Son cousin est dans le même régiment que moi. On a beau ne plus avoir de contact avec nos familles, les rumeurs circulent suffisamment pour qu'on sache ce qui se passe ailleurs. Sais-tu ce qu'elle a ?

— Non, dis-je en secouant la tête. Raphaël m'a dit qu'elle serait là la semaine prochaine. En attendant, je m'inquiète et je manque de temps pour aller la voir.

— Pourquoi ne pas l'appeler ?

— C'est drôle, ça ne m'est pas passé à l'esprit. Je ne pensais qu'à la voir et puis j'utilise si peu le téléphone à cause du prix exorbitant que ça m'est sorti de la tête.

Caleb laisse tomber ma main pour passer un bras autour de mes épaules et me serrer contre lui.

— Je suis sûr qu'elle ira mieux bien vite.

— Je l'espère.

Il presse son front contre ma tempe puis y pose ses lèvres de longues secondes durant lesquelles mon cœur s'est lancé dans un marathon.

— Est-ce que je peux faire quelque chose pour toi, Caleb ?

Il rit doucement et relève mon visage vers le sien, son index sous mon menton. Ma sentinelle caresse ma pommette du bout du pouce, puis ses lèvres effleurent doucement les miennes.

— Je meurs d'envie de t'entendre chanter.

J'arque les sourcils, surprise par sa demande qui me touche bien plus que je ne voudrais le lui faire croire.

— Vraiment ? Ce n'est pas un peu risqué ? répliqué-je en m'avançant pour m'assurer qu'il n'y a aucun garde dans les environs.

Caleb recule la tête vers la brèche et hausse les épaules.

— Il n'y a personne de ce côté du moins. Et toi, tu vois quelque chose ?

— Rien, renchéris-je en secouant la tête.

— Alors vous voulez bien chanter pour moi, Mademoiselle Kaufmann ?

Je souris tandis que de petites bulles de peinture rouge éclatent sur mes joues.

— Je veux bien, oui, Soldat Fränkel.

Il pose un doigt sur mes lèvres en arrondissant les yeux.

— Je ne suis plus qu'un simple soldat, jeune fille. Je suis caporal maintenant, dit-il fièrement en pointant l'épinglette de son grade sur son uniforme.

Je lève les mains en l'air pour m'excuser sans être en mesure de m'empêcher de rire. Malgré tout, ma réaction est hésitante. J'ignore si je dois me réjouir ou m'inquiéter de cette promotion. Changer de grade militaire n'est jamais vraiment bon signe. Ça a des avantages, monétairement parlant, mais tout avantage possède bon nombre d'inconvénients. On ne sait jamais où les soldats seront mutés et ce qu'il advient d'eux après cette mutation, et j'ai peine à dissimuler ma peur de le perdre.

En croisant ses yeux, je réalise un peu plus à quel point je tiens à lui.

— Pardonnez-moi *Caporal* Fränkel, murmuré-je en souriant.

— Vous êtes excusée. À présent, chantez.

Je glousse et jette de nouveaux coups d'œil aux alentours.

— Et si on venait à m'entendre, Caleb ?

Il lève les yeux au ciel, puis prend mon visage entre ses mains. Je pose mes paumes sur ses doigts et les presse doucement.

— Alors ils n'auront qu'à assister au spectacle avec moi. S'il te plaît, Emma, je me languis de t'entendre chanter depuis le jour où je me suis enrôlé et où j'ai dû m'en aller.

Je me mordille la lèvre tandis que mon regard tombe vers le nouvel écusson cousu à son uniforme. Il écarte une mèche de ma joue en la glissant derrière mon oreille. Le simple contact de sa peau contre la mienne me charge d'électricité. Son odeur emplit mes narines, ses yeux ne quittent plus mon visage empourpré, ses mains caressent mes joues avec tendresse.

Il reste là à attendre que je daigne chanter. Mes lèvres s'entrouvrent pour laisser passer un mince soupir avant que je ne me mette véritablement à le faire.

Ma voix est douce et la mélodie monte peu à peu. Je m'envole dans un univers où il n'y a que nous deux, ainsi que cette chanson qui fait vibrer l'air autour de nos deux corps. C'est une vieille berceuse avec laquelle j'ai grandi et qu'il connaît sans doute aussi bien que moi.

Il pose son front contre le mien, son nez à quelques millimètres. Trop loin et si près à la fois. Ma berceuse s'achève en un murmure qui se consume sur ses lèvres. Je manque d'air, mais ce n'est pas parce que j'ai chanté. C'est la proximité de son corps face au mien qui me fait suffoquer. De son cœur qui bat dans sa poitrine à un rythme qui, je l'espère, talonne le rythme effréné qu'a adopté le mien sous mon sternum.

Et pourtant, j'ai si mal. Mon cœur bat si vite, trop vite pour la blessure qu'il n'est pas prêt à assumer encore; celle du moment inévitable où il disparaîtra comme tous les autres.

J'ai peur. Peur de ce que je pourrais entreprendre en continuant de traverser, et peur de ce que je risque de perdre par la même occasion. J'ai tellement à perdre et j'ai peur d'avoir plus mal encore que je ne souffre déjà à m'imaginer loin de lui. Je ne veux pas y penser, mais je ne peux m'en empêcher. L'évidence est là, juste devant moi, je la serre dans mes bras. La peur de le perdre prend le dessus sur le moment présent alors que tout ce que je voudrais, c'est profiter des maigres instants qui me sont accordés à ses côtés. La peur me vole sans arrêt ces petits instants de bonheur que j'aimerais chérir.

Alors que ce matin je voulais que le temps disparaisse, cette fois, je voudrais qu'il ne s'en aille jamais tout à fait. Qu'il reste encore, rien qu'un peu, l'espace d'un soupir de plus. D'un mot suffisamment fort pour lui faire sentir à quel point je l'aime et d'une simple caresse que le vent portera. Mon visage se crispe sous ses mains et je baisse le menton. Les larmes menacent au coin de mon regard et pourtant j'ai les paupières closes. Je les serre si fort que j'espère qu'elles empêcheront le flot de larmes qui inonde à présent mes prunelles de se déverser sur mes joues.

— Emma, souffle Caleb contre ma peau. Emma, regarde-moi.

Je secoue la tête et presse ma joue contre la sienne.

— J'ai peur de ce que tu pourrais voir, Caleb.

— Je suis prêt à prendre le risque.

— Je t'en fais déjà suffisamment courir.

J'ai encore les yeux clos quand je me lève. Je me recule en laissant dans mon sillage rien qu'un baiser aux coins de ses lèvres. Je laisse les secondes filer, je peux presque entendre le temps se moquer de moi. Il se lève à son tour, mais ce n'est que pour me serrer dans ses bras en soupirant, le menton contre le sommet de mon crâne.

J'enlace sa taille et le serre aussi fort que mes bras menus me le permettent. Puis, je pivote et me glisse dans la brèche. Sa main s'accroche à la mienne au moment où je me faufile.

Je refuse de le regarder en face. Mes doigts glissent dans sa paume et retombent le long de ma cuisse.

— Emma, souffle-t-il d'une voix qui m'arrache le cœur.

Je peux presque le sentir jaillir hors de moi et palpiter encore à quelques reprises dans sa main avant de s'éteindre dans un dernier souffle que nous poussons à l'unisson.

Je jette un coup d'œil à droite, puis à gauche, et m'enfonce dans le secteur de l'Élite jusqu'au café. À cet instant, je voudrais être quelqu'un d'autre et penser autrement, être habitée par quelqu'un qui ne porte pas le nom de Caleb. Je voudrais me dire que ce qui m'arrive n'est qu'une illusion que je peux balayer de la main. Rien qu'un rêve dont je me réveillerai sous peu, qu'un mirage duquel je m'approcherai en courant pour qu'il se dissipe rapidement.

Je croise mon reflet dans la vitrine du bar tout juste avant d'y entrer et je détourne le regard presque aussitôt. Je lève les yeux vers le ciel quand une goutte de pluie tombe sur ma pommette. *Ressaisis-toi, Emma. Tu ne tiendras jamais sinon.*

Je suis là, dans ce café, avec des vêtements qui ne m'appartiennent pas, affublée d'un masque de bonne humeur que je ne ressens pas et qui me semble douloureux à porter. Les sourires sont partout autour de moi. Sans oublier un patron qui me méprise plus que le fondement humain ne le permet.

Je cours. Cours, cours et cours encore.

Et j'en ai assez de courir.

Treize

Quand je suis rentrée après ma soirée en Haute République, Caleb n'était pas de mon côté du mur malgré ce qu'indiquait son horaire. Pas d'autre sentinelle, pas de garde sur mon chemin non plus. Le calme plat. Étrange quand on sait que là où j'habite, la ville grouille davantage la nuit que le jour.

Je cours donc sans m'attarder plus que nécessaire et profite de cette absence de militaires pour rentrer chez moi en deux fois moins de temps qu'il m'en faut normalement. C'est parfait, considérant que je voulais rester le moins longtemps possible sous la pluie !

Le lendemain, ma routine reprend. Je me lève, je vais à mes cours tout en prenant soin d'éviter monsieur Fleisch au maximum. Inutile de lui donner la chance de me rappeler que j'ai une disserte à finir pour lui. Je cours à gauche et à droite. Entre la maison et l'école, je passe encore par la Galerie des cendres, qui est à nouveau comme avant. Plus aucune trace de sang. Plus de corps. Plus d'Insoumis. Plus rien. Il n'y a que de nouvelles affiches qui ont été installées, à croire que tout ce qui s'est passé n'avait rien de réel.

Avant de rentrer à la maison à la fin des cours, je profite de la mêlée des étudiants pour accrocher Raphaël et lui demander comment se porte Ariane. Un voile de tristesse est passé dans son regard avant qu'il ne hausse les épaules pour me dire qu'elle irait mieux bien vite, du moins, il devait l'espérer. Rien pour m'encourager.

Après, Effie est venue nous rejoindre, Adam et moi. J'ai voulu glisser mon bras autour de ses épaules, mais elle s'est vivement dégagée. Ce genre de comportement ne lui arrive que très rarement, mais je savais ce que ça signifiait : elle était en colère contre moi et il ne me restait qu'à comprendre pourquoi.

J'ai lancé un regard interrogateur à Adam, qui a secoué la tête pour me dire qu'il ne savait rien. C'est en arrivant à la maison qu'elle a explosé. Heureusement pour moi, mon père était encore absent. Je n'aurais donc qu'une bombe sur deux à étouffer pour limiter les dégâts.

— Tu n'es pas allée voir Ariane lundi ! Je le sais parce que j'ai parlé à Raphaël ! Pourquoi est-ce que tu m'as menti ?

Effie crie rarement et j'aurais presque préféré qu'elle le fasse à l'école plutôt qu'ici, devant Noah et ma mère. Justement, cette dernière, alertée par l'explosion, approche, les sourcils froncés. Noah, dans son ombre, continue de marmonner, d'un ton encore suffisamment bas pour que je ne m'inquiète pas.

Les disputes le rendent anxieux, je ne voudrais pas qu'il éclate à cause de moi, lui aussi. Une grenade, c'est bien assez.

— Eh bien, hier soir, je me suis réveillée, et tu n'étais pas dans ton lit ! J'ai fait le tour de la maison et tu n'étais nulle part, mais ce matin tu y étais. Pourquoi Emma ? Qu'est-ce qui se passe que je ne comprends pas ? Qu'est-ce qu'il y a de si important que tu ne peux pas me dire ? Je suis trop jeune ? Trop stupide pour comprendre ?

— Effie ! la coupé-je sèchement.

Je m'approche en laissant tomber mon sac au sol. J'hésite. Les mots restent coincés dans ma gorge. Il y a trop longtemps que je lui mens, plusieurs semaines déjà. Tout lâcher maintenant n'aurait aucun sens. Ni pour elle, ni pour moi.

— Em, explique-moi, m'implore-t-elle, les yeux au bord de la noyade.

Je jette un regard à Adam qui, appuyé sur le canapé, attend de savoir ce que je dirai, inquiet à l'idée que je révèle ce qu'il ne faudrait pas. Ma mère a l'air dépité, mais elle n'intervient pas, et Noah marmonne de plus en plus fort. Il sent la tension autour de lui beaucoup plus que nous ne la sentons, *nous*, et il paraît d'autant plus sensible aux émotions de sa sœur jumelle.

Il faut que je calme Effie sans quoi Noah aura une crise. Et pourtant, je ne peux lui donner ce qu'elle souhaite. Je ne peux lui dire ce qu'elle veut entendre. Le mensonge est trop gros, trop difficile à faire jaillir d'entre mes lèvres. Il s'est transformé en un fouillis de lettres et d'évènements que je ne peux lui raconter, que je ne peux lui dire tellement il y en a. Si je lui avoue la vérité, elle courra alors le même danger qu'Adam et Caleb et je refuse de menacer ma petite sœur de cette façon. Ils sont prêts à assumer ce risque, ils en ont les capacités. Pour Effie, c'est plutôt moi qui ne suis pas prête à lui faire courir.

— Je suis désolée... Je ne peux pas.

Je me détourne et la vois fondre en larmes. Je suis lâche de ne pouvoir lui dire la vérité, mais j'ai si peur pour elle. Un mot de trop concernant mes activités et elle serait accusée de complicité pour bris de frontière, et donc passible de la peine capitale. Tant qu'elle ne sait rien, elle est à l'abri.

Je relève les yeux et maintenant c'est Noah que je vois. Il va et vient, en suivant une forme de huit qu'il est le seul à voir au sol. Dans sa main, sa locomotive miniature tourne de plus en plus vite. Ma mère s'approche d'Effie pour la consoler, mais ma sœur se dégage et court à l'étage, le visage ruisselant de larmes. Je m'avance vers Noah et parviens à entendre ses murmures qui s'intensifient et s'accélèrent.

— Courir à toutes jambes, à perdre l'haleine, à fond de train, très vite. *Rien ne sert de courir; il faut partir à point.* Courir pour s'enfuir. Je cours. Elle court. Effie court et pleure pour s'enfuir, loin. Pleurer est une réaction que je ne comprends pas. Elle ne doit pas pleurer. La voir pleurer me serre la poitrine. Ça me fait mal. Effie ne doit pas pleurer. De l'eau coule de ses yeux. Ce sont des larmes parce qu'elle est triste. Emma est désolée, elle ne peut pas. Mais ne peut pas quoi ? Pourquoi ne peut-elle pas ? Elle peut, mais ne veut pas ou ne peut réellement pas ? Pouvoir et vouloir sont deux choses différentes. Pouvoir, c'est quand on en a la possibilité. Vouloir, c'est posséder de la volonté. Emma en a-t-elle la volonté ? Je ne sais pas. Je pourrais lui demander, mais je ne veux pas. J'en ai donc le pouvoir, pas la volonté.

Ma mère se dispute avec Adam, qui la retient de rejoindre Effie pour le moment. Je crois qu'il m'a vue me diriger vers Noah et il essaie de la retenir le temps que l'atmosphère se détende. Cela peut avoir l'air méchant, j'en conviens, mais mon frère est ma priorité pour le moment, même si j'aimerais énormément être à deux endroits à la fois. Mon frère, il faut le protéger de lui-même; Effie, ce n'est que de moi dont je dois la sauver.

Ma mère continue néanmoins de répliquer à mon frère jusqu'à ce qu'il l'entraîne le plus gentiment qui soit dans la pièce d'à côté. Elle déteste se faire dire ce qu'elle doit faire ou non, et puis elle est en situation d'autorité ici. Je la comprends de réagir ainsi et avec autant de véhémence.

Un soupir nerveux glisse entre mes lèvres quand je me dirige vers mon cadet. Il ne faut pas qu'il flanche. Son niveau d'anxiété s'active, grimpe en flèche, je le vois se crisper, bouger de plus en plus rapidement.

Il s'emporte souvent dans de longs monologues quand il est nerveux. Ses discours se suivent et sont d'une profondeur déconcertante, considérant qu'il ne parle pratiquement jamais. Il s'agit d'un avertissement qu'une crise est imminente et que sa nervosité a atteint de nouveaux sommets. Quoiqu'à ce stade, ce n'est plus de la nervosité, c'est carrément de l'angoisse.

Je murmure :

— Noah ? Fais comme moi, respire calmement. Inspire, puis expire.

— Inspirer puis expirer, mais j'inspire et expire déjà.

Il se défile, poursuit son trajet en forme de huit. Je me poste au centre de son tracé après l'avoir observé. Il s'arrête devant moi dès que je m'accroupis à sa hauteur.

— Oui, mais tu dois le faire plus calmement.

— Calmement.

— Exact.

Je m'inquiète. Il faut que je le calme véritablement. Il serre sa tête entre ses mains, de plus en plus fort, il risque de se faire mal. Ses doigts sont emmêlés dans ses cheveux. Il pourrait se scalper s'il continue. Il donne des coups dans les airs bien qu'une de ses mains soit toujours agrippée à sa tête.

Au moins, il est à l'abri de tout objet sur lequel il pourrait se frapper, encore que les murs doivent représenter une option pour lui. Moi-même, je suis une cible, un objet à portée qui écope de quelques coups malheureusement, mais pour l'instant, tout ce à quoi je pense c'est à le protéger de lui-même. Il n'a pas conscience de ses limites, ni même de l'espace qu'occupe son corps.

Je m'agenouille devant Noah et lève doucement les mains vers ses poignets couverts par son chandail.

Je presse l'intérieur de ses paumes quelques secondes et dois glisser mon pouce sous la locomotive qu'il tient toujours. Il est encore tendu sous mes doigts, mais je commence tout de même à chanter. Dans la cuisine, mon frère et ma mère se sont tus.

— N'écoute que ma voix, Noah, soufflé-je entre le refrain et le couplet suivant.

Il redevient peu à peu plus silencieux. Il continue de marmonner, mais ses bredouillages finissent par s'éteindre quand il se concentre sur ma voix plusieurs secondes plus tard. J'observe sa poitrine se soulever puis s'abaisser à un rythme moins effréné. Il reprend peu à peu le contrôle. Je ne fais que fredonner, mais cela suffit à l'apaiser.

Quand j'arrête, il semble plus détendu. Je crois bien avoir évité une catastrophe. Ses mains ont lâché sa tête et ses poignets se trouvent maintenant à la hauteur de son torse.

Il joue avec ses doigts et sa locomotive dont il fait tourner les roues. Il semble avoir oublié mes mains glissées autour de ses avant-bras par-dessus ses manches. Je ne le serre pas, mais pour une rare fois, mon toucher, bien qu'indirect, l'apaise autant que ma voix.

Je relâche ses poignets et lui souris. Il ne me regarde pas en face, il ne fixe qu'un point sur ma mâchoire, mais cela me suffit. Je me redresse et me tourne vers Adam et ma mère qui n'ont toujours pas bougé.

— Je vais aller voir Effie, nous dit ma mère.

J'opine d'un faible coup de menton et me tourne vers mon aîné.

— Adam, tu veux bien aller voir le train de 16 h avec Noah ? J'espère qu'il n'est pas déjà passé d'ailleurs...

— Oui, bien sûr. Viens, mon bonhomme ! s'exclame Adam en tapant dans ses mains avant de s'élancer vers la porte, suivi de son frère cadet qui marche d'un pas raide comme à son habitude.

Il n'a pas oublié ce qui vient de se passer, mais le temps qu'il l'assimile, la nuit peut être tombée.

Adam me glisse un clin d'œil et sort à l'extérieur. Il ne pleut pas, mais je peux entendre Noah dire qu'il va pleuvoir bientôt tout juste avant qu'Adam ne referme la porte derrière eux tout en tâchant de le convaincre du contraire.

Je retiens faiblement ma mère dans l'escalier. Elle se tourne vers moi. Ses yeux sont d'une tristesse que j'ai peine à soutenir. Ma bouche se referme d'elle-même et je la laisse parler la première.

— Emma, je sais que c'est difficile, mais tu devras lui dire, et à ton père aussi. Tu as eu de la chance qu'il ne soit pas ici quand Effie a éclaté. Nous ne pouvons leur mentir encore longtemps. Je ne le supporterai pas et toi non plus.

Je secoue la tête. Mes paumes sont moites contre ma jupe. Je passe une main sur mon visage. Mes doigts tremblants s'arrêtent sur mes lèvres. Je serre le poing pour stopper la vibration, en vain. Je pianote donc contre ma cuisse. C'est le seul moyen que j'ai de la faire cesser un peu.

— Tant que je n'en verrai pas la nécessité, maman, je ne le ferai pas. C'est pour les protéger que je me tais.

— De quoi, Emma ? De quoi veux-tu les protéger ? Nous sommes tous, d'une façon ou d'une autre, en danger, ici. Elle a le droit d'être mise au courant. Je ne me suis pas souvent opposée à tes décisions, je t'ai généralement laissée faire ce que tu jugeais bon parce que j'ai foi en toi, Emma, mais ne me laisse pas remettre en doute ce choix.

Mes lèvres s'entrouvrent et je ne parviens qu'à laisser passer un faible soupir.

Les siennes s'étirent en un mince sourire.

— C'est ta décision, ma chérie.

— Fais-moi confiance, s'il te plaît. J'ai juste besoin de temps.

— Le temps nous rattrape toujours.

— Je sais.

Sur ce, elle monte les marches. Quand je la vois disparaître dans le couloir, je me laisse choir lourdement dans la causeuse. Je regarde l'heure. Heureusement, c'est mon seul et unique jour de congé du mois. Or, il me reste peu de temps pour finir ma disserte et j'ai constamment la tête ailleurs.

Mes yeux glissent jusqu'à la fenêtre de l'entrée, où de petites gouttes se sont mises à tambouriner contre la vitre. Noah avait raison, il pleut.

Quatorze

— Vous êtes en retard, Mademoiselle Kaufmann, me gronde monsieur Fleisch quand j'entre dans sa classe le jeudi matin au moment où la cloche retentit, ce qu'il considère comme un retard. *Bien sûr.*

— Je suis désolée.

Ma piètre excuse fait à peine vibrer l'air devant mon visage. Il l'entend tout de même et en profite pour me dévisager. Je pose discrètement ma disserte sur son bureau et m'empresse d'aller m'asseoir. Gabriel me fait les yeux ronds et je grimace, la mâchoire tirée vers la gauche. Son regard veut tout dire. Il me demande ce qui a bien pu me retarder. Si seulement je le savais moi-même ; le temps me file entre les doigts dès que je commence à courir pour le rattraper.

Monsieur Fleisch jette un coup d'œil dédaigneux à mon travail avant de commencer son cours. Cette fois-ci, je fais des efforts surhumains pour ne pas me mettre à divaguer sur ses propos comme j'ai tendance à le faire dans sa classe.

Étonnement, je réussis à l'écouter jusqu'à la fin. Je prends quelques notes également. Je ne tente même pas ma chance avec les réponses que je connais par cœur quand il pose une question. Je préfère me taire. C'est l'idéal, considérant le mépris qu'il a pour moi. Dans le pire des cas, il ne ferait que m'ignorer, mais cet enseignant n'est pas de ce genre. Il est plutôt du type qui prend l'avantage de vous enfoncer plus profondément dans votre médiocrité. Du moins, c'est ce qu'il fait avec moi.

Je reste muette du début à la fin. Mes lèvres sont soudées de manière si étanche que je crains ne pouvoir les décoller quand je sortirai. Je ne veux pas prendre le risque d'échapper une phrase, un mot, une syllabe, voire une voyelle de trop. Je reste tout près de deux heures dans un silence le plus complet. Je bouge à peine, si ce n'est que pour décroiser ou croiser mes jambes. Même ma respiration ne provoque aucune perturbation dans l'air. J'inspire et expire le plus silencieusement possible de peur d'attirer l'attention. Au mieux, mon état statuaire semble satisfaire mon professeur d'histoire, qui ne cesse de jeter des regards dans ma direction, comme pour s'assurer qu'à l'instant où je ferai quelque chose de travers, il me le fera remarquer. C'est à peine si je remue sur ma chaise, j'en ai mal partout tellement je bouge peu. Je suppose que l'engourdissement fait partie de son « châtiment ».

Quand la cloche sonne, c'est une libération intense d'enfin pouvoir me lever, mais j'attends que tout le monde soit debout pour les imiter. Je veux me mêler à la foule, ne devenir qu'une parmi tous les autres pour échapper au regard hautain de monsieur Fleisch, qui s'abstient de me faire rester cette fois.

Dès que je sors, je soupire presque bruyamment. Mes épaules s'affaissent sous le poids de la tension que j'ai ressentie tout au long de ces deux heures interminables, dont chaque seconde tictaquait à mes oreilles. Gabriel me rejoint et me donne un léger coup d'épaule.

— Salut Gabriel, lui dis-je en souriant.

— J'ai craint pour ta vie ce matin.

— À ce point ? C'était tout de même mieux qu'il y a deux jours il me semble, répliqué-je.

— Seulement parce qu'il n'avait pas sa règle en main.

Je lève les yeux au ciel et en reportant mon regard devant moi, je vois une tête rousse se détacher du flot de gens. Ariane. Je lâche mon cahier et m'élance vers elle. Elle m'a vue aussi et se précipite vers moi. Je lui saute au cou et elle titube sous mon poids en riant.

— Emma, on pourrait nous voir, marmonne-t-elle à mon oreille.

— Si tu savais comme je n'en ai rien à faire !

Elle rit plus fort et répond à mon étreinte. Je m'éloigne en voyant un surveillant qui risque de nous avertir et lui souris sans retirer mes mains de ses épaules. D'ici, ce contact est invisible à l'œil du vigile ; nous sommes camouflées dans la foule.

— Tu ne devais pas venir seulement la semaine prochaine ?

Elle acquiesce.

— Oui, mais mon état s'est stabilisé. Ma mère n'approuvait pas vraiment que je vienne, mais je tenais à le faire pour ne pas manquer trop de matière. Je me sens vraiment mieux.

— Qu'est-ce que tu avais ?

Elle hausse les épaules d'un air penaud et grimace.

— Je ne sais pas. Je n'ai vu le médecin qu'une seule fois et tu sais tout comme moi que c'est terriblement dispendieux.

Je hoche la tête et me tourne pour faire signe à Gabriel, qui semble nous avoir perdues dans la masse. Il nous voit enfin et lève les mains en l'air, exhibant d'un air accusateur mon carnet que j'ai laissé tomber plus tôt.

— Ariane ! Comment ça va ?

— Pas trop mal et toi ?

Il secoue les épaules.

— Je vais bien. Je suis content de te voir.

Il me semble déceler une rougeur sur ses joues, mais je m'abstiens de le souligner. Gabriel rougit toujours en voyant Ariane et ça m'amuse bien plus que je ne leur laisse voir.

J'attends depuis plusieurs années que mes deux amis avouent enfin les sentiments qu'ils ont l'un pour l'autre, mais, en même temps, je les comprends de se taire. Personne n'est libre de quoi que ce soit ici, et l'amour n'y échappe pas.

Je n'ai pas le temps de m'attarder plus longtemps auprès de ma meilleure amie, car la cloche retentit. Nous sursautons tous les trois, trop absorbés par notre conversation, et je m'éclipse, non sans regret, vers mon cours de mathématiques. La salle de classe est à l'autre bout de l'endroit où je me trouve, et je dois encore courir pour m'y rendre.

Alors je cours. Et je courrai ainsi pendant les deux semaines qui suivront.

Quinze

Le mois d'octobre tire à sa fin. Je peux voir les couleurs changer dans le peu d'arbres qui se trouvent ici. Il y en a bien plus du côté de l'Élite, et je me considère chanceuse de pouvoir assister à ce spectacle en traversant.

Quand j'arrive à la frontière ce soir-là, Caleb n'y est toujours pas. Voilà au moins une semaine que je vais et viens entre l'Autre Côté et ici, et aucune trace de Caleb ni d'aucun autre garde. Je ne l'ai vu qu'une seule fois, en revenant de l'école, avec Adam et Effie, mais je n'étais pas en mesure de lui parler, ce qui m'a énormément contrariée.

Toutes les fois où je suis venue, la brèche presque invisible était là, sans personne pour la surveiller de mon côté; de l'autre, par contre, j'attendais toujours que la sentinelle se soit éloignée avant de passer. À plusieurs reprises, d'ailleurs, j'avais failli me faire voir. Sans Caleb pour me donner le signal, j'étais un peu plus maladroite.

Heureusement pour moi, la ruelle se trouve près de la brèche et je connais ses détours par cœur.

J'arrive donc à semer le garde sans trop de problèmes et à me fondre dans la foule tout aussi vite.

Je soupire en voyant le mur inoccupé et déserté par Caleb, et cours jusqu'à la paroi. Je m'y faufile rapidement et ne m'arrête de courir qu'une fois éloignée du mur. Quand j'arrive au café, Aleksander m'accueille avec un immense sourire des plus contagieux étampé sur son visage sans défaut. Je m'efforce de lui répondre avec autant d'enthousiasme. Il semble qu'une fois qu'un être cher revient près de moi, en l'occurrence Ariane, je doive en perdre un autre. Ne pas avoir vu Caleb pendant si longtemps m'inquiète. Je revêts tout de même mon masque de bonne humeur et m'exclame :

— Salut Aleks ! Ça va ?

— Impeccable et toi ?

— Ça va, lui dis-je en souriant.

Je retire mon manteau et m'assois sur l'un des tabourets au bar.

— Tu me sers quelque chose ?

Il arque le sourcil et pose ses mains de chaque côté de mes coudes sur le comptoir.

— Bien sûr, ma chère. Que puis-je te servir ?

Je hausse les épaules.

— Ce que tu veux. Improvise.

Je saute en bas du tabouret et marche jusqu'à la salle des employés après lui avoir glissé un clin d'œil.

— À ce que je vois, tu te dévergondes, Emma ! J'ai une bonne influence sur toi, on devrait passer plus de temps ensemble, tous les deux : je dirai à Lisabeth et Frieda de prendre congé plus souvent ! Qui sait ce que tu ferais après deux semaines complètes en ma compagnie ! s'écrie-t-il quand je passe le pas de la porte.

J'éclate d'un rire léger et roule exagérément les yeux. Après m'être changée et avoir attaché mes cheveux comme à mon habitude, je reviens au bar où un verre m'attend. Une flûte tout en hauteur au liquide légèrement pétillant, d'une teinte bleutée tirant vers la couleur d'un ciel d'azur d'autrefois, avec un petit zeste de citron qui me rappelle justement l'éclat du soleil. Avec la pollution et les nuages quasi omniprésents, il y a longtemps que je n'ai pas vu de ciel bleu. Je fronce les sourcils et m'assois sur le tabouret en sautillant. Je regarde le cocktail d'un air intrigué et relève lentement les yeux vers Aleks.

— Qu'est-ce que c'est ? ne puis-je m'empêcher de lui demander.

— Goûte, je te le dirai ensuite.

Je le dévisage d'un drôle d'air, ce qui a pour effet de provoquer son hilarité avant qu'il ne me désigne mon verre d'un geste. Je prends délicatement la flûte entre mes doigts et approche lentement mes lèvres du bord sous le regard attentif de mon collègue. Mais au moment où je m'apprête à boire, je recule rapidement le verre de ma bouche et m'exclame.

— Qu'est-ce que tu as mis là-dedans ?

J'essaie d'être sérieuse, mais un grand sourire vient corrompre ma mascarade. Aleks lève les yeux au ciel et m'incite à en prendre une gorgée.

— Je te fais confiance, que je marmonne avant d'y tremper mes lèvres.

— Tu as tout intérêt !

Je secoue doucement la tête et y goûte véritablement : c'est à la fois sucré, doux en bouche, acidulé, rafraîchissant, et assez fort pour que je sente une légère chaleur descendre le long de mon pharynx et rouler encore quelques secondes dans ma bouche. Étonnement, j'adore ça.

— Verdict ? lâche-t-il d'un ton beaucoup trop enjôleur pour la nature chaste de sa question.

— Excellent... Maintenant, dis-moi ce que tu y as mis.

Il lève les mains en l'air et recule de deux pas.

— Secret professionnel !

J'ouvre la bouche, outrée.

— Aleks ! Dis-le-moi !

— Je peux te dire son nom, bien qu'à voir l'effet qu'il a sur toi, j'ai l'intention de le renommer.

— Comment il s'appelle ? demandé-je en prenant une seconde gorgée.

— *Bulles de minuit*. Mais je compte bien lui donner ton nom à présent.

— Vraiment ? Tu donnerais mon nom à ce cocktail ?

Il acquiesce, un sourire au coin des lèvres, et frotte un bout de son comptoir qui ne semble pas assez briller pour lui.

— Oui. Le *Emma*. Ça lui va bien, je trouve. Un cocktail à la fois doux et pétillant, sans oublier une force insoupçonnée, qui peut très bien se retourner contre nous en plus d'être magnifique. Il est à ton image.

Je glousse et repose mon verre.

— Je l'aime bien.

— Il a la couleur de tes yeux en plus.

Les bulles de ma boisson éclatent en milliers de fragments rouges sur mes joues bien que je n'aie pas bu tout mon verre.

— Merci pour ce rafraîchissement, Aleks, mais j'ai des clients à accueillir maintenant.

— Fais attention où tu mets les pieds, ricane-t-il. À voir la rougeur de tes joues, tu n'as jamais pris d'alcool de ta vie. Tu es beaucoup trop sage, Emma. Il faut te rebeller un peu.

— Je resterai toujours sage, mais je veux quand même savoir ce que tu y as mis.

Un demi-sourire étire ses lèvres, et il ajuste les bretelles de son pantalon.

— Vodka, vin mousseux, liqueur d'agrumes type curaçao bleu, un trait de jus de citron ainsi que son zeste, énumère-t-il rapidement. Je ne te dirai pas les quantités, par contre.

Je ricane en me dirigeant vers la porte pour ouvrir le bar. Au fond, je gagne toujours... en partie du moins. Ça me plaît de me dire que je peux me laisser aller à sourire. Ça me plaît de déposer ce poids qui pèse sur mes épaules l'espace de cette soirée de travail qui n'est pas obligé d'être pénible. Ça me plaît de me dire que je peux passer de bons moments ici. Car ce soir, j'ai envie de vivre et pas de survivre.

Les premiers clients entrent et je les dirige vers une table, un grand sourire aux lèvres, ce qui semble les mettre à l'aise; il en est ainsi pour le reste de la soirée. Henry donne un spectacle magnifique et les clients du café concert sont ravis.

Je passe une agréable soirée, épinglette en plus à mon uniforme que j'ai d'ailleurs essayé d'ignorer le plus possible. Et ce n'est pas sans soulagement que je ferme le café avec Aleks à 23 h 30. Je tourne l'affiche et jette un coup d'œil à l'extérieur. La pluie s'est mise à tomber et je ne peux m'empêcher de grimacer en pensant à la longue route que j'ai à faire sous la pluie.

— Emma!

Je pivote vers Aleks. Il me désigne le bureau de Lanz du pouce.

— Lanz veut te voir.

Ma mâchoire se crispe et j'enfonce mes mains dans les poches arrière de mon pantalon noir.

Il enfile son manteau et récupère les clés de sa voiture sous le comptoir.

— Tu veux que je te raccompagne ?

Je manque m'étouffer avec ma salive et je dois tousser à plusieurs reprises avant d'être en mesure de parler.

— Non, ça va. C'est gentil, merci.

— Tu en es sûre ? Je peux t'attendre. Il pleut à verse dehors.

Je hausse les épaules.

— Ça ne me fait rien. Et puis *il* m'attend, dis-je pour le presser de s'en aller.

Mon mensonge semble passer le test et Aleksander hoche la tête.

— OK. On se voit à la prochaine soirée !

— Oui. À plus tard.

— Bonne nuit, Blondinette !

— Bonne nuit, Aleks.

Je lui souris avant qu'il ne sorte et me dirige d'un pas hésitant jusqu'au bureau de mon patron. Lanz relève les yeux vers moi et une grimace de dédain déforme ses traits quand je m'arrête sur le pas de la porte.

— Vous vouliez me voir ?

— Oui, tiens, c'est à toi.

Il se replonge dans sa paperasse et me tend une enveloppe à bout de bras. Je fronce les sourcils et m'approche.

— Qu'est-ce que c'est ?

Il pousse un râlement et claque la langue d'un air agacé.

— D'après toi, petite sotte ?

Je déglutis et récupère l'enveloppe d'une main et l'ouvre. Ma paye des deux semaines précédentes. C'est surprenant. Je reçois mes paies quasi aléatoirement. Tellement que je perds souvent le compte de l'argent que je gagne ici. Sans doute un autre moyen pour Lanz de me sous-payer. Je sais d'ailleurs que cette paie est bien moins importante que celle de tous les autres employés ici, mais cela réussit à me réjouir quand même.

Avec l'argent que j'ai entre les mains, on peut pratiquement faire un mois entier. Quand on a un peu plus d'argent, nos carnets de rationnement sont moins stricts. J'ai travaillé dur pour obtenir cet emploi et Lanz a longtemps hésité avant de m'engager sous prétexte que je lui attirerais des ennuis, mais j'ai tellement insisté qu'il n'a eu d'autre choix que de m'embaucher. Ma seule crainte, c'est que les autorités de mon côté qui régissent les carnets de rationnement se posent un jour des questions sur la provenance de cet argent... Je ne dois pas y penser. L'important, c'est que je l'ai.

Un petit sourire qui ne lui échappe pas relève le coin de mes lèvres quand je vois la quantité de billets dans l'enveloppe.

— Vous êtes vraiment si pauvres de votre côté ? crache-t-il.

Je m'abstiens de répondre et fige tandis qu'il poursuit.

— Et puisque tu es là, j'en profite pour te dire de faire attention à ce que tu fais. Ta place ici n'est pas acquise, parasite. Un mot de travers et je te dénonce. Fais ce que je te demande et tais-toi. Tu n'es pas ici pour te faire des amis ou pour profiter de nos privilèges. Tu n'y as pas droit de ton côté, alors tu n'y as pas plus droit ici.

— Très bien...

— Je me demande encore comment ils font pour croire à tes mensonges. Ce n'est pas comme si tu nous ressemblais.

Croyez-moi, la pire chose qui pourrait m'arriver, c'est de vous ressembler, ai-je envie de lui répondre, mais je préfère me taire.

— Quoiqu'en te voyant, on comprend mieux pourquoi ils vous ont reclus derrière un mur. Vous ne méritez pas de vivre avec nous. Bande de fainéants insignifiants. Pauvres sans culture. Médiocres sous tous les points de vue...

— Bonne soirée, Monsieur, le coupé-je.

Je fais volte-face et m'apprête à sortir quand je l'entends se lever. Je continue de marcher et me précipite presque dans la salle des employés. Il continue de me lancer des injures et je n'ai qu'une envie : m'enfuir. Chacun de ses mots se fiche dans mon dos comme des fléchettes qu'on lance sur une cible qui ne peut se défiler. On me rappelle tous les jours à quel point je suis médiocre, et Lanz se sert de cette arme plus souvent que nécessaire.

Henry, que je croyais parti en même temps qu'Aleks, se trouve encore dans la salle des employés quand j'arrive. Je sais que tant qu'il sera là, je serai à l'abri des propos et des coups éventuels de notre patron. Mon corps se secoue d'un tremblement que je fais passer pour un frisson en frottant vigoureusement mes bras. Henry me toise d'un drôle d'air et enfile son manteau, un sourire incertain au coin de sa bouche charnue.

— Tout va bien, Emma ?

— Oui, dis-je un peu trop rapidement pour que ça ait l'air naturel.

Henry n'est pas dupe par contre. Il fronce les sourcils et jette un coup d'œil par-dessus mon épaule.

— Je l'ai entendu, tu sais.

— Quoi ?

Le mot se coince dans ma gorge et je sens mes mains se mettre à trembler.

— Ne le laisse pas t'abattre. Tu vaux plus que ses propos, peu importe l'endroit d'où tu viens. Pour moi non plus, ça n'a pas toujours été facile.

Mes yeux s'écarquillent et ma mâchoire tombe. *Il sait.* Mon regard glisse vers le sol.

— Le direz-vous ?

Il secoue la tête.

— Je n'ai aucun intérêt à le faire et je t'aime beaucoup trop pour ça. Je t'aimais avant même de savoir d'où tu venais, petite. Pour moi, ça ne change rien.

Je cligne des yeux à plusieurs reprises avant d'être en mesure de le remercier.

Il hoche la tête et pose une main réconfortante sur mon épaule.

— Fais attention à toi. Même de ce côté, le monde est sombre, tout n'est jamais aussi beau qu'on croit. Tu prends de gros risques aussi, mais ça, tu dois déjà le savoir.

Le pianiste secoue la tête d'un air las.

— Bonsoir, Emma.

— Bonsoir.

Il pivote et sort par la porte arrière, me laissant seule dans la pièce. Je me change en vitesse derrière le paravent et m'enfonce dans la nuit sombre à mon tour.

Seize

Je marche rapidement, mais la pluie semble vouloir me ralentir. Je vois des gens courir vers leur domicile, des adolescents bruyants dans les rues juste avant le couvre-feu et des voitures qui circulent un peu partout. Il pleut à torrents et je peine à avancer jusqu'à la frontière.

Quand j'y arrive enfin, la silhouette de Caleb se découpe finement sur le mur. Je sais que c'est lui simplement par la façon dont il se tient. Je suis partagée entre l'envie de lui sauter au cou pour l'embrasser et celle de l'étriper d'avoir disparu pendant si longtemps.

— Caleb ?

Il se tourne vers moi et s'empresse de me faire passer de mon côté de la République. Dès que j'y suis, je plante mon regard dans le sien. J'essaie de ne pas laisser la colère me gagner, mais elle monte plus rapidement que prévu.

— Où étais-tu passé ?

— Em, je...

Je le coupe tellement sèchement que la stupéfaction se lit aussi bien sur son visage que la colère qui luit sur le mien. Il ouvre de nouveau la bouche pour répondre, mais je le pousse rudement vers le mur, mes deux mains sur sa poitrine, ce qui est suffisant pour le déstabiliser.

— Espèce d'idiot qui ne m'a pas donné de nouvelles ! Je pensais qu'ils t'avaient muté ailleurs et que tu n'étais même pas venu me dire au revoir ! Tu as une idée du sang d'encre que je me suis fait pour toi ?

— Emma, écoute...

— Non, toi, écoute ! le coupé-je de nouveau en levant un index accusateur devant son visage. Tu n'es qu'un imbécile, Caleb Fränkel ! Tu disparais pendant une semaine entière et tu...

— Emma ! me coupe Caleb en m'agrippant par les poignets. Je suis là, maintenant. Je suis là et je n'ai l'intention de partir nulle part.

Je m'arrête et plante mon regard dans le sien, le souffle court. Un ange passe. Je me détends d'un seul coup et laisse mes mains retomber. Mes larmes se mêlent à l'eau déjà accumulée sur mon visage, qu'il prend entre ses mains. Il retire les mèches blondes collées sur mes joues, son visage s'approche du mien, nos nez se touchent.

Je suis trempée des pieds à la tête, je tremble de toutes parts, mais près de lui je ne ressens pas le froid. J'agrippe son uniforme à deux mains, et il m'accule contre le mur de l'alcôve, écrasant sa bouche contre la mienne. Je passe une main autour de sa nuque, l'autre contre son épaule.

Ses mains descendent jusqu'à ma taille. L'une remonte sur mon omoplate alors que l'autre glisse sur mon dos pour me serrer contre lui.

Son front touche le mien dans un instant de tendresse sans pareil. Les secondes qui m'ont échappé s'assemblent pour former un moment d'éternité qui n'appartient qu'à nous. Les yeux clos, je savoure sa présence, le goût de ses lèvres, les effluves de son parfum, la chaleur de sa peau contre mes paumes qui se sont glissées sous sa chemise.

— J'ai cru... Enfin, tu sais très bien ce que j'ai cru. Ne pars plus jamais sans me dire où tu vas.

Il acquiesce doucement, embrasse le bout de mon nez.

— Oui, je sais. C'est promis.

J'hésite à m'éloigner, mais il faut que je rentre chez moi maintenant. Je ne fais qu'y penser parce qu'en réalité, je ne bouge pas d'un centimètre.

— Pour me racheter, je propose de te raccompagner, murmure-t-il.

Je me fige et fronce les sourcils au-dessus de mes yeux clos. Il les effleure en riant.

— Ne fais pas cette tête; j'ai un plan. Et je refuse de te laisser aller aussi trempée.

Je laisse échapper un éclat de rire et constate que son uniforme est entièrement sec. Cette alcôve est plus pratique que je ne l'aurais cru. Quant à moi, ma marche dans l'Élite m'a valu d'être mouillée des pieds à la tête.

Caleb retire son manteau et me le passe sur les épaules par-dessus le mien. Il retire son chapeau pour me le mettre et sort un béret militaire de sa poche intérieure pour l'enfiler. Il glisse mes cheveux sur le côté et remonte le col du manteau pour les cacher. Je suis blonde, ce qui n'aide en rien à me faire discrète la nuit tombée ; à la moindre lumière qui se pose sur moi, on croirait que c'est moi qui m'illumine toute seule. Surtout s'il souhaite me faire passer pour un soldat alors qu'il n'y a à peu près rien de masculin chez moi, ça ne risque pas d'être facile de passer inaperçu...

— Caleb, ça ne marchera jamais, rétorqué-je en relevant sa casquette tombée sur mes yeux. Personne n'y croira. Et si tu venais à te faire prendre ? Tu imagines ! Non. C'est mieux que je rentre toute seule, renchéris-je en essuyant mon visage à l'aide de la manche de son manteau.

Caleb grogne et lève les yeux au ciel.

— Personne ne nous remarquera.

Je m'arrête et le dévisage. Il éclate de rire et m'embrasse furtivement. Son chapeau est bien trop grand pour moi, tout comme son manteau qui flotte sur mon corps frêle. L'illusion est ridicule, mais il y croit tellement que je ne peux qu'y croire moi-même.

— Ne me regardez pas ainsi, Caporal. Je ne suis qu'un simple soldat à votre service, lâche-t-il d'un ton théâtral.

Ma main monte vers sa joue et je lui souris. Il effleure le coin de mes lèvres de son pouce et me désigne la route d'un coup de tête.

— Après toi, dit-il.

Je pouffe de rire et m'avance dans la nuit noire. Malgré le manteau de Caleb qui m'offre une couverture supplémentaire face aux gardes et contre la pluie, je prends la route habituelle. Il est sur mes talons, effleurant ma main de temps à autre pour m'avertir qu'un garde approche. Je dois dire que la présence de Caleb m'est d'une aide extraordinaire et qu'elle me distrait tout à la fois. Je suis beaucoup plus prudente que cela habituellement.

— Tu passes toujours par ici ?

J'acquiesce, jette un coup d'œil à gauche, puis à droite, et traverse en sautant entre la lumière incandescente des projecteurs.

— Toujours. C'est le chemin le plus sûr et le moins surveillé.

— Mais c'est terriblement plus long ! s'exclame-t-il en un murmure.

— Je sais, mais c'est mieux que de se faire prendre.

— C'est vrai, approuve-t-il.

Je lui fais signe de me suivre et on se faufile dans une ruelle en passant entre les grillages de la clôture. Je me redresse sur un groupe de sentinelles qui s'est arrêté à l'autre bout de la ruelle pour nous dévisager. Je me fige et je suis tentée de me cacher dans l'ombre du bâtiment, mais Caleb m'en empêche et se glisse à demi devant moi pour me cacher le plus possible du groupe.

— Il y a un problème, soldats ? nous demande le chef de patrouille à une trentaine de mètres.

— Aucun, Sergent. Pouvons-nous vous être d'une quelconque utilité ? lui répond Caleb avec une assurance qui me surprend.

Il approche de quelques pas. Je baisse la tête vers le sol. La pluie tombe encore très fort au-dessus de nos têtes. Les flaques s'accumulent et les gouttes clapotent entre elles.

— Non, ça va. Continuez votre tour de garde, Caporal Fränkel, mais ne passez plus par ici. Nous assurons déjà ce secteur.

Ma poitrine se serre quand je réalise qu'il l'a reconnu.

— Bien, Monsieur, à vos ordres.

Le sergent fronce les sourcils. Son regard s'attarde sur moi un peu trop longtemps à mon goût, mais ils finissent par s'en aller.

— Tu vois ? Incognito ! chuchote-t-il d'un ton ravi.

Je soupire et laisse aller ma tête contre son épaule.

— Je croyais que mon cœur allait exploser. Ce n'est pas vraiment ce que j'appelle être incognito !

Caleb ricane et me fait signe qu'il faut poursuivre. Il nous reste peu à parcourir et nous devons absolument nous éloigner avant que la patrouille ne revienne. Je m'apprête à traverser, trois rues plus loin quand Caleb me retient vivement par le poignet.

— Emma, non !

Un cri se coince dans ma gorge et Caleb me plaque au mur derrière lui, une main sur la bouche. Un projecteur vient de s'allumer juste devant moi.

— C'est un détecteur de mouvements, Em. Tu vas devoir faire encore plus attention maintenant, je ne pensais pas qu'ils allaient en installer dans ton quartier.

Il attend que j'acquiesce et retire sa main de mes lèvres pour m'embrasser.

— Comment dois-je faire pour traverser alors ? demandé-je en le repoussant doucement.

Il passe une main sur son menton, réfléchit.

— Tu dois contourner le secteur où le système détecte le mouvement. Reste ici, je vais voir où en sont les limites.

Je hoche la tête, inquiète malgré tout. Il revient quelques minutes plus tard, alors que mon regard furète de tous bords. Son retour à mes côtés, par-derrière de surcroît, me fait automatiquement sursauter. Il pose ses paumes sur mes épaules pour me rassurer avant de prendre ma main.

— Viens, c'est par ici, chuchote-t-il.

— Tu connais encore le chemin jusque chez moi ?

Je le vois sourire dans l'ombre.

— Je ne l'ai jamais oublié, voyons.

Heureusement qu'il ne peut voir mes joues s'empourprer. Je passe par l'arrière de la maison et j'ouvre lentement la porte. Je le fais entrer à ma suite et lui fais signe d'être silencieux. Il pose un doigt sur ses lèvres pour me dire qu'il a compris et fait mine de les coudre. Je retire son chapeau de ma tête et le secoue au-dessus de l'évier.

Caleb pouffe de rire dans mon dos et je m'empresse de me retourner pour plaquer ma main sur ses lèvres. Je tapote les miennes du doigt et lève les yeux au ciel quand je le vois s'approcher pour m'embrasser. Mon air sévère se transforme rapidement en sourire qui se transmet sur son visage. Je retire son manteau et le suspends au crochet au-dessus du tapis pour qu'il sèche quelques minutes avant qu'il ne reparte. Je lui fais signe de m'attendre et me précipite à l'étage à pas feutrés pour aller chercher des serviettes.

En revenant, je fonce droit sur Adam, qui me rattrape de justesse. Il me dévisage en fronçant les sourcils et je lui fais signe de me suivre en bas. Quand son regard se pose sur Caleb, les deux garçons s'observent de longues secondes, incrédules, avant de se donner une accolade. Ils n'échangent aucun mot, mais leurs retrouvailles valent plus que toutes les paroles qu'ils pourraient prononcer.

Je souris en les voyant tous les deux aussi heureux de se retrouver, et quand ils se détachent, je passe une serviette autour des épaules de Caleb pour le sécher. Je frictionne ses bras des mains et il me sourit.

— Je ne te laisserai pas filer mouillé quand même, dis-je si faiblement qu'il m'entend à peine.

— Merci, c'est une délicate attention.

Ma main glisse furtivement sur sa joue, et je le laisse se sécher du mieux qu'il le peut. Sa mâchoire se crispe : il doit partir. Adam a également remarqué l'heure tardive, et il échange quelques mots avec Caleb avant que celui-ci ne quitte. Mon frère se recule discrètement. Caleb enfile son manteau et récupère sa casquette de sous-officier. Il tente un pas vers moi, mais se ravise : Adam ignore pour nous deux.

Enfin, je crois qu'il l'ignore, mais avec le temps, il a sûrement fini par se douter de quelque chose. Particulièrement après ce soir. Il me serre discrètement la main pour y glisser un papier et disparaît sous la pluie.

Ses heures de la semaine.

Je récupère les serviettes humides qu'il a laissées sur le dossier d'une chaise et monte à l'étage suivie de mon frère. Je pose la main sur la poignée de la salle de bain quand Adam m'arrête, une main sur l'épaule.

— Emma ?

— Oui ?

Il ouvre la bouche, puis se ravise en secouant la tête.

— Non rien… Bonne nuit.

— Bonne nuit, Adam.

Je fronce les sourcils et entre dans la salle de bain pour étendre les serviettes et me débarbouiller comme à l'habitude. D'autant plus que je dois retirer mes vêtements trempés. J'entre ensuite dans ma chambre et je suis soulagée de voir qu'Effie est assoupie. Je m'enfonce sous mes couvertures.

Dix-sept

Pour l'une des premières fois depuis le début du mois d'octobre, il a cessé de pleuvoir. Voilà bientôt cinq jours qu'il pleut sans arrêt au-dessus de nos têtes et je rentre trempée tous les soirs depuis. Ma pire crainte pour l'instant ne concerne même pas les gardes ou la surveillance que je dois contourner, mais le fait d'être malade.

Mon système immunitaire est faible et ma constitution l'est tout autant. Être malade est sans doute l'une des pires choses qui pourraient m'arriver pour l'instant, et j'espère pouvoir me tenir au chaud de la pluie jusqu'à ce que la neige prenne la relève à la mi-novembre où cette fois, c'est du froid contre lequel je devrai me défendre.

Je frissonne et tire les manches de mon cardigan sur mes paumes. Je consulte brièvement mon horaire. Encore ce cher monsieur Fleisch et l'histoire qui sont au programme après le déjeuner. Les yeux rivés sur mon horaire, je n'ai absolument pas vu le groupe de garçons d'à peu près mon âge dans lequel je fonce. J'en échappe tous mes cahiers et trébuche sur deux d'entre eux dans ma maladresse. Le rouge me monte instantanément aux joues, mais mon expression prend une tout autre tournure quand ils se mettent à me parler.

— Hé, ma jolie, tu sais qu'il y avait d'autres manières de nous aborder si c'est ce que tu voulais. Tiens donc... la sœur Kaufmann. Bien plus belle que son frère, ricane l'un d'eux.

Je secoue la tête et récupère précipitamment mes cahiers. J'anticipe déjà la suite et je n'aime pas ce qu'elle me renvoie. Un bref coup d'œil à mes effets me confirme qu'il me manque des papiers dont ils se sont mesquinement emparés, ne serait-ce que pour faire durer le supplice plus longtemps.

— Vous voudriez bien me les rendre, s'il vous plaît ? dis-je en tendant la main vers les feuilles qui se trimballent déjà d'une main à l'autre.

— Pas avant que tu n'aies fait ce que je te demande, rétorque celui qui m'a adressé la parole. D'abord, tu pourrais commencer par lâcher ça.

Il donne une claque sous mes effets et tout retombe au sol. Mon expression se fige, et je recule d'un pas en sursautant.

— Ensuite, tu pourrais relever ça pour qu'on puisse voir ce qu'il y a là-dessous, enchaîne-t-il en tirant ma chemise vers le haut.

Je chasse sa main d'une tape sèche et recule d'un autre pas. Leurs rires m'écœurent, leurs regards me dégoûtent autant que leurs expressions perverses. Je me retrouve bientôt acculée contre le mur, sans aucune échappatoire. Mes yeux volent partout autour dans l'espoir de voir un enseignant qui pourrait bien voler à ma rescousse, mais il semble n'y en avoir aucun. C'est à peine s'il y a des élèves qui circulent dans ce corridor qui mène à l'extérieur, et tout le monde semble déjà s'être réuni à l'agora pour le dîner.

À dire vrai, il n'y a que nous cinq. Moi, contre ces quatre garçons que je ne connais pas et qui veulent bien plus que de simples notes de cours ou des excuses de ma part pour avoir perturbé leur route.

La peur me retourne l'estomac, la nervosité recouvre mon corps d'une fine pellicule de sueur, mes doigts tremblent contre la brique dans mon dos. J'inspire la frayeur, expire la terreur.

— Allez, on ne te fera pas mal, ricane celui qui continue d'avancer vers moi.

Cette fois, il se fait plus entreprenant et m'agrippe par la taille. Je me tortille dans ses bras et lâche un cri qu'il étouffe sous sa main.

— Je te déconseille de crier, par contre, gronde-t-il à mon oreille.

Je continue de me débattre alors qu'ils se mettent maintenant à deux pour m'immobiliser. Puis, un éclair de cheveux blonds à ma gauche fait basculer l'un des garçons qui me retenaient. Je tombe avec lui et m'empresse de m'éloigner.

Je crie le nom de mon frère tout en me relevant pour le rejoindre. J'en suis incapable, on me retient de main ferme.

— Enlève tes sales pattes de ma sœur, O'Dell !

— Sinon quoi ? Qu'est-ce que tu vas faire ? réplique d'un air condescendant celui qui me tient.

Adam s'apprête à répliquer, quand il reçoit un violent coup de poing à l'estomac qui le plie en deux. Je me débats de plus belle, frappant et criant contre mes agresseurs qui s'en prennent aussi à mon frère. Ce dernier se libère d'un coup de coude et réussit à se débarrasser d'un assaillant sur quatre. Ils sont maintenant deux contre lui et on me retient toujours contre mon gré ; les mains beaucoup trop baladeuses de mon agresseur se promènent encore sur mon corps. Et pourtant, je m'inquiète uniquement pour mon frère.

— Lâchez-le ! Laissez mon frère tranquille ! Adam !

Mon hurlement ricoche entre les murs et j'espère bien qu'on m'entendra. Je donne un coup de tête vers l'arrière et atteins au nez le garçon, qui me lance au sol et sur lequel je culbute. Un gémissement de douleur glisse entre mes lèvres quand mon épaule se fracasse contre le béton.

Je me redresse et donne un coup de pied dans le genou d'un des adversaires d'Adam, ce qui lui donne la chance d'envoyer l'autre au tapis.

Puis, des coups de sifflet retentissent : sans doute des soldats. Ça va de mal en pis. Les quatre garçons se relèvent, amochés, et s'enfuient à toutes jambes. Le meneur se tourne vers mon frère. O'Dell crache au sol et s'essuie le bord de la bouche. Son nez semble cassé et je ressens une fierté malsaine en sachant que c'est moi qui en suis responsable. Il jette un coup d'œil à la patrouille qui approche et pointe mon frère en criant :

— Je te ferai la peau, Kaufmann !

— Va-t'en avant que je ne te fasse saigner encore plus ! s'écrie mon frère en crachant un filet de sang.

À cet instant, qui de pire que monsieur Fleisch pour débarquer au moment où je redresse Adam. Il nous dévisage, tous les deux, et le dédain dans son regard s'attarde un peu plus longtemps sur moi que sur mon frère.

— Qu'avez-vous encore fait ?

Je refuse de répondre et ne lui renvoie qu'un regard qui, je l'espère, transmettra tout le mépris que j'ai pour cet homme qui reste planté là, comme un parfait imbécile. Je ne devrais pourtant pas être surprise, car il nous déteste. Je me tourne vers Adam et relève doucement son visage pour évaluer l'ampleur des dommages.

Sa lèvre inférieure est fendue et une grosse ecchymose rougit sa pommette en plus de l'œil au beurre noir qu'il risque d'avoir. Je passe son bras autour de mes épaules et glisse ma main à sa taille pour le soutenir quand je le sens qui fléchit. Il est assommé, c'est évident. Je suis la cause de ce pot cassé ; je dois ramasser les dégâts maintenant.

— Emma, tu n'as rien ? s'empresse de me demander mon frère d'une voix que je trouve drôlement pâteuse.

Inutile de lui dire pour mon épaule qui élance, nous avons bien assez de soucis comme ça.

— Non, je n'ai rien, Adam... Je suis tellement navrée, si tu savais.

Il secoue la tête et la relève mollement vers l'escadron qui approche. Je tombe pour ma part sur monsieur Fleisch qui attend avec manifestement un peu plus d'impatience que nous que la patrouille arrive.

— C'est moi qui devrais l'être de ne pas être arrivé plus tôt, Coccinelle. Mes mauvais pressentiments te concernant ne me trompent jamais. Tu prenais trop de temps à nous rejoindre pour le dîner.

— Que va dire maman de tout ça ?

Mon frère ricane et se redresse.

— Pour l'instant, c'est ce qu'eux vont dire qui m'inquiète.

— Et vous avez tout intérêt à l'être, Kaufmann, rétorque monsieur Fleisch en croisant les bras. J'espère pour vous deux que votre sanction sera exemplaire.

Je pivote vers la patrouille. Si seulement celui qui est à leur tête avait pu être Caleb... Au lieu de quoi, c'est le sergent de l'autre soir, celui qui nous a interpellés, Caleb et moi, lorsque je rentrais. Le même qui a fusillé un homme dans des décombres de briques, de cendres et d'affiches déchiquetées. Je baisse instinctivement le menton et ferme les yeux quelques secondes en inspirant profondément. Adam, qui se tient maintenant de lui-même pour faire bonne figure devant l'autorité, glisse sa main dans la mienne et la serre si fort que mon sang cesse d'y affluer pour un court instant.

Maintenant que je le vois clairement, le sergent me semble encore plus terrifiant.

Ses yeux sont d'un bleu profond et une large cicatrice barbouille sa joue gauche en entier.

Une brûlure, sans doute, qui est zébrée de nombreuses estafilades blanches ou légèrement rosées.

Ses traits sont rudes et sa posture, imposante.

Il émane de lui quelque chose que j'hésite à qualifier d'assurance ou de pouvoir. Un mélange des deux peut-être.

Ses cheveux noirs sont dissimulés sous la casquette qu'il porte bas sur son front, si bien que je vois à peine ses sourcils se froncer. Le sergent jette un regard aux alentours, hoche la tête à l'intention de l'enseignant et reporte son regard glacial sur nous.

— Que s'est-il passé ici ?

J'ouvre la bouche pour lui expliquer, mais les mots se bousculent dans ma tête. Dois-je lui mentir ou lui dire que quatre hommes ont tenté de m'agresser ?

— On a eu quelques ennuis, Sergent, me devance mon frère.

— Mais encore ? réplique-t-il en redressant le menton, les mains croisées dans le dos.

— Quatre hommes ont voulu s'en prendre à ma sœur. J'ai jugé bon de voler à son secours.

— Avec les poings, à ce que je vois. Vous savez que la violence est interdite, jeune homme ? Entre ces murs et partout ailleurs.

Adam acquiesce le plus impassiblement possible. J'aimerais posséder son flegme. Au lieu de quoi, je n'ai que des mots pour se faire la guerre dans mon esprit.

— Ce n'est pas la première fois que je le prends à se battre, Sergent, réplique alors monsieur Fleisch. Je peux m'occuper personnellement de sa sanction si vous le souhaitez. Nous avons un moyen de régler le problème des querelleurs.

Je m'accroche à la main de mon aîné comme à une bouée. J'ai peur de me mettre à trembler si je la lâche parce que je sais de quoi mon professeur d'histoire parle : de coups de fouet.

— Vous n'êtes pas la loi ici, Monsieur, répond sèchement le militaire à mon professeur qui doit sans l'ombre d'un doute combattre intérieurement ce soldat qui fait la loi à sa place à un endroit où il règne normalement en maître.

Monsieur Fleisch serre les poings et s'apprête à répliquer, lorsque je le précède, heureusement pour lui, sans doute. Je ne veux pas lui laisser la chance de dire quoi que ce soit qui pourrait nous caler davantage, mon frère et moi.

— S'il y a bien une personne qui mérite d'être châtiée, Sergent, c'est moi, dis-je en m'avançant d'un pas, lâchant du même coup ma bouée.

Je me retrouve seule au milieu d'un océan tumultueux qui me portera je ne sais où.

— Je me suis attiré des problèmes, il n'est pas responsable de la bagarre qui a suivi. C'est de ma faute.

Adam me lance un regard noir. Il sait que je mens, mais je veux à tout prix le protéger de ce que monsieur Fleisch pourrait choisir de faire pour me punir, moi, davantage que lui. Je redoute cet enseignant et je crois bien avoir raison de le faire. Mon frère rétorque :

— Je comprends que la violence est inacceptable, Sergent, mais la vie de ma sœur vaut plus cher à mes yeux que la sanction qui pourrait découler de mes agissements.

Ses derniers mots, il les crache pratiquement au visage du professeur d'histoire. Le sergent plisse les paupières et prend de longues minutes avant d'acquiescer.

— Je vois. Vos noms, je vous prie.

Mon frère hoche la tête et s'éclaircit la voix. Pour ma part, je déglutis avec peine. J'ignore ce qu'il va faire de nos noms et les options qui se bousculent dans ma tête sont loin de me faire plaisir.

— Adam et Emma Kaufmann.

Un soldat derrière le sergent les prend en note dans un petit calepin, qu'il referme aussi rapidement qu'il l'a ouvert.

— Ça ira pour cette fois. Vous avez déjà encaissé votre sanction, Monsieur Kaufmann, ajoute le sergent en dévisageant mon frère qui se trouve assez mal en point. Quant à vous, Mademoiselle, tâchez de ne plus vous attirer d'ennuis.

— Oui, Monsieur, approuvé-je en hochant la tête bien que l'envie de dire que je n'ai rien fait de fautif me brûle la langue.

Le sergent fait signe à ses hommes et la patrouille quitte les lieux.

— Je n'aurais pas été aussi clément à votre égard, lâche Fleisch d'un ton hargneux. Il faut croire qu'il a eu pitié de la façon dont vous vous protégiez l'un l'autre. J'ai trouvé cela plutôt pathétique pour dire vrai, et je vous aurais sanctionné quand même.

Mon frère redresse le menton et avance d'un pas vers l'enseignant. Monsieur Fleisch est bien plus grand qu'Adam, et je vois que mon frère essaie de rester insensible. L'homme bombe légèrement le torse en faisant passer le tout pour une inspiration profonde qui ne m'échappe pas.

— Laissez ma sœur tranquille, Fleisch. Vous passez au peigne fin la moindre erreur qu'elle puisse faire depuis le début de l'année. Arrêtez de vous acharner sur elle.

Monsieur Fleisch plisse les paupières et je vois ses poings s'ouvrir, puis se fermer compulsivement.

— Seraient-ce là des menaces, Monsieur Kaufmann ?

— Pas le moins du monde.

Adam avance d'un pas et se poste à demi devant moi. Mon enseignant en profite pour nous jeter un dernier regard dédaigneux et s'éloigne finalement d'un pas rapide.

Je soupire une fois qu'ils sont tous partis, et je vois les épaules d'Adam s'affaisser de soulagement. Il grimace de douleur ; je le serre dans mes bras.

— On l'a échappé belle, dis-je contre sa chemise.

Je sens mon frère acquiescer contre mes cheveux et répondre à mon étreinte. Je relève les yeux vers lui et souris. Il essaie de sourire à son tour, mais son sourire se transforme rapidement en grimace qui m'arrache un éclat de rire.

J'effleure sa joue meurtrie et fronce les sourcils en apercevant sa lèvre qui saigne abondamment.

— Allons à l'infirmerie.

Mon frère secoue vivement la tête et se penche vers mes feuilles et cahiers pour les récupérer.

— Non, ça va.

— Adam. Tu as mal. Un peu de glace te ferait du bien.

— De la glace coûte les yeux de la tête, Em. Si c'était l'hiver, on aurait pu prendre de la neige, mais là...

Il me tend mes affaires et je le remercie en marmonnant.

— Madame Hänzel a sûrement quelque chose si tu refuses d'aller à l'infirmerie.

— Madame Hänzel n'est pas infirmière. Ce n'est qu'une secrétaire.

Je hausse les épaules.

— C'est toujours mieux que rien et je refuse de te laisser ainsi. Pas en sachant que c'est à cause de moi que tu te retrouves comme ça.

Je secoue la tête.

— J'ai tellement eu peur qu'ils te fassent du mal, Adam.

Mon frère cherche mon regard et esquisse un demi-sourire qui semble moins douloureux, mais tout aussi sincère qu'un véritable sourire.

— Et moi donc, Emma. Je suis ton frère, personne n'a le droit de te faire du mal. Personne, sans quoi il aura affaire à moi. Pareil pour Effie et Noah. Compris, Coccinelle ?

— Compris, Coquerelle.

Il pouffe de rire et passe un bras autour de mes épaules.

— J'adore quand tu dis ça, ricane-t-il.

Je m'esclaffe à mon tour et passe mes bras autour de sa taille pour le serrer brièvement, mes cahiers contre l'avant-bras.

Dix-huit

Les regards des étudiants ont été lourds à porter pour le reste de la journée. Le visage de mon frère enflait à vu d'œil, et sa lèvre était boursouflée par la coupure. Madame Hänzel a effectivement pu nous fournir un petit sac de glace qu'elle gardait, a-t-elle dit, pour les cas comme celui-ci.

Le froid a légèrement réduit l'enflure, mais pas le mal que mon frère ressentait. Nous avons manqué pratiquement toute notre heure de déjeuner et je n'avais rien avalé depuis le matin. La faim me tenaillait, mais je devrais encore attendre avant de manger; monsieur Fleisch m'attendait pour son cours.

Encore une fois, je suis restée dans un mutisme complet, mais pour des raisons bien différentes. Mes pensées ne cessaient d'aller et venir. Je me demandais ce que les soldats allaient faire de nos noms, pourquoi ils nous avaient épargnés, ce que monsieur Fleisch avait vraiment voulu dire sur les menaces de mon frère. Toutes sortes de pensées qui ne m'aidaient absolument pas à porter attention à son cours de deux heures interminables.

Quand la cloche a sonné, je me suis empressée de sortir, mais Fleisch m'a rattrapée pour m'agripper par le bras.

— Veuillez m'excuser, Monsieur, mais j'ai un bus à prendre si je souhaite rentrer chez moi.

— Je serai bref, Mademoiselle Kaufmann.

Je ne me décrispe pas pour autant et j'attends aussi patiemment que possible qu'il poursuive.

— Je n'ai pas apprécié les menaces de votre frère à mon égard, et ne pensez pas que je resterai sans agir. Tous les membres de votre famille ne font que perturber l'atmosphère de notre école et les piètres agissements d'Adam nuisent encore plus à votre réputation.

Je tente de me dégager, mais il me retient toujours d'une poigne de fer.

— Aussi, je dois vous dire que la rédaction que je vous ai demandée était lamentable. Vous n'avez rien compris de l'essence de mon enseignement et vous n'avez pas réussi à me convaincre de votre intérêt pour mon cours.

— Je ne comprends pas. J'ai pourtant fait ce que vous m'avez demandé.

— Non. Je vous ai demandé de me donner *votre* opinion sur la République, pas de calquer la mienne.

Je ne peux m'empêcher de pouffer de rire, ce qui semble le déstabiliser assez pour qu'il me lâche. Il ne s'attendait sûrement pas à ce genre d'audace de ma part.

— Je ne crois pas que vous voulez vraiment connaître mon opinion sur ce sujet, ne puis-je m'empêcher de répliquer.

— C'est ce que je pensais.

— Je vous demande pardon ?

— *Insoumise.*

Je plisse les paupières un moment: ce mot résonne dans ma tête. Je détale avant que mes lèvres ne laissent s'échapper des paroles que je pourrais regretter.

J'ignore si je l'ai bel et bien entendu prononcer les dernières syllabes que je répète en boucle dans ma tête, ou si je ne les ai qu'imaginées. Et je ne peux pas revenir sur mes pas pour le faire répéter. Jusqu'à ce que je me souvienne: l'homme de la Galerie des cendres.

J'espère de tout cœur avoir mal entendu. Je prie le ciel, la Lune et le Soleil pour que le véritable mot qu'il a prononcé en soit un autre que celui-là. Pas ce mot tabou qu'on risque d'étamper sur la porte de ma demeure avant de la faire flamber si cette accusation grotesque vient à être fondée. Les Kaufmann, à jamais rayés de la carte. C'est pire que de simplement être pendue pour bris de frontière. Parce que là, c'est carrément toute ma famille qui y passerait.

Je ne suis pas une Insoumise. Je ne veux pas être une Insoumise. Il ne faut pas que je sois une Insoumise.

Je récupère mon sac dans mon casier et je rejoins au pas de course Adam, qui m'attend près du bus avec Effie. Ma sœur me saute presque au cou en me voyant.

— Tu n'as vraiment rien, Emma ? dit-elle précipitamment.

— Non, Effie. C'est plutôt pour Adam que tu devrais t'inquiéter.

Il cligne de son œil encore valide et nous pousse doucement dans le bus.

En arrivant à la maison, je regarde l'heure et me dirige presque tout de suite vers le piano. Noah s'agite déjà, il sait que c'est à cette heure que je dois jouer. Juste avant le train de 16 h.

Ma mère essuie ses mains sur un chiffon et approche dans le salon pour nous accueillir. Elle le lâche d'un coup et se précipite vers mon frère qui soupire déjà pour lui faire comprendre qu'il va bien.

— Ça va, maman. Je n'ai presque rien.

— Presque rien ? s'égosille-t-elle en levant les mains vers son visage. Adam, qu'as-tu encore fait ?

Mon frère secoue la tête et je m'assois sur le banc de piano. Noah me rejoint presque tout de suite et sort la partition qu'il souhaite que je joue.

— N'oublie pas le *fa* qui n'est pas en bémol, marmonne-t-il en posant les feuilles devant moi avec minutie.

Je souris et acquiesce. Un *fa* bémol est également un *mi* et c'est exactement la note que j'ai ratée la dernière fois. Un demi-ton. J'ai raté une note d'un demi-ton et mon frère s'en est aperçu.

— C'est promis, Noah.

Derrière moi, j'entends ma mère négocier avec mon frère ; elle le force à s'asseoir pour lui poser un linge froid et humide sur la pommette à défaut d'avoir de la glace. Les réfrigérateurs ne sont jamais suffisamment performants et puis, l'eau est également rationnée alors personne ne la gaspille pour en faire de la glace. J'entends également mon père qui arrive à grands pas et Effie qui tente de le calmer et de lui expliquer la situation.

Je joue un peu plus fort pour éviter que Noah ne les entende au cas où ils se disputeraient tous les quatre. Il semble s'en apercevoir, car je crois le voir froncer légèrement les sourcils. Les notes sonnent avec un peu plus de puissance qu'à l'habitude, mais le morceau reste le même, et je n'ai encore fait aucune erreur, ce qui, au bout du compte, ne le dérange pas, heureusement. Quand je termine la partition, plus personne ne parle.

Mon père rompt le silence en m'interpellant et me fait signe d'approcher.

J'hésite à laisser le piano de peur que Noah ne le prenne mal, mais puisque j'ai terminé le morceau qu'il voulait que je joue, il semble apaisé. Je le laisse donc seul sur le banc, tout en espérant qu'il se décide à en jouer si je m'éclipse quelques minutes.

— Que s'est-il passé ? me demande mon père d'une voix posée.

Je hausse les épaules.

— Ce n'est rien, papa. Je veux dire... ce n'est pas rien non, Adam a été blessé à cause de moi, mais...

— Ce n'était pas de ta faute, rétorque durement mon frère. Ils étaient quatre contre toi, tu ne pouvais rien faire et tu sais très bien que je ne t'en veux pas.

— Qui ça ? me demande mon père.

— O'Dell, crache mon frère, les dents serrées.

— C'est à Emma que je parle, Adam. Tais-toi s'il te plaît.

— Les autres, je ne les connaissais pas, répliqué-je pour qu'il reporte son attention sur moi.

Il passe une main sur son visage d'un air las.

— David, c'est trop tard maintenant. Le mal est fait, lui dit ma mère.

Mon père acquiesce et pose ses mains sur mes épaules. Il est toujours inquiet et je peux voir à son regard qu'il hésite entre nous disputer ou nous mettre en garde.

— Je n'ai rien, ça va. C'est Adam qui a écopé du pire, crois-moi.

— Certaine ?

— Oui, acquiescé-je.

— OK.

Je jette un coup d'œil au piano. Mon cœur s'arrête un battement de trop, le souffle me manque. Noah n'est plus là.

— Où est Noah ? demande justement Effie en se levant.

Je me redresse d'un coup et couvre la pièce du regard. Il n'est pas là et j'ai peur de savoir où il pourrait être.

— Quelle heure est-il ? que je demande les poings serrés.

Je n'attends pas la réponse et me précipite à l'extérieur, suivie par Adam qui manque de bousculer notre mère alors qu'elle se précipite à l'étage pour vérifier si Noah y est. Je sais qu'il n'est pas là. Il est sûrement dehors. Près, trop près d'une voie ferrée qui tremble à l'approche d'une locomotive, j'en suis persuadée.

— Noah ?

Je ne devrais pas crier, je risque d'alerter les voisins, mais la vie de mon frère m'importe plus que les rumeurs qui peuvent circuler à notre sujet, quitte à recevoir la visite des autorités. Je le défendrais jusqu'à la mort.

J'ai beau crier, il ne m'entend pas, pas plus que je ne le vois. Le soleil se couche dans une heure et les nuages sont tellement épais qu'on croirait déjà la nuit tombée.

— Adam, je ne le vois pas !

La peur peut prendre tellement de formes différentes, et ce soir encore elle m'assaille d'une façon bien pire. Elle me fait frissonner de toutes parts, noie mes yeux dans un océan salé et fait trembler le bout de mes doigts. Ma poitrine est dans une boîte dont j'ignore les limites et dans laquelle les battements de mon cœur se fracassent afin d'en faire tomber tous les murs qui l'oppressent. Une peur viscérale qu'il soit arrivé quelque chose à mon frère m'enveloppe comme un manteau d'obscurité. Je gravis la pente au pas de course, Adam à ma droite. Le train arrive à toute vitesse et Noah se trouve juste devant, sur la voie ferrée.

Les rails vibrent sous la puissance de la locomotive qui approche. Mes cordes vocales semblent s'être sectionnées. Les mots se ruent dans ma tête sans qu'aucun n'en sorte. Je cours vers le chemin de fer sans ralentir, exactement comme ce train qui fonce droit sur mon petit frère.

Noah ne bouge pas d'un centimètre, insensible au danger qui le menace. Je suis encore trop loin pour l'atteindre et l'écarter du chemin de fer. Adam me dépasse, gravit la pente en quelques enjambées et empoigne Noah par les épaules pour l'éloigner du convoi hurlant.

Le train passe sous mes yeux, et mes frères disparaissent derrière les wagons, de l'autre côté des rails. J'ignore s'ils sont en sûreté, s'ils sont blessés. Mon inquiétude augmente, les wagons se suivent et la file semble interminable. Je m'agite et fais les cent pas, toujours incapable du moindre son. Je ne peux rien faire d'autre qu'attendre et ça me tue littéralement.

Je compte les wagons un après l'autre tout comme les secondes qui s'étirent de plus en plus. Vingt, vingt et un, vingt-deux... trente-huit, trente-neuf. Ce n'est que quarante-six wagons plus tard que je peux courir pour franchir la voie et finalement voir mes deux frères – à distance raisonnable l'un de l'autre. Noah est debout et observe le train si fixement que son regard croise pratiquement le mien quand je traverse.

Ses yeux volent vers mon menton alors qu'il continue de jouer avec sa locomotive entre ses doigts. Les autistes ne regardent personne dans les yeux et cela vaut aussi pour mon frère Noah, même si la gravité de la situation devrait faire en sorte qu'il me regarde véritablement pour une fois. Adam est quant à lui assis par terre, le souffle court, les avant-bras posés sur ses genoux.

Ses yeux sont clos, et je sais qu'il l'a échappé belle, tout comme notre frère cadet. Pour retenir mes larmes, je fixe derrière eux le terrain vague bloqué par une énorme clôture de fils barbelés.

Je me penche vers Noah, tentée de prendre ses mains dans les miennes, mais je me ravise. Je voudrais le serrer dans mes bras, mais j'ignore comment il réagirait. Un mur de verre continue de nous séparer tous les deux, et il n'y a que lui qui soit en mesure de le briser.

J'inspire profondément avant de m'adresser à lui. L'oxygène qui s'infiltre dans mes poumons semble recoudre du même coup mes cordes vocales scindées.

— Noah, si tu veux venir voir le train tu dois nous le dire.

— Le train passait à 16 h.

— Oui, mais tu dois comprendre que tu ne peux pas aller voir le train tout seul.

— Tout seul ? Je ne peux pas ?

Je secoue la tête et cherche son regard tout en sachant que je ne le croiserai jamais. Sa voix est si stagnante que si j'avais à la représenter visuellement, elle serait aussi lisse qu'un miroir.

— Si tu veux venir voir le train, dis-le-moi.

— À toi. À Emma. Pour voir le train, je vais voir Emma.

— Oui, à Emma. C'est compris ?

— Compris.

Il acquiesce et se remet à tortiller ses mains près de sa poitrine. Il est nerveux. Il sait qu'il a fait quelque chose de mal, mais il ne comprend pas où est le mal, je tente donc de le rassurer.

— Ça va, Noah. Ce n'est pas grave.

— Pas grave.

— Nous avons eu peur pour toi, c'est tout.

— Peur. Pourquoi peur ?

— Parce que nous t'aimons.

— Nous t'aimons, répète-t-il. Je ne comprends pas.

Mon cœur vient de se décomposer dans ma poitrine en des milliers de fragments de feuilles mortes que le vent s'empresse d'emporter avec lui. J'entends Adam soupirer derrière moi, mais le couteau ne fait que s'enfoncer encore plus loin dans ma poitrine.

— Ça ne fait rien. Viens, on rentre, lui dis-je en souriant, la main posée sur le tissu qui recouvre son avant-bras.

Je jette un coup d'œil à ma droite pour m'assurer qu'aucun train n'approche et tends la main à Adam pour le relever. Noah marche devant nous jusque dans la maison et je ressens l'immense soulagement de mes parents jusqu'au fond de mon âme quand ils voient mon petit frère rentrer, sain et sauf. S'ils sont restés à l'intérieur, c'est simplement que si nous étions tous sortis, nous aurions beaucoup trop attiré l'attention. Ce que nous avons sans doute déjà fait, mais puisque ce n'était qu'Adam et moi, c'est déjà moins impressionnant que si toute ma famille s'était retrouvée dehors à chercher mon petit frère.

Quant à moi, je suis tout simplement incapable de rester en bas pour l'instant. Ma mère fronce subtilement les sourcils, et je secoue la tête. Les mots se détruisent un à un dans ma tête, jusqu'à n'être qu'un amoncellement de vingt-six lettres orphelines qui ne valent plus la peine d'être utilisées aujourd'hui, pour quelque raison que ce soit. Je me dirige à l'étage sans un mot et gravis lentement les marches. Je sais que ce n'était pas dirigé vers moi ou quiconque de la famille quand mon frère a dit qu'il ne comprenait pas pourquoi nous l'aimions, mais je ne peux faire autrement que de me sentir vide à l'intérieur et coupable d'avoir été si négligente. Tout de même, il a bien failli se faire frapper par un train et il n'a même pas réagi ! Comme quoi il n'a aucune conscience du danger autour de lui.

Je me réfugie dans notre chambre ; je m'arrête devant la fenêtre et pose mes mains de chaque côté du cadre. Les larmes coulent sans retenue sur mes joues. Elles sont composées de tellement d'émotions différentes que je les laisse s'envoler avec les poussières de mon cœur qui persistent. Que je le veuille ou non, c'est tellement plus difficile qu'il n'y paraît d'aimer un frère à s'en faire mal, sans qu'il ne soit lui-même jamais en mesure de l'exprimer en retour. Ou du moins, de l'exprimer de sorte que je puisse le comprendre. Sans doute m'aime-t-il, mais d'une façon qui m'est impossible à saisir, justement. Et puis, ma journée est bonne pour la poubelle, alors sentir ne serait-ce qu'un tout petit peu que mon frère m'aime aurait pu poser un baume sans pareil sur mes plaies quotidiennes.

J'entends quelqu'un entrer dans la chambre. Je fais volte-face en essuyant rapidement mon visage du plat de la main. L'orgueil est un moyen de défense impressionnant.

— Hé, Noah ! Qu'est-ce que tu fais là, mon grand ?

Je retrouve mon sourire en une fraction de seconde, mais il me coûte tellement de le revêtir que je m'épuise à l'épingler sur mon visage.

Il approche sans un mot, les mains entortillées à la hauteur de la poitrine tandis qu'il fixe ce même point qu'il fixe toujours à ma mâchoire.

Et il me serre dans ses bras.

Je reste figée. Ses petits bras entourent fermement ma taille et il me relâche peu de temps après, presque trop rapidement à mon goût. Ses gestes sont maladroits, mais ils viennent poser un tel baume sur mon cœur qu'il parvient, à lui seul, à recoller les fragments qui composaient jadis cette pompe dans ma poitrine. Un nœud se forme dans ma gorge et j'ai beau déglutir à plusieurs reprises, je n'arrive pas à le faire redescendre.

Noah tourne les talons et repart dans l'escalier en marmonnant :

— *Rien ne sert de courir, il faut partir à point.* Quel genre de point ? Point de repère ? Point d'attente ? Point de chute ? Point de mire ? À point, donc au seuil, à l'instant voulu. Quel instant ? Je ne sais pas. Au bon moment, mais quand est ce bon moment ? Je ne sais pas. C'est quoi, le bon moment ? Je ne sais pas. Le prochain train passe dans deux heures quarante-neuf minutes et j'irai voir Emma pour qu'elle vienne avec moi parce que je ne peux pas y aller seul. Nous irons donc au bon moment, dans deux heures quarante-neuf minutes.

Sa voix finit par se perdre au fond du couloir et mes larmes reprennent de plus belle. Je suis un flot d'émotions qui se manifeste par les deux océans qui tentent de noyer mes yeux et mon visage à cet instant, à ce point, à ce moment qui intrigue tellement mon frère. Je ferme les yeux et inspire profondément. C'est bien la première fois que Noah me témoigne son affection, sa reconnaissance, voire son amour aussi clairement. Peut-être est-ce sa façon à lui de le faire et c'est aujourd'hui qu'il me fallait poser la question pour le savoir ? Et, étrangement, j'aime sa manière de l'exprimer plus que n'importe quelle autre.

Je me dirige vers ma penderie pour me changer quand ma mère frappe doucement à ma porte. J'essuie superficiellement les larmes sur mon visage et me tourne vers elle.

— Tu traverses encore ce soir.

C'est davantage un soupir exprimé qu'une question nécessitant une réponse quelconque de ma part.

Je laisse mes mains retomber le long de mon corps. Puis, je secoue la tête. Je m'assois sur mon lit, et ma mère, sur celui d'Effie. Mes mains sont croisées sur mes genoux et je m'efforce de garder les épaules droites. Le poids des évènements et de la fatigue me pèse autant qu'une tonne de briques.

— Ce serait bien que tu restes avec nous. Tu ne crois pas ? Voilà bien longtemps que tu n'as pas soupé avec nous, Emma. Ton père s'ennuie de toi et il se pose de plus en plus de questions. Tes frères et ta sœur aussi s'ennuient de toi. Et moi aussi.

J'essuie furtivement la larme au coin de mon œil et acquiesce.

— Je suis fatiguée, maman.

Ses épaules s'affaissent légèrement. Elle change de lit et s'assoit à ma gauche pour me tendre ses bras. Je m'y blottis sans me faire prier et la laisse me caresser les cheveux exactement comme quand j'étais enfant. Après tout, j'en suis encore une à ses yeux et je le serai probablement toujours.

— Reste avec nous ce soir. S'il te plaît.

— Je n'irai pas plus loin qu'aux rails avec Noah. C'est promis.

— Merci, mon poussin. Pour tout ce que tu fais. Ça compte, tu sais ? Ton père l'ignore peut-être, mais il n'est pas moins conscient de ce que tu fais pour nous. Il se doute de quelque chose depuis plusieurs semaines, mais il te fait confiance.

C'est un reproche déguisé en remerciement. J'acquiesce contre son épaule et elle s'éloigne légèrement pour relever mon visage et essuyer mes larmes.

— Tu viens ? On a un souper de famille à prendre.

— Oui. Si seulement tu savais comme ça m'a manqué.

— À nous aussi, Emma. À nous aussi.

Je glisse ma main dans la sienne et me lève quand j'entends mon père nous appeler:

— Sofia! Emma! Vous venez? Le souper est prêt!

Ma mère me fait un clin d'œil et me chuchote à l'oreille:

— Tu vois, tu lui as manqué.

Je souris et m'arrête avant de traverser la porte. J'ai quelque chose à lui dire d'abord.

— Maman?

— Oui, ma chérie?

— Monsieur Fleisch m'a appelée d'une drôle de manière aujourd'hui. Et je n'ai pas tout à fait compris pourquoi.

Mine de rien, je fais comme si je n'avais pas vu un homme se faire fusiller, comme si mon professeur d'histoire m'avait appelée ainsi seulement pour m'agacer. Mais c'est bien plus que cela. Ce mot veut dire quelque chose. Je ne l'ai pas oublié et je n'en ai pas l'intention. D'abord, je veux savoir si cela veut aussi dire quelque chose pour ma mère. Elle fronce légèrement les sourcils, attendant que je poursuive.

— Il m'a, si je me souviens bien, traitée d'*Insoumise*. Qu'est-ce que ça veut dire?

Le visage de ma mère change. J'ignore si l'expression qu'elle affiche est synonyme d'incompréhension ou de peur mêlée à un malaise. Ou un étrange mélange des trois. *Elle sait quelque chose et elle ne veut pas me le dire.*

— Je... Je ne sais pas, Emma. Tâche de ne pas t'attirer trop d'ennuis, d'accord ? Il y a déjà Noah à surveiller.

— Oui. Tu as raison, dis-je pour la détendre. Allons manger.

Elle acquiesce et me serre brièvement contre elle.

Ce mot signifie aussi quelque chose pour ma mère. Quelque chose qu'elle ne veut pas me dire. Quelque chose que je ne saurai pas tout de suite et qui ne fera que ramener ce cauchemar sur un plateau que ma conscience s'empresse de me tendre.

Alors pour la faire taire et pour l'une des premières fois depuis quatre mois, je n'ai pas traversé de l'Autre Côté.

Dix-neuf

Je suis réveillée par des petits claquements contre ma fenêtre. Comme des gouttes de pluie, mais à l'aspect trop rigide pour en être. Plutôt comme des cailloux, de petits morceaux de gravier qu'on lance avec une précision impossible contre les carreaux d'une cible trop petite.

Je me tire lentement du sommeil et j'écarte le rideau pour scruter l'obscurité de la nuit que l'astre lunaire éclaire à peine. Immédiatement, je reconnais l'uniforme et la posture de Caleb qui se découpent sous le pâle faisceau de lumière. Je me précipite en silence jusqu'au miroir, dont je me sers pour lui envoyer un signal brillant. Il faut qu'il arrête de lancer des cailloux contre la vitre sans quoi il va réveiller Effie.

Trop tôt ou trop tard, je ne saurais le dire, elle se réveille tout de même.

— Emma ? Qu'est-ce qui se passe ? marmonne-t-elle d'une voix encore lourdement endormie.

Je m'avance vers ma sœur pour m'asseoir sur le bord de son lit et tirer la couette sous son menton.

— Ce ne sont que des gouttes de pluie. Ça m'a réveillée, je suis allée voir ce que c'était.

— De la pluie ? répète-t-elle en affichant un air incrédule, les yeux à demi-clos. Bon, peu importe...

— Bonne nuit, chouette, ricané-je avant d'embrasser son front.

Elle replonge déjà dans ses rêves.

Après m'être relevée de sa couche en douceur, je passe ma petite couverture de laine crochetée sur mes épaules et je descends en catimini jusqu'au rez-de-chaussée. J'ouvre la porte de devant et sors dans la nuit noire avec mes bottes dans les pieds, sans même avoir pris la peine de les lacer. Les nuits sont trop froides pour que je sorte pieds nus et j'ai trop peur de tomber malade.

Je chuchote d'une voix assez forte pour qu'il m'entende :

— Caleb !

Je le vois se tourner dans ma direction et ses dents luisent d'un sourire sous le clair de lune. Ses pas claquent contre le béton et il apparaît devant moi. Son expression d'abord inquiète se conclut par un soulagement sans pareil que la brise s'empresse de peindre sur ses joues.

— Oh Seigneur ! J'ai eu tellement peur ! dit-il en me serrant immédiatement dans ses bras. J'ai pensé que tu t'étais fait prendre. Je ne pouvais passer la nuit sans m'être assuré que tu allais bien. Je bougeais comme un animal en cage à mon poste.

Je me suis trouvé une excuse et je me suis rendu chez toi aussi vite que j'ai pu.

Je réponds à son étreinte et soupire contre son uniforme. Je hume le doux parfum de son manteau aussi subtilement que possible.

— Pardonne-moi, Caleb, m'excusé-je. Je ne suis pas rentrée travailler ce soir. Ma famille avait besoin de moi.

Il s'éloigne pour me regarder, les sourcils froncés. Les émotions dansent sur son visage. L'inquiétude en ressort gagnante.

— Est-ce que tout va bien ?

— Oui, oui. Seulement, on avait besoin de moi plus qu'au café.

— Et Lanz, que va-t-il en penser ? Tu l'as prévenu au moins ?

— Je n'en ai pas les moyens ! Et puis, tu m'imagines passer un appel pour l'Autre Côté ? Tu sais bien que toutes les communications sont sur écoute. Je ne pouvais prendre un tel risque.

— Oui, tu as raison, bien sûr. Excuse-moi.

— Ce n'est rien.

Il me sourit et effleure ma joue du revers de la main comme à son adorable habitude.

— Bon très bien... Je ne te retiens pas plus longtemps, alors.

— Merci d'être passé, Caleb.

— Tout le plaisir est pour moi, Em, réplique-t-il avant de m'embrasser.

Il resserre ma couverture autour de mes épaules dès qu'il me sent frissonner entre ses bras et me laisse faire demi-tour pour rentrer d'un pas feutré. Sa main est toujours dans la mienne quand un escadron se fait entendre au bout de la rue. Il réagit en un quart de tour et me dissimule derrière lui. Je me retrouve donc coincée entre le mur de briques et son dos.

Je pose mes mains contre ses omoplates et penche la tête sur le côté pour voir la patrouille. Le chef du groupe cogne rudement contre le battant de la porte à trois maisons à gauche de la mienne.

Une lumière s'allume aussitôt à l'intérieur et le père de la famille vient répondre. Je peux sans peine deviner le visage de l'homme pâlir d'un seul coup. Personne ne veut la visite de ces gens si tard la nuit. Voyant que le propriétaire de la demeure reste figé, le sergent le pousse contre la porte pour entrer.

— Caleb. Qu'est-ce qu'ils font ?

Il secoue faiblement la tête pour m'intimer de me taire.

— Je ne sais pas. Tu ferais bien de ne pas regarder.

— Quoi ?

— Ne regarde pas.

Je fronce les sourcils, sans m'exécuter toutefois. La curiosité est un vilain défaut, et j'en paie encore une fois le prix. Malgré les sages conseils de Caleb, j'ai tout de même regardé ce que je n'aurais dû voir sous aucun prétexte. À travers la fenêtre, comme des ombres apportant bien plus que de mauvaises nouvelles, les militaires s'alignent.

Ce que ces soldats traînent avec eux n'a rien d'un cadeau. Ce que j'apprends ce soir même, c'est que les sombres détonations que j'entends entre deux heures de sommeil ne sont pas le fruit de mon imagination. Elles sont bien réelles et d'autant plus terrifiantes une fois que je suis réveillée.

La famille s'est alignée à son tour contre son gré le long du mur extérieur, encore ensommeillée après s'être fait tirer du lit si brusquement. Le chef de patrouille passe devant tous les membres et je peux le voir scruter le visage de chacun. Mes yeux glissent sur son bras jusqu'à sa main, qui est toutefois hors de mon champ de vision. Qu'est-ce qu'il tient ?

Je n'ai pas la chance de me poser la question bien longtemps parce qu'une détonation claque, aussitôt suivie des cris de la femme. L'homme tombe à genoux en hurlant de douleur. D'ici, tous les sons me parviennent en sourdine et mon esprit est tellement embrouillé que je peine à assembler les morceaux, à assimiler ce qui vient de se passer, à même *croire* que ce soit possible. Dans les maisons du quartier, quelques lumières s'allument et des rideaux se tirent pendant que la famille s'empresse de faire rentrer le blessé à l'intérieur.

Un hurlement déchirant se coince dans ma gorge et je tombe contre le dos de Caleb après que je l'ai étouffé en mordant mes doigts. Caleb pivote vers moi et me rattrape d'une main ferme pour me tenir dans ses bras. Mon menton choit contre son épaule tandis que mes yeux ne quittent plus l'escadron qui sort, aussi insensible qu'après la mort du pauvre homme à laquelle j'ai aussi assisté.

— Caleb, qu'est-ce qu'ils ont fait à monsieur Lesskov ?

— Ce n'est rien.

— Qu'est-ce qu'ils lui ont fait ?

Mes genoux fléchissent sous mon poids et je m'effondre contre Caleb. Ma vue se brouille. Le temps se fige à moins d'une image à la seconde. Mes questions se bousculent sans qu'aucune parvienne à franchir mes lèvres. Je suis paralysée dans un état de stupéfaction mêlé d'horreur. J'ai des centaines de questions, mais aucune réponse. Je refuse de me dire qu'il est mort, mais trop de points d'interrogation brillent tout autour de ma tête pour que j'aie l'esprit tranquille. Ils me narguent l'un après l'autre sans que mes lèvres trouvent un terrain d'entente. Je préfère rester dans un mutisme qui me charcute la poitrine. C'est plus sûr, sans quoi ce sont des cris qui risquent de jaillir plutôt que des mots.

La patrouille s'éloigne rapidement et je peux encore voir à travers la fenêtre les ombres de la famille Lesskov s'activer pour venir en aide au père, qui doit sûrement se vider de son sang et ressentir une douleur difficilement imaginable. Et moi, j'observe, impuissante et terrifiée.

— Emma... assieds-toi, s'il te plaît.

Caleb me fait prendre place plus contre mon gré que par ma volonté. Son visage est à quelques centimètres du mien, mais je ne fais aucun mouvement dans sa direction pour réduire la distance qui nous sépare.

— Em, regarde-moi.

Je regarde partout, sauf dans ses yeux. J'ai trop peur des réponses que je pourrais y voir. Il relève néanmoins mon menton et finit par croiser mes prunelles qui se gorgent d'eau.

Je respire par petits coups, les épaules secouées par des sanglots que je n'arrive pas à laisser aller. J'ai vu la mort trop souvent dernièrement.

— Explique-moi, articulé-je.

Sa main se cale contre ma joue.

— Donne-moi un mensonge, une explication... ce que tu veux, mais dis-moi quelque chose. N'importe quoi.

Je semble le prendre au dépourvu, mais il ne se laisse pas atteindre. Ses iris d'argent glissent sur le sol à ma droite avant de revenir croiser les miens.

— Je te dirai la vérité alors. Monsieur Lesskov a été vu en dehors des heures permises. Il a enfreint le couvre-feu. La patrouille l'a donc rendu invalide pour les prochains mois à venir... voire la vie. Le tuer n'aurait servi à rien. Ce n'est qu'une leçon qui va autant pour lui que pour sa famille. D'autant plus que l'histoire ne prendra pas de temps à circuler, je peux te le garantir, peu de gens ne l'auront pas entendue. Les rapports de patrouille confirment que plusieurs personnes enfreignent de plus en plus la loi. L'État veut resserrer l'étau...

Le son de consternation que j'allais laisser échapper s'immobilise dans ma gorge et je ne réussis qu'à émettre un soupir saccadé. Je suffoque autant sinon plus que dans la Galerie. C'est la deuxième fois. La deuxième fois que je suis témoin de ce que mon gouvernement peut faire.

— C'est aussi pour cette raison que je voulais m'assurer que tu allais bien, renchérit-il dans un dernier souffle, ça aurait pu être toi ce soir.

— Tu savais ce qui allait se passer ?

— Non. Je n'en avais qu'entendu parler.

— Et tu n'as rien fait...

— Que voulais-tu que je fasse, Emma ?

L'eau accumulée dans mes yeux s'étend à présent sur mon visage en fines gouttelettes qui glissent sur mes joues et ma mâchoire.

— Que va-t-il lui arriver ensuite ?

Caleb hausse les épaules en essuyant l'une de mes larmes du bout du pouce.

— Je l'ignore. Je suis désolé que tu aies eu à assister à ça.

Je secoue la tête. Il cherche de nouveau mes yeux jusqu'à ce que j'aie enfin le courage de le regarder en face. Une dernière fois avant qu'il n'ait à partir.

— Va dormir. Tu en as terriblement besoin. Tes nuits sont courtes depuis trop longtemps.

J'acquiesce en silence. Il me tend les mains et m'aide à me relever. Ma sentinelle me serre dans ses bras tout en remontant ma couverture de laine sur mes épaules. Je peux le sentir inspirer mon parfum avant qu'il ne se détache enfin. Enfin parce que je risque de m'effondrer de nouveau s'il ne s'éloigne pas – bien que ce soit la dernière chose que je veuille à cet instant. Mes pensées sont en constante contradiction.

— Sois prudent, murmuré-je en ajustant le collet de son uniforme.

— Toi aussi.

Je pose mes mains sur ses épaules et ferme les yeux pour savourer sa présence. Il prend mon visage entre ses mains et m'embrasse tendrement au milieu du front.

— Bonne nuit, Cal.

— Bonne nuit, Em.

Je me détourne et referme la porte sans un regard par-dessus mon épaule. J'en ai assez vu pour aujourd'hui, et même pour tous les jours à venir. Je retire mes bottes et monte l'escalier sans avoir à regarder où je mets les pieds.

Aucune lampe ne s'allumera plus du reste de la nuit dans le voisinage, bien que je sois persuadée de ne pas être la seule à avoir été éveillée. Les autres tâcheront de l'oublier. Pour ma part, j'en resterai à jamais marquée. Je me glisse sous les couvertures dans le silence le plus complet.

— Emma ? C'était quoi le bruit, marmonne ma sœur.

— Ce n'était probablement que le tonnerre, Effie. Rendors-toi, c'est terminé.

Elle se tourne, puis se rendort. La seule vue qui me réconforte à cet instant est celle de ma petite sœur qui respire régulièrement dans son lit. Et c'est en la regardant que je m'endors finalement, la tête lourde, mais l'esprit tellement vide.

Vingt

En ouvrant les yeux, je me suis vite rendu compte qu'il était beaucoup plus tard que je ne l'aurais cru de prime abord. C'est le soleil qui plombe dans ma chambre qui me transmet cette information avec sa lumière forte dont j'aurais préféré me passer ce matin, même s'il n'a pas traversé ma fenêtre depuis longtemps.

Je me redresse en m'étirant, les yeux encore bouffis de sommeil. Je passe une main fatiguée sur mon visage et dans mes cheveux en bataille. Mes yeux scrutent la pièce où ma sœur n'est plus, jusqu'à ce qu'ils se posent sur le plaid de laine au pied de mon lit et que les évènements remontent à ma mémoire à la manière d'un train à grande vitesse. Je ferme les yeux sous l'impact, mais cela ne réussit qu'à donner une chance supplémentaire à ma mémoire de se rafraîchir sous mes paupières closes. Les images se suivent, s'assemblent, s'emboîtent et rejouent le même film que les jours d'avant.

J'ouvre les paupières d'un seul coup, mettant fin aux images qui se fracassaient derrière elles. Je me lève et m'empresse d'occuper ma tête à autre chose. D'abord, en remettant un peu d'ordre dans mes cheveux. Puis, en m'habillant avec mes vêtements de tous les jours. Parce qu'aujourd'hui, il n'y a pas d'école.

On est samedi... je travaille ce soir. Et je redoute plus que jamais ce que Lanz me dira parce que je ne suis pas rentrée la veille.

Je suis tellement absorbée par toutes sortes d'idées que je ne réalise pas qu'Adam est entré dans ma chambre jusqu'à ce qu'il me crie bonjour. Je sursaute instantanément. Je lâche ma brosse d'un coup et me tourne vers lui.

Il lève les mains en l'air presque comme si j'allais lui sauter dessus et fronce les sourcils.

— Ça va, Emma ? me demande-t-il d'un ton de voix plus approprié pour apprivoiser un animal que pour m'aborder.

— Très bien !

Je réponds tellement vite que je perds toute crédibilité. De plus, le rouge me monte aux joues et le trémolo dans ma voix vient anéantir ce pieux mensonge.

— Non, ça ne va pas, finis-je par articuler.

Les épaules d'Adam s'affaissent ; il me fait signe de m'asseoir sur le lit et je lui raconte ce qui s'est produit la veille. Au départ, je pensais lui mentir, mais je me ravise plutôt en lui disant la vérité à quelques détails près. Après tout, je ne suis pas obligée de lui dire que Caleb s'inquiétait beaucoup plus qu'Adam ne pourrait le penser et pour des raisons bien différentes de celles qu'il croit.

Mon frère semble néanmoins inquiet et désolé pour monsieur Lesskov. Mais son inquiétude se transfère rapidement à moi quand il pense que j'aurais pu me faire prendre ce soir-là.

— Je ne suis plus sûr de vouloir que tu traverses.

— Adam, on n'a pas le choix. Je dois le faire.

— C'est trop dangereux, Em. Ça aurait pu être toi, hier. Et ce pourrait être toi ce soir. Je ne veux pas que ça t'arrive, je ne me le pardonnerais jamais.

— Ça n'arrivera pas. C'est promis.

— Ne promets pas une chose dont tu n'es pas certaine, Emma.

Mes yeux glissent vers le sol et mon frère passe un bras autour de mes épaules pour me serrer contre lui. Il a raison. Je ne sais pas ce que je suis en train de promettre ni sur quoi je le promets, mais je le fais parce qu'il le faut autant pour lui que pour moi. Il me semble que plus je vieillis, plus je réalise que je ne ferai jamais rien que je veuille vraiment, mais plutôt parce qu'il s'agit d'une nécessité. Ici, rien n'assure notre bonheur ou n'en est synonyme. Tout est vital.

— Tu sais, on se débrouille bien maintenant. Je veux dire, on a vécu des jours bien pires. Tu peux prendre une pause de tout ça. Rester à la maison avec nous tous. Je continuerai de travailler comme papa, et toi, tu resteras ici.

Je secoue la tête en soupirant. Mon père se tue déjà à travailler autant, je refuse que mon frère en fasse de même.

— Non. J'ai travaillé trop dur pour avoir cet emploi et pour le garder. Je ne le jetterai pas en sachant que le mois suivant risque d'être pire que le précédent.

J'avoue que ça n'a pas été évident. J'ai arpenté la Haute République pendant des heures plusieurs soirs d'affilée en quête d'un emploi qui ne serait pas trop loin de la frontière et que je pourrais accomplir les soirs de semaine. Quand je suis entrée dans le bar, c'est Aleksander qui m'a abordée le premier; l'endroit était vide à quelques heures de la fermeture. J'ai demandé à parler au patron. Aleksander m'a tout de suite demandé si je me cherchais un emploi et je lui ai dit que oui. J'ai dû faire des pieds et des mains pour lui faire croire que je n'avais pas réellement besoin de cet emploi, mais que je le voyais plutôt comme un simple passe-temps, ce qui était loin d'être le cas. J'avais aisément deviné que les gens d'ici n'avaient pas réellement besoin de travailler ou, du moins, ça ne leur était pas vital.

Lanz avait débarqué à ce moment, alors que je discutais tout bonnement avec son barman. Il m'avait laissée le suivre jusqu'à son bureau, et ce, uniquement grâce aux belles paroles d'Aleksander à mon égard alors qu'il ne me connaissait même pas. Le patron avait songé à me faire sortir dès que ses yeux, pleins d'un mépris constant, s'étaient posés sur moi. Aleksander avait insisté en me bourrant de qualités que je n'étais même pas sûre de posséder. Je n'avais pas l'habitude de ce genre de solidarité, le genre d'entraide qui nous soutient quand on a besoin d'un coup de pouce, et sur le coup, j'ai eu peur que ce soit pour me ridiculiser ou pire, pour me dénoncer, mais au sourire plein de confiance qu'Aleksander m'a adressé quand j'ai tourné la tête vers lui, j'ai su que ses intentions étaient bonnes et qu'il voulait vraiment *m'aider*. En revanche, Lanz avait déjà remarqué que quelque chose clochait avec moi. Une fois dans son bureau, il m'a donc demandé un curriculum vitae. Je n'avais jamais entendu ce mot avant ce jour-là et simplement au regard que je lui ai lancé, il a compris le subterfuge et il m'a mise à la porte aussitôt.

Je n'ai pas abandonné et j'ai tellement tapé dans la porte qu'il n'a eu d'autre choix que de venir m'ouvrir. Il a menacé de me dénoncer à la police, il m'a dit qu'il n'aurait aucun regret à ce qu'on me pende, que ça lui était égal puisque je ne représentais rien du tout. Je l'ai supplié, je lui ai juré de me faire discrète. J'étais même prête à n'être payée que la moitié des heures que j'accomplirais et à rentrer tous les soirs s'il le voulait. Ça a fini par le convaincre. Il m'a traitée d'idiote et d'un million d'autres choses dégradantes. Je croyais que ça en était définitivement terminé quand il m'a finalement demandé de rentrer le soir d'après en ajoutant que j'avais intérêt à ne pas être en retard. Ce que j'ai fait durant les quatre mois qui ont suivi, à l'exception de la nuit dernière. Je redoute déjà ce qu'il va me dire quand j'arriverai ce soir...

— Je ne te cacherai pas que depuis que j'ai vu ce qui est arrivé à monsieur Lesskov, j'ai terriblement peur, Adam, encore plus qu'avant. Je te jure, ça me terrifie, mais je suis prête à continuer d'avancer avec cette peur pour que l'on puisse tous continuer à le faire.

— À faire quoi ?

— À vivre, Adam.

Mon frère secoue la tête, puis me serre si fort dans ses bras que je manque d'oxygène pour quelques secondes.

— Merci, Emma.

— Merci pour quoi ? dis-je en m'éloignant pour le regarder, un sourire bien malgré moi retroussant mes lèvres.

— Pour tout, mais surtout pour être qui tu es.

Je fronce les sourcils et hausse les épaules.

— C'est ce que je réussis le mieux, je crois.

Il pouffe de rire et se relève.

— Tu viens ?

Je hoche la tête et lui tends la main, qu'il saisit pour me remettre sur pied.

— Emma !

Je me tourne vers la porte et souris à Noah.

— Le train de 11 h va passer et je dois venir chercher Emma pour voir le train.

Adam rit tout bas et je marche vers mon frère cadet d'un pas sautillant.

— Et j'adorerais venir le voir avec toi, Noah! Viens, mon chéri.

Je lui tends le bras et il accroche sa main à ma manche. Je descends les marches, Adam sur nos talons, et salue tout le monde d'un geste de la main. J'ouvre la porte arrière et laisse passer Noah, qui continue de marmonner que le train arrive. Je le laisse s'éloigner un peu, mais le suis d'assez près pour être en mesure de le rattraper si jamais il s'approche trop près des wagons.

Or, le vrombissement du sol ne vient pas. Le bruit de la locomotive ne gronde pas. En réalité, c'est le calme plat.

Il n'y a aucun train à l'horizon alors qu'il devrait y en avoir un. Je regarde Noah qui fronce les sourcils. Ses mains s'agitent de plus en plus à la hauteur de la poitrine et font tournoyer la locomotive miniature drôlement vite entre ses doigts.

— Le train est en retard.

— Non... C'est nous qui devons être en avance, lui dis-je pour le rassurer.

— Où est le train? Le train n'est pas là.

Il n'y a pas de train, pas de wagons, pas de locomotive, rien que des rails vides qui angoissent mon petit frère. C'est une perturbation intense dans sa routine qu'il n'est pas prêt à supporter. J'aurai beau lui dire que ça ne fait rien, que ce n'est pas grave que le train ne soit pas là, mais, pour lui, c'est clairement la catastrophe.

Il avance jusqu'aux rails et se penche vers eux. Il va se fracasser le crâne dessus si je ne l'en empêche pas. Je cours jusqu'à mon frère et me poste devant lui. Je rapproche mes mains de ses épaules pour tenter de l'éloigner de là.

— Noah, non !

Il bat l'air des bras, me frappant les épaules et même le visage au passage jusqu'à ce que je m'éloigne simplement dans l'espoir que sa colère diminue. Il se frappe la tête à deux mains en criant. Il s'effondre au sol et se frappe le front contre les rails une seule fois, heureusement, avant que je ne réussisse à l'éloigner en le repoussant. Il s'assoit et continue malgré tout de frapper dans les airs. J'en fais abstraction pour me mettre à chanter.

Ma voix s'élève avec candeur, sa respiration s'apaise, ses cris cessent.

Ses coups s'estompent peu à peu jusqu'à ce qu'il se balance d'avant en arrière en marmonnant. Je pose mes mains sur ses épaules et continue de chanter. Du sang s'écoule en quantité sur le côté de son visage, mais il ne semble pas le réaliser. Je ne peux m'empêcher de grimacer en pensant au mal qu'il doit ressentir, mais le principal, pour le moment, c'est de le calmer avant qu'il ne fasse une autre bêtise. Nous sommes assis face à face et je l'entends marmonner les paroles que je chante pour lui.

J'entrevois sur ma droite une patrouille qui avance et qui nous regarde avec beaucoup d'attention. Le chef de brigade se détache du groupe et approche. Je n'ose pas arrêter de chanter ni même tourner la tête dans leur direction. Je préfère leur faire croire que je ne les ai pas vus.

J'ignore comment Noah réagira si j'arrête et je crains qu'il reprenne sa crise, d'autant plus qu'un inconnu approche, ce qui est une source supplémentaire de stress pour lui. C'est un sergent que je ne connais pas, mais je peux voir dans son escadron le cousin d'Ariane, avec qui Caleb est ami.

Personne ne sait et ne doit savoir que mon frère Noah est autiste. Je vais donc devoir mentir pour le protéger.

— Tout va bien, Mademoiselle ?

Je ne réponds pas et continue de chanter. Je n'ai pas terminé ma berceuse. Je dois la finir si je veux éviter une autre crise.

— Mademoiselle, veuillez me répondre ! m'ordonne le sergent d'un ton autoritaire.

Plus que le refrain et un dernier couplet.

Mon frère cesse de se balancer, mais il est toujours aussi nerveux. La présence du sergent ne le rassure pas du tout.

— Mademoiselle, je vous ordonne de me répondre !

Ma chanson terminée, je me tourne vers lui. Je me lève, Noah m'imite et je serre son poignet par-dessus sa manche. Je me positionne légèrement devant lui pour le soustraire aux regards.

— Veuillez m'excuser, Sergent. Mon frère s'est éloigné de la maison et il est tombé sur les rails. Il avait terriblement mal et chanter m'aide à l'apaiser.

— Et vous ne pouviez mettre fin à votre chanson avant ?

Je déglutis et secoue la tête.

— Je suis désolée. J'étais trop absorbée par les paroles.

Il fronce les sourcils et nous toise avec curiosité. Je soutiens son regard en priant pour ne pas rougir. J'ai tendance à m'empourprer quand je mens. Mon frère regarde partout sauf vers le sergent et la patrouille.

— Surveillez-le davantage la prochaine fois, Mademoiselle. Le train aurait pu passer et votre frère, se faire écraser. Et puis, vous devriez rentrer pour soigner sa blessure. Ça m'a l'air grave pour un garçon qui est tombé sur les rails.

J'acquiesce. Je mords l'intérieur de ma joue pour empêcher ma mâchoire de trembler et enfonce mon autre main dans la poche de mon pantalon.

— Le train n'est pas passé aujourd'hui. Il devait, mais il ne l'a pas fait. Le prochain est à 13 h. Il ne faut pas qu'il soit en retard. Celui-ci l'était. Il n'est pas passé, mais il aurait dû. Pourquoi il n'est pas passé ? Je ne sais pas, mais il aurait dû, se met à marmonner Noah.

Je ferme les yeux un court instant. La culpabilité me ronge et la peur que m'inspire le soldat m'oppresse la poitrine.

Le sergent plisse les paupières et fixe mon frère qui continue son monologue.

— Le coup à la tête doit lui avoir embrouillé l'esprit, m'empressé-je de dire au soldat avant qu'il ne se mette à questionner Noah.

— Sûrement, souffle-t-il en redressant le menton.

Il se tourne lentement vers ses vigiles et s'éloigne à leur tête. Je soupire en relâchant la tension dans mes épaules. C'est la première fois que je mens directement à un soldat et j'en tremble de partout. Je serre le bras de Noah avec ma main.

— Il va neiger.

— Quoi ? dis-je en me tournant vers lui.

— Il va neiger et le train n'est pas passé.

Je l'entraîne jusqu'à la maison et à l'instant où je pose le pied à l'intérieur de notre demeure, de petits flocons se mettent à tomber du ciel.

Vingt et un

Quand j'arrive à la frontière, j'ai peu de temps pour traverser. J'ai pris du retard pour aller regarder passer le train de 16 h avec Noah et lui faire comprendre qu'il devait aller chercher quelqu'un d'autre quand je n'étais pas là, ce qui n'a pas été chose aisée. J'avais été tellement stricte sur le fait qu'il ne pouvait voir le train qu'avec moi, que cette information était maintenant gravée à jamais dans son esprit. J'oublie à l'occasion que mon petit frère a une mémoire incroyable et que tout ce que je peux lui dire est soigneusement rangé dans sa tête.

J'ai également essayé de lui faire comprendre que si le train ne passait pas à la bonne heure, il ne devait pas s'en faire. Pour ce détail, je savais que j'allais avoir besoin de bien plus qu'une journée. Pour Noah, manquer le train était une déformation complète de sa routine. C'était comme de retirer quelque chose de vital à quelqu'un.

Ma mère a tâché de prendre la situation en main quand elle a vu Noah entrer, un côté entier du visage en sang, mais je voyais bien que cela lui faisait peur. Nous devons protéger Noah sur tous les fronts, et même contre lui-même. Et cet ennemi en particulier est beaucoup plus redoutable que n'importe quel autre. En effet, comment protège-t-on quelqu'un de lui-même alors qu'il n'a même pas conscience du danger qu'il représente ? Non pas envers nous, mais envers qui il est. J'ai donc occupé notre samedi à nous changer les idées à tous, d'abord en jouant du piano, en faisant mes devoirs avec Effie et en me rendant au marché pour récupérer nos rations respectives avec mon père. Après quoi, ma journée étant déjà considérablement avancée puisque je m'étais levée si tard, j'ai dû m'éclipser vers la frontière.

J'ai à peine adressé un bonsoir à Caleb et je me suis précipitée vers l'Autre Côté. Je n'avais pas de temps à perdre considérant que Lanz allait être furieux contre moi.

La fine couche de neige qui est tombée a vite fait de fondre en touchant le sol. La neige... Souvenir éphémère d'un temps où je m'amusais encore à faire la guerre à mon frère avec cette poudre blanche en guise de projectile. Aujourd'hui, la neige ne donne qu'une opportunité supplémentaire aux sentinelles de me repérer à cause des traces laissées par mes pas.

J'arrive au café les cheveux légèrement en bataille, les joues rougies par le froid et le souffle court.

— Bien le bonsoir, Emma ! s'exclame mon collègue en descendant les tabourets de son comptoir.

— Bonsoir, Aleksander, dis-je entre deux inspirations.

— Tu n'étais pas là, hier...

— Je sais. J'ai eu un empêchement.

Aleks fait un signe de tête.

— Lanz est fâché contre moi, pas vrai ?

Il hoche de nouveau la tête et pose les tabourets au sol.

— Oui, et je dirais que le mot est faible, ma très chère... Quant à Frieda, elle m'a demandé de t'informer que tu as une dette envers elle pour ton remplacement !

Je grimace et enlève mon écharpe en soupirant.

— Par contre, tu as de la chance, enchaîne Aleksander

J'arque le sourcil. Depuis quand j'ai de la chance ici ?

— Premièrement, Henry a plaidé ta cause en lui disant que tu avais dû avoir un énorme empêchement, ce qui a fonctionné. Lanz est absent pour une partie de la soirée, tu éviteras donc l'ouragan de terreur. Sauf que..., dit-il en me coupant dans mon élan de soudaine euphorie.

Je retiens mon souffle.

— Il m'a demandé de te dire de fermer ce soir. Tu finiras donc plus tard pour racheter ton absence, ajoute-t-il d'un ton bien trop dramatique pour la situation. Ne sois pas surprise s'il passe pour s'assurer que tu fermes bel et bien, d'ailleurs. Ça serait tout à fait son genre. Il le fait même lorsque c'est moi qui ferme...

Je hausse les épaules et saute sur un tabouret.

— Ça ne me fait rien. Je préfère ça au congédiement.

Il claque des doigts en guise d'approbation.

— Tu n'as pas tort. Maintenant, va te changer. Tu sais que le samedi est toujours un soir très occupé, soyons prêts !

— J'y vais de ce pas ! Beth et Frieda vont nous rejoindre ce soir ?

Il acquiesce et je disparais derrière la porte pour me changer. Quand je reviens, je m'empresse de nettoyer la scène et nettoie le piano jusqu'à ce qu'il brille.

— Je trouve que tu as une fixation un peu trop grande sur cet instrument, ma chère Emma.

Je sursaute légèrement et lui souris.

— Il est magnifique, tu dois bien l'admettre.

— C'est un piano, lâche-t-il d'un ton légèrement bourru.

Je lève les yeux au ciel et m'empresse de descendre les dernières chaises de bois sombre. Les deux filles entrent sans tarder et nous saluent toutes deux. Frieda passe près de moi et secoue l'index dans les airs.

— J'ai dû te remplacer hier, Emma !

— Je sais, Frieda ! Je te revaudrai ça !

Elle secoue la tête, faisant virevolter ses cheveux parfaits autour de son visage.

— Bien sûr que non ! Je ne ferai que te le rappeler sans arrêt, c'est tout.

Je fronce les sourcils et jette un coup d'œil à Aleks une fois qu'elles sont parties.

— C'est bon signe ou pas ?

— C'est pire qu'une dette.

Je fais la moue et pianote sur le bar. À peine sont-elles revenues que les gens affluent déjà aux portes pour entrer.

— Prêts ? demande Lisabeth en lissant son chemisier d'une main.

— À toi l'honneur, lui dis-je en désignant la porte d'un geste.

Elle me sourit et se dirige vers la porte pour retourner l'affiche du côté « Ouvert ». Puis, elle ouvre la porte et les clients entrent en ouragan dans le café. La soirée promet d'être remplie.

Vingt-deux

Quand la soirée se termine, je suis on ne peut plus soulagée, d'autant plus que Lanz ne s'est pas encore pointé. C'est l'une des soirées les plus occupées que nous ayons eues depuis longtemps et je suis épuisée. Or, mon travail est loin d'être terminé. Frieda et Beth s'en vont peu de temps après avoir fini de nettoyer les tables et de monter les chaises.

Elles m'adressent l'un de leurs sourires étincelants et parfaits, puis s'en vont après nous avoir brièvement salués. Je tourne l'affiche du côté « Fermé » après leur départ et me tourne vers les garçons en poussant un soupir. Il ne reste plus qu'Aleks, Henry et moi. Henry nous souhaite une bonne soirée et se retire à son tour. Aleks, par contre, s'attarde un peu plus longtemps pour m'aider à nettoyer. Pour ma part, j'ai encore tout le reste à faire. C'est-à-dire nettoyer le plancher, compter l'argent de la caisse et nettoyer les verres restants. Heureusement, il semble qu'Aleksander ait déjà fait l'inventaire des boissons.

— Tu vas t'en tirer ?

Je hoche la tête en passant une main sur mon visage pour dissimuler ma fatigue.

— Oui. Aucun problème. Vas-y.

— Couvre-feu à une heure du matin ce soir, on est samedi ! N'oublie pas.

— Je n'oublierai pas ! dis-je. Tu peux y aller, renchéris-je en le chassant d'un geste de la main.

— OK. Bonne nuit !

— Bonne nuit, Aleksander.

Je laisse aller un rire léger et le suis du regard jusqu'à ce qu'il quitte le bar. Mon attention glisse ensuite vers les fenêtres. Il s'est remis à neiger.

Le café me semble étrangement calme tout à coup. Je nettoie le bar ainsi que tous les verres qui se trouvent dans l'évier. J'essuie mes mains sur un chiffon que je pose sur le comptoir. Mes yeux sont rivés sur le piano. Je mordille ma lèvre inférieure en soupirant, pianote un moment sur le comptoir. Mon regard tombe sur la scène. Plus particulièrement sur le piano. Je suis toute seule... Je peux bien en jouer et puis, personne ne risque d'entrer, le bar est fermé. J'ai toujours rêvé d'en jouer. Le mien est vieux et plusieurs lattes sont manquantes sur les touches. Celui-là, il est parfait en tout point et l'acoustique impeccable de l'endroit ajoute à l'envie d'en jouer.

Je jette tout de même un coup d'œil aux environs et monte pas à pas les quelques marches menant à la scène.

Je m'assois sur le banc et soulève le couvercle laqué. J'approche doucement mes doigts et les arrête à quelques centimètres de l'instrument. J'ai presque peur de frapper les touches d'un simple souffle.

Je pince les lèvres et jette un dernier coup d'œil derrière moi; je crains tellement de me faire surprendre. *Tout va bien, je ne risque pas de me faire prendre, je suis seule.* Je répète cette phrase dans ma tête un milliard de fois pour me convaincre que ce que je fais n'est pas dangereux. Je soupire et, d'un seul coup, je m'élance. À partir de ce moment, il n'y a plus que la mélodie et les paroles qui envahissent mes pensées. Je me laisse bercer par la musique, par cette mélodie que je connais si bien. Pour mon frère, pour Noah.

Mes doigts volent sur les touches de ce piano au son si incroyable qu'il en paraît irréel.

Ici, ma voix résonne avec puissance malgré la douceur de mes paroles. C'est une vieille chanson, mais terriblement significative pour moi; je ne pouvais chanter que celle-là. Je ferme les yeux et me laisse emporter par la musique, par ce que je ressens tout au fond de moi qui monte pour m'envahir toute entière d'un sentiment sans pareil. Celui du bonheur de faire enfin quelque chose que j'aime, sans peur, sans retenue, sans barrières.

Mes doigts courent sur les touches, ma voix gravit de nouveaux échelons, atteint de nouvelles émotions que je peux presque goûter sur mes lèvres étirées en un sourire.

Jusqu'à ce qu'un pas, rien qu'un, réussisse à me faire sortir de ma torpeur musicale. Je lâche les touches si brusquement que les notes plus graves résonnent avec fracas au beau milieu de ma gamme. Je me tourne vers la personne qui vient d'entrer, le visage figé d'effroi. Je n'avais pas barré la porte. Ma respiration s'accélère alors que je m'éloigne rapidement du piano, trébuchant presque sur le banc dans mon énervement à quitter cet endroit le plus rapidement possible.

— Non ! Attendez ! Ne partez pas !

Je m'arrête, figée maintenant qu'il m'a parlé et que sa voix a fait vibrer la moindre particule d'air présente. Il doit avoir 20 ans au maximum. Un soldat. Non, plus qu'un soldat. C'est un haut gradé. Un major, peut-être même un général. Le nombre de médailles qu'il porte, les insignes ainsi que les rayures dorées au bas de ses manches me l'indiquent. *Si jeune, vraiment ? Comment est-ce possible ?*

Ses cheveux châtain foncé ne sont pas rasés comme ceux de la plupart des militaires, mais simplement courts. Le plus spectaculaire, ce sont ses yeux d'un vert si clair qu'ils semblent chatoyer d'ambre sous la lumière tamisée. Ses iris sont striés de fines lignes dorées qui réussiraient à rendre jaloux tous les bijoutiers du monde. Il y a tellement de richesse dans son seul regard qu'il ne peut être que d'ici. En plus de sa stature imposante et de son assurance indéniable. L'entraînement militaire accru a musclé son port d'épaule. Il est grand. Ses traits sont droits, magnifiques. Sa bouche, bien dessinée... Il est à tomber par terre.

Je me déplace lentement vers la salle des employés. Je manque m'affaler en bas de la scène en me déplaçant ainsi, les yeux rivés sur lui, mais je suis incapable de détacher mon regard du sien. Il est d'une beauté incroyable et l'uniforme militaire impeccable et décidément taillé sur mesure ne réussit qu'à accentuer son élégance. C'est la première fois que quelqu'un me fait cet effet.

— Quel est votre nom ? me demande-t-il d'une voix aux accents étrangers et aux notes graves qui rappelle la chaude caresse d'un soleil d'été.

Mes lèvres s'entrouvrent sans qu'aucun son n'en émerge. Je suis pétrifiée.

— Nayden !

Le garçon se retourne lentement vers la voix qui l'appelle, il semble presque déçu d'avoir à détourner le regard. S'ensuit alors un dialogue aux accents suaves de l'Est, dans une langue qui m'est totalement inconnue. Des ordres. Je le devine au ton que l'homme emploie pour s'adresser à lui. Il ferait mieux de ne pas traîner. Le dénommé Nayden a l'air à la fois furieux et exaspéré. Au moment où il répond à cette voix sans corps dans la même langue que lui, j'en profite pour courir jusqu'à la salle des employés.

Je m'arrête d'un seul coup en voyant Lanz, le regard furibond. Il m'attrape par les épaules et me plaque contre le mur. Le cri que je tente de lâcher se coince dans ma poitrine quand mon dos frappe violemment le mur derrière moi.

— Qu'est-ce que tu faisais assise là, minable ? Hein ? Je t'ai donné une chance de te racheter pour nous avoir faussé compagnie hier et qu'est-ce que tu en fais ? me crache-t-il au visage.

La respiration haletante, je tente de me défaire de sa poigne de fer, mais le coup vient plus rapidement que prévu. Sa main s'abat sur mon visage et je me retrouve projetée au sol. Cette fois, ma plainte se fait entendre haut et fort. Mon avant-bras me retient tout juste d'une chute encore plus douloureuse. Mon épaule m'élance et je ferme les yeux, une main à l'endroit où mon patron m'a frappée. Il m'a *frappée.*

Mes yeux picotent de larmes qui glissent sur ma pommette endolorie. Je bouillonne de rage et tremble de peur dans un mélange d'énervement et de frayeur.

Quelqu'un entre dans la salle et pousse mon patron sur ce même mur contre lequel j'étais. De l'eau coule sur mon visage malgré mes paupières closes et je n'ai qu'une envie : me recroqueviller sur moi-même pour échapper à ce qui se passe autour. Disparaître, voilà ce que je voudrais.

J'entends mon patron pousser un grognement douloureux et j'ouvre finalement les yeux pour voir ce qui se passe. Il ne touche littéralement plus le sol.

Pour la première fois, je vois de la terreur dans son regard. Pour la première fois, je le vois trembler entre les mains de ce dénommé Nayden. Pour la première fois, il me semble vulnérable et je me délecte presque de son état de terreur sans nom. Il lève les mains à la hauteur de son visage comme pour se soustraire à ce qui gronde juste devant lui.

— Lieutenant-général, veuillez m'excuser, je ne pensais pas que vous étiez là, je...

— Taisez-vous ! gronde le garçon d'un ton tellement rude que j'en frissonne.

Il en profite pour l'enfoncer davantage dans le mur et Lanz se fige dans une expression de panique.

— Que je sois là ou non n'a aucune importance. Je vous interdis de lever la main sur qui que ce soit. De quel droit vous autorisez-vous à la frapper ?

— Je n'ai aucun droit, Monsieur, balbutie Lanz. Je vous en prie, ne me faites pas de mal. Ne me faites pas de mal.

Est-ce une supplique ? Bien vite, mon employeur, qui m'inspirait jusqu'à présent un sentiment de crainte, ne suscite plus chez moi que du dégoût et un certain mépris de le voir soudainement si faible et hypocrite.

— Tu me supplies, Ludwig Steiner ? Tu es descendu si bas ? Tu ne vaux pas vraiment plus de toute façon, lâche-t-il d'un ton glacial, plus froid que tous les hivers que j'ai pu vivre jusqu'à maintenant.

— Vous avez raison. Je ne vaux rien. Rien du tout. Je suis minable, Monsieur.

— Vous ne la toucherez plus jamais. Vous m'entendez ?

— Je vous le jure, Monsieur.

— Va-t'en maintenant.

Celui qui me terrorisait tellement et dont je sais à présent le nom complet – pas que le simple surnom qu'il se donne – est tellement tétanisé que les seuls mots qu'il arrive à prononcer sont les suivants : « Bien, Monsieur. » « Oui, Monsieur. » « Bonne soirée, Monsieur. »

Il déguerpit sans même me regarder. J'en profite pour me relever. Je suis chancelante, le coup de Lanz m'a assommée, je ne peux le nier. C'est tout juste si je ne m'effondre pas. Mon sauveur tente un geste dans ma direction, mais je recule en secouant la tête. Je récupère d'une main distraite mon manteau ainsi que mes bottes dans l'armoire et détale sans demander mon reste. J'ouvre la porte arrière à la volée, tout en jetant un dernier regard par-dessus mon épaule ; je croise le regard de Nayden. Cela semblait inévitable. Comme deux aimants faits pour s'attirer l'un l'autre.

Le temps se fige quelques secondes pendant lesquelles je me sens fondre sur place malgré le courant d'air froid qui entre dans le café et les minuscules cristaux de glace qui s'accrochent déjà à mes vêtements. Mes lèvres soufflent un maigre merci à son intention. La porte se ferme entre lui et moi ; je m'enfuis au pas de course sans me soucier une seule seconde qu'il soit resté à l'intérieur. Ça m'est complètement égal, et la perspective qu'il puisse y rester jusqu'au lendemain fait palpiter mon cœur. *Ne sois pas ridicule et concentre-toi*, que je clame dans ma tête.

J'ai les poumons brûlés par un excès d'air froid, le cœur qui bat la chamade et des larmes qui se glacent avant même d'avoir franchi la barrière de mes paupières. Mes expirations créent de gros nuages de condensation, et je me faufile entre les immeubles jusqu'à un terrain neutre où je peux enfin reprendre mon souffle. J'enfile mon manteau pour couvrir mes membres à la fois glacés par l'air ambiant, mais réchauffés par ma course effrénée. Je baisse alors les yeux vers mes souliers ou plutôt, mes talons hauts. Je porte encore mon uniforme. Je ferme les paupières en basculant la tête vers l'arrière. Je me maudis intérieurement d'avoir été si négligente et m'empresse de mettre mes bottes, sans chaussettes par contre.

Il s'est remis à neiger. J'espère que cette fine pellicule sera suffisante pour couvrir mes traces. C'est primordial, sans quoi je peux me faire dépister assez rapidement. Je ne dois pas perdre mon temps, le couvre-feu sonnera bientôt et les patrouilles seront bien plus présentes qu'elles ne le sont déjà. Sans oublier que, de mon côté, le couvre-feu a déjà sonné.

J'arrive à la frontière une dizaine de minutes plus tard. Caleb n'est pas là. Ça ne fait rien, je n'ai pas envie de lui expliquer quoi que ce soit, pas plus que je souhaite me justifier pour la marque rouge sur ma joue, sans oublier mes vêtements de travail que je porte toujours et qui sont tout juste cachés par mon manteau.

J'évite du mieux possible tous les projecteurs qui sont d'autant plus efficaces maintenant que le sol ressemble à un miroir de laque blanche. Heureusement, la neige ne s'est pas mutée en blizzard et j'arrive toujours à voir la route devant. Je ne suis pas pour autant à l'abri des détecteurs de mouvements, que j'évite autant que possible jusqu'à ce que je sois bel et bien rentrée à la maison.

Je jette un coup d'œil à l'horloge et soupire. Il est près de 1 h 30 du matin. Je n'ose même pas imaginer la sentence dont j'aurais écopé si je m'étais fait prendre en dehors des heures permises.

Je me secoue sur le tapis pour faire tomber la neige de mes épaules et accroche mon manteau à l'entrée, mes bottes dans la penderie sur le tapis. Je monte sans bruit jusqu'à l'étage. Ma mère sort de sa chambre. Ses lèvres s'étirent en un sourire endormi. Je la salue d'un petit geste de la main et l'enlace.

— Je voulais m'assurer que tu allais bien, ma chérie, souffle-t-elle à mon oreille.

— Oui, ça va, tu peux retourner dormir.

— D'accord. Au fait, qu'est-ce que tu portes ?

— Ce n'est pas important. Retourne dormir.

Elle fronce les sourcils et me détaille des pieds à la tête malgré la pénombre.

— Emma, c'est ton uniforme, ça ?

— Je n'ai pas eu le temps de me changer, mens-je. Je vais le rapporter demain soir.

— Ce n'est pas très prudent...

— Je sais, mais il est trop tard pour faire marche arrière.

— Tu as raison.

— Va dormir, maman, il est tard.

— Oui... Bonne nuit, Emma.

— Bonne nuit, maman.

Je lui fais signe de la main et me faufile dans ma chambre.

Heureusement pour moi, la noirceur du couloir m'a épargné un interrogatoire concernant mon visage rougi par la gifle de Lanz. En espérant qu'elle s'estompe au matin...

Je retire mon uniforme en silence et le glisse sous mon lit, soigneusement plié derrière mon petit coffre.

Plutôt que de m'endormir cette nuit-là, je semble au contraire m'éterniser à sombrer vers le sommeil. Pourquoi est-il entré ? Pourquoi est-il resté ? Pourquoi m'a-t-il seulement regardée ? Je répète son nom en boucle dans ma tête. Nayden. Nayden. Nayden.

Je fixe le plafond puis me tourne vers le lit de ma sœur en soupirant. Comme si dans son visage d'ange je pouvais résoudre le mystère de cette nuit que je viens de passer.

Qui es-tu, Nayden ?

Vingt-trois

Quand j'ouvre les yeux à peine quelques heures plus tard, ma sœur est assise sur son lit, face à moi, les yeux rivés sur ce qu'elle tient entre ses mains et qu'elle ne cesse de caresser du bout des doigts. Mon chemisier de travail. À ses pieds, il y a ma petite boîte de couture. Probablement ce pour quoi elle fouillait sous mon lit.

J'ai la sensation désagréable de me faire réveiller par une décharge électrique qui me parcourt de la tête aux pieds. Mais plutôt que de me lever d'un bond, je me redresse avec une lenteur maladive. J'ai trop peur de ce qu'elle dira. Je passe une main glacée sur mon visage et m'assois dans un silence quasi macabre.

— Qu'est-ce que c'est, Emma ?

— Du satin.

Effie hausse subtilement les sourcils sans prendre la peine de lever la tête vers moi.

— Et ça ? dit-elle en soulevant mon pantalon noir.

— Du polyester, dis-je avant de déglutir, soudainement mal à l'aise.

Ma sœur relève le menton sans pour autant me regarder.

— Et je peux savoir ce que tu faisais avec un chemisier de satin et un pantalon de polyester sous ton lit ?

Je viens de me faire poignarder en plein cœur. Le ton de sa voix n'est ni amical, ni empathique, ni même compréhensif. Il est pire que froid. L'air autour est rempli des interrogations que j'ai évitées des mois durant. Il me murmure à l'oreille à quel point j'ai eu tort de lui mentir.

Toutes les questions auxquelles j'ai toujours refusé de répondre, mais dont elle détient aujourd'hui les réponses, par cette preuve indéniable qu'elle a entre les mains, passent à toute vitesse sur son visage qui exprime une dureté que je ne lui connaissais pas.

— Ce sont mes vêtements de travail.

Je ferme les yeux l'espace d'une seconde. Si un miroir s'était trouvé devant moi, sans nul doute qu'il se serait fracassé de lui-même par l'unique effet de ma honte. Je laisse mes paupières tomber. Parce que je manque de courage face à elle. Et c'est pire que tout ce que j'ai pu endurer de la sentir si froide, si distante, si méprisante à mon égard.

— Des vêtements qui ne viennent pas d'ici, dit-elle alors.

— Non, murmuré-je.

— Et d'un travail qui n'est pas de ce côté, mais de l'autre.

Je secoue faiblement la tête. Je suis beaucoup trop lâche pour prononcer ne serait-ce qu'une lettre de plus devant ma sœur. Les remords me rongent, le temps que j'avais demandé à ma mère me rattrape. J'ai sans doute repoussé beaucoup trop longtemps ce moment. J'en paie le prix, mais il me semble que je n'en possède pas les moyens. Le plus gros mensonge que j'ai élaboré éclate au grand jour, sous mes propres yeux et dans ceux de ma sœur qui refuse toujours de me regarder.

— C'est donc ce que tu fais quand tu pars. Quand tu n'es pas là.

Son ton est trop calme. Je préférerais qu'elle me crie après plutôt que d'employer ce ton si froid. Tout simplement parce que ça me fait plus mal encore. C'est peut-être bien tout ce que je mérite.

Elle poursuit donc.

— Tu traverses de l'Autre Côté, c'est ça ?

— Oui.

Ma voix me dégoûte, me répugne par la faiblesse qui en émane.

— Qui est au courant ?

Je m'éclaircis la gorge.

— Adam, maman et Caleb.

Ma petite sœur pouffe légèrement. Elle pose mon uniforme sur son lit, effleurant une dernière fois mon chemisier de satin bleu. Ma sœur se lève, porte finalement son regard sur moi. J'aurais souhaité qu'elle ne me regarde jamais.

— Je ne sais vraiment pas de quoi tu voulais nous protéger, Emma, mais pour tout te dire, je ne pense qu'à une chose: tu as échoué.

À cet instant, mon frère cadet ouvre la porte, inconscient face à tout ce qui vient de se produire entre Effie et moi et qui plane encore.

— Le train va passer. Je dois venir voir Emma pour aller voir le train.

— Elle ne viendra pas avec toi, Noah, lui dit sa jumelle sans cesser de me regarder.

— Ah, lui répond mon frère. Mais je dois aller voir le train avec Emma.

— Je vais la remplacer pour cette fois. Ça te va?

— Ça ne me va pas, rétorque-t-il.

Voyant qu'il commence à s'agiter, je parle enfin.

— Vas-y avec Effie pour cette fois, Noah. J'irai avec toi plus tard.

— Plus tard avec Emma.

— Oui, acquiescé-je.

— OK.

Ma sœur approuve, satisfaite, et l'entraîne hors de la pièce.

Une fois que j'entends la porte se refermer à l'étage inférieur, je fonds en larmes, le visage entre les mains. Mes sanglots ricochent contre les quatre murs de la chambre. Mes larmes coulent à flots entre mes doigts et je continue de pleurer puisqu'il me semble que ce soit la seule chose que je sois en mesure de faire.

Des pas retentissent sur le plancher du couloir en passant devant ma chambre, avant de ralentir et de reculer jusqu'à ma porte. Je me lève d'un seul bond.

— Em ? me demande mon grand frère, inquiet, en ouvrant la porte délicatement.

Je me précipite sur la porte et tente de la fermer. Il pose sa main à plat contre le battant alors que je continue de pousser contre.

— Adam, laisse-moi tranquille !

— Pas en sachant que tu es en larmes, Emma ! Laisse-moi entrer !

— Adam, va-t'en ! crié-je en poussant ultimement contre la porte jusqu'à la lui fermer au nez.

Je la verrouille d'une main tremblante et me laisse glisser contre elle en pleurant. *Bon sang, qu'est-ce que j'ai fait ?* J'entends mon frère souffler mon nom une dernière fois. Je lui ordonne de s'en aller, ce qu'il fait aussitôt après s'être excusé. Excuse vaine puisqu'il n'a absolument aucune raison de le faire.

Bientôt, mes pleurs sont couverts par le bruit de la locomotive qui approche...

Je ne débarre la porte qu'une heure plus tard, après avoir compté absolument tout ce qui se trouvait dans la pièce pour me calmer.

Je sors donc, non pas parce que j'en ai envie, mais bien parce que je dois aller jouer du piano pour Noah. Seulement, en essuyant mes larmes, une douleur zèbre le côté de mon visage. J'attrape le miroir sur la commode. Une grosse ecchymose couvre ma pommette. Je vais devoir inventer un mensonge à l'école lundi matin... Ce qui ne risque pas d'être chose aisée. Comment peut-on avoir une telle blessure sans s'être fait frapper ? C'est tout simplement impossible.

Je serais bien allée parler avec Ariane, mais en regardant l'heure, j'ai bien vite réalisé que je n'aurais jamais le temps de me rendre chez elle, pas plus que je n'en ai les moyens, et puis je me sens de plus en plus loin d'elle depuis que je traverse. Elle sait ce que je fais, mais je lui en parle très peu : les murs ont de grandes oreilles dans les établissements scolaires. J'abandonne donc cette idée et me résous à faire un pas vers l'escalier pour descendre.

Je croise Effie au bas des marches. Elle me regarde à peine, si ce n'est que pour détailler ma joue bleuie.

D'un seul coup, l'envie de faire quoi que ce soit m'abandonne. En un claquement de doigts, tout ce que j'avais bâti est tombé en miettes. *Tu aurais dû savoir que ton mensonge éclaterait un jour, Emma*, ne puis-je m'empêcher de penser. Tout ça à cause de quoi ? À cause de ma stupide envie de jouer du piano !

Vingt-quatre

Je mange en silence, comme tout le monde le fait depuis que j'ai répliqué sèchement à ma mère que la marque sur ma joue n'est rien du tout. Je regarde l'horloge toutes les secondes. Compte chaque tic entre tous les tacs. Effie ne m'a pas adressé un seul mot du reste de la journée. Adam a fini par comprendre ce qui s'était passé sans même avoir eu à me questionner. Il a vu mon uniforme sur mon lit et il a compris. Je remercie sa vivacité d'esprit par moments. Malheureusement pour moi, je ne fus pas à même de considérer le dialogue comme une option à chasser du revers de la main pendant très longtemps.

Je sens le regard inquisiteur de mon père sur chacun d'entre nous. Les mains posées de chaque côté de son assiette, il nous regarde tour à tour en fronçant les sourcils et s'arrête sur Adam, bien que la question qui suit soit destinée à tout le monde.

— Quelqu'un veut bien m'expliquer pourquoi je sens de la tension dans l'air ?

— Demande à Emma, réplique Effie d'un ton sec sans même prendre la peine de relever la tête vers moi.

— Effie, ce n'est pas le moment de me rabrouer avec ça, rétorqué-je, les dents serrées tout en jetant un coup d'œil à Noah.

Il déteste les disputes et tant que je peux l'en épargner, je le fais.

— Alors tu n'as qu'à lui dire et ce sera réglé !

Elle laisse tomber ses mains sur la table, voyant que je refuse toujours de parler. Elle veut me provoquer. Ou plutôt, provoquer mon père pour me forcer à parler. Devant moi, je vois mon cadet s'agiter sur sa chaise.

— Maman, va voir le train avec Noah s'il te plaît, dis-je.

Elle secoue quasi imperceptiblement la tête. Elle en a assez.

— Non. Noah a le droit de savoir, lui aussi, tranche sèchement ma sœur.

— De savoir quoi ? réplique mon père de plus en plus agacé par cette discussion dont il est totalement exclu.

— Qu'Emma nous ment depuis plusieurs mois déjà.

Mon père se tourne rapidement vers moi, me toise de ses yeux identiques aux miens.

— De quoi est-ce que ta sœur parle ? Qu'est-ce que tu nous caches ?

Je baisse les yeux un moment. Tout ce que j'entends, ce sont les battements de mon cœur et la sensation de mon sang qui pulse frénétiquement à mes tempes. J'ai rarement été aussi nerveuse de toute ma vie.

— Si je m'absente si souvent c'est que j'ai un travail, papa.

Il plisse les paupières, pose la question qui lui brûle les lèvres, je le sais.

— Où ça ?

— De l'Autre Côté.

Il s'effondre sur sa chaise et me regarde, le regard rempli d'un fouillis d'émotions que je n'arrive pas à démêler.

— Je suis désolée.

Je me lève, récupère mon assiette et la pose sur le comptoir sous le regard furieux de mon père. Je me sens dans l'obligation de faire une femme de moi et de lui faire face pour une fois.

— Depuis quand ? me demande-t-il.

Je lève les yeux au plafond et serre les lèvres. Mes doigts pianotent sur le rebord du comptoir quand je lâche :

— Cinq mois.

Je l'entends gémir, les lèvres contre sa paume. Les yeux fermés, il serre si fort le poing qui ne se trouve pas sur son visage que ses jointures blanchissent de colère. Un pli se forme entre ses sourcils en raison de son front crispé par un mélange de colère et de déception.

— As-tu seulement une idée du danger que tu nous fais courir à tous ?

— Et du danger qu'elle court, elle ? me défend promptement mon frère aîné.

— Adam, reste en dehors de tout ça, dis-je en m'avançant.

Il se lève en renversant sa chaise et se tourne vers moi. Je le reconnais bien là.

— Non, Emma, je ne resterai pas en dehors. Tu as voulu me mêler à ce mensonge, eh bien j'en fais autant partie que toi à présent. Elle risque sa vie pour nous, papa !

— Et la nôtre aussi, Adam. Si elle venait à se faire prendre ? S'ils débarquaient ici pour nous faire payer à tous le prix de son imprudence ? Non. Je refuse qu'elle nous fasse courir le risque encore plus longtemps. Tu cesses de traverser dès aujourd'hui.

— C'est impossible. Je ne peux pas faire ça.

— Tu arrêtes ! C'est plus sûr pour toi et pour nous tous. Nous sommes une famille, Emma. L'aurais-tu seulement oublié ?

— David, laisse-la parler ! lui demande ma mère en se levant à son tour.

Je jette un coup d'œil à Noah, dont le front est toujours enflé depuis la dernière fois où je suis allée voir le train avec lui.

Pour l'instant, il semble calme, mais je sais que ça ne tardera pas à exploser en lui. Ça ne tient qu'à un fil, que je tiens entre mes mains.

— Il n'y a pas matière à discussion. Elle nous menace tous en agissant ainsi. Cela doit cesser.

— Tu es tellement égoïste ! lui crache Adam au visage.

Mon père se tourne vers son fils, la mâchoire contractée.

— Au contraire. C'est elle qui l'est en traversant. Pas moi.

— Et pourquoi agit-elle ainsi, d'après toi ? explose Adam. Pourquoi, papa ? Pour nous tous ! D'où nous viennent les trois quarts de nos repas ? Le sais-tu ? Moi, je le sais. Ils viennent de l'argent qu'Emma rapporte en risquant sa vie tous les soirs pour travailler de l'Autre Côté ! C'est grâce à elle que nous tenons encore le coup alors je me garderais bien de ton égoïsme.

— Ne me dis pas ce que je dois faire, Adam ! Je sais parfaitement ce que je dois faire. Tu n'es pas mieux qu'elle, et toi non plus, Sofia. Nous faire courir un tel risque ! Et en plus, vous m'avez tous menti.

— Tu ne peux pas croire ce que tu dis, crache mon frère.

Mon père se fige net, et j'en fais de même. Mon frère m'a toujours défendue, mais c'est bien la première fois qu'il le fait avec autant de fougue face à mon père. Ce dernier baisse le regard.

— Adam a raison, David, intervient alors ma mère. Elle l'a fait pour nous. Il n'a jamais été question de nous faire du mal, de nous mettre en danger. C'est pour nous aider à nous en sortir qu'elle le fait.

Mon père soupire, acquiesce après plusieurs secondes qui me semblent pareilles à l'éternité avant de dire :

— J'ai peur, Sofia.

— Peur de quoi ? lui demandé-je bien qu'il se soit adressé à ma mère.

— Peur de te perdre, Emma. Peur de savoir que vous m'avez menti et de me demander dans quel autre genre de mensonge vous me faites vivre. Nous sommes une famille et l'intégrité a toujours été une valeur importante. Je n'ai sûrement pas eu la réaction appropriée, j'en conviens. Mais j'ai peur de ce que tu fais. Et ça reste dangereux pour tout le monde. Sois raisonnable, Emma, tu l'as toujours été pourtant. Et ça, c'est juste... complètement insensé.

Je fronce les sourcils et secoue faiblement la tête.

— Je ne te comprends pas.

Il hausse les épaules d'un air las.

— Ne traverse plus. C'est tout ce que je te demande.

Je secoue plus fermement la tête.

— Non.

Les épaules fatiguées de mon père s'affaissent davantage.

— S'il te plaît, Emma.

— Non. Nous avons besoin de ce que je peux rapporter en traversant. Je m'en sors très bien. Et je continuerai de m'en sortir tant que je ne serai pas seule.

— On trouvera une solution, soupire-t-il.

— Une solution à quoi ? réplique Adam.

— À ce que ta sœur n'ait plus à traverser.

Mon aîné lève les yeux au ciel et je porte les miens sur Noah, qui marmonne rapidement. Effie a posé sa main sur son poignet couvert par son fin chandail de coton et il semble tolérer suffisamment le contact pour que cela le calme. Une faible pression de quelques secondes au poignet ou au creux de la paume l'aide souvent à calmer ses angoisses. Comme présentement. Finalement, je ne suis peut-être pas la seule à détenir un bout de ce fil qui permet à Noah de garder le contrôle.

Je tourne la tête vers l'horloge au mur. Je dois partir pour le travail.

— Il faut que j'y aille.

Mon frère acquiesce et s'écarte pour me laisser rejoindre l'escalier. Du coin de l'œil, j'aperçois ma mère agiter la tête de gauche à droite pour que mon père se taise. Il n'y a rien à ajouter. Je suis déjà en retard de toute façon.

Je monte à l'étage et enfile ma seule paire de jeans propre ainsi qu'un chandail blanc à manches courtes. Je regarde quelques minutes dans l'armoire pour un sac et finis par en dénicher un que je peux transporter de l'Autre Côté sans me faire remarquer outre mesure. Je le jette sur mon épaule non sans me demander si Nayden sera au bar ce soir et descends rapidement les marches jusqu'à l'entrée. Je me glisse dans mes bottes de cuir brun élimé et les lace d'un air absent. Je passe sur mes épaules mon manteau de fin coton couleur taupe, dont le capuchon est assez long pour couvrir mes cheveux en ces temps de plus en plus froids. J'attache les boutons, puis glisse une main dans ma poche et l'autre sur la poignée.

Adam m'envoie subtilement la main, les lèvres pincées en un demi-sourire. Effie est encore avec Noah et nettoie la table. Quant à mon père, il est assis au piano sans pour autant effleurer les touches.

Ma mère se poste près de mon frère et m'encourage d'un hochement de tête. J'ignore ce que je ferais sans eux. Je sors en cette froide soirée où l'hiver marque déjà son territoire avec cette neige qui s'accumule au sol. J'inspire un bon coup l'air glacé de ma cité et marche jusqu'à la frontière.

Vingt-cinq

J'arrive au mur pour la énième fois cette semaine non sans repenser à tout ce qui s'est passé dernièrement. J'adresse seulement quelques mots à Caleb, lui vole un baiser, puis traverse.

Depuis le jour de ma dispute avec mon père, on se parle peu. La marque de la gifle de Lanz, toujours bien apparente sur ma joue, a fait tourner bien plus d'un regard à l'école et les rumeurs n'ont pas tardé à faire siffler les couloirs de l'établissement.

À dire vrai, je n'ai pratiquement pas parlé de la semaine, au grand désarroi d'Ariane qui essayait tant bien que mal de me remonter le moral après que je lui ai expliqué ma dispute avec mon père, non sans avoir précisé que cet accroc n'était pas à l'origine de la marque que j'avais au visage ! J'ai fait mes devoirs en digne étudiante que je suis et j'ai assisté à tous mes cours avec assiduité sans pour autant demeurer très attentive. Je ne l'avais jamais véritablement été de toute façon et ça n'allait pas changer non plus.

Je vois Caleb de plus en plus rarement. Très souvent, ses tours de garde au mur durent à peine le temps qu'il me faut pour traverser. Ce qui est loin d'être suffisant pour échanger plus que quelques mots avec lui. De quoi me languir de son absence encore plus et de penser que l'armée l'éloigne encore plus de moi que je ne l'aurais cru possible.

J'évite les premiers réverbères de mon mieux, mais il m'est difficile d'en faire de même pour les phares de voitures lorsque je passe par les rues principales. Quand j'entre dans le café, une fine pellicule couvre ma capuche, que je rabats d'un geste. Je me secoue légèrement et souris à Aleks.

— Bonsoir, Blondinette. Petite soirée tranquille en perspective, Henry n'est pas là.

Je soupire et détache les boutons de mon manteau.

— Génial ! Je n'avais aucunement la tête à faire une grosse soirée. Dommage qu'Henry ne soit pas là, par contre... Il n'y aura donc que toi et moi ce soir ?

Il acquiesce.

— Frieda doit nous rejoindre, mais si tu veux je peux l'appeler et lui dire de laisser tomber. Pour que nous soyons rien que toi et moi pour les heures à venir, enchaîne-t-il d'un ton charmeur que je ne sous-entendais aucunement dans ma réplique.

Je lui tape l'épaule du revers de la main pour camoufler le rouge qui me monte déjà aux joues et me dirige vers la salle des employés pour me changer.

De retour dans le café, je tombe sur Lanz, ou plutôt Ludwig, qui a semblé m'éviter toute la semaine jusqu'à aujourd'hui, lundi. Alors je repense au soir où j'ai joué et au coup qu'il m'a porté. Mais plus important encore, au mépris qu'il m'a inspiré devant Nayden. Depuis, c'est à peine si j'en ai peur. C'est plutôt l'inverse qui se produit considérant qu'il m'évite comme la peste !

Nayden. Où est-il, celui-là ? Le reverrai-je ? Je dois dire qu'une semaine entière a passé depuis notre rencontre et je ne l'ai pas vu du tout. Je me suis mise à me demander s'il me faudrait l'éviter. Je l'ignore, et c'est même très difficile à dire parce qu'en réalité... je veux le revoir. Et ce, même s'il pourrait me causer des ennuis. Le fait qu'il m'a aidée contre Lanz ne veut pas dire grand-chose, il est peut-être un peu comme Adam et prompt à prendre la défense des autres.

Lanz me lance tout de même un regard soutenu de dégoût et s'éclipse vers son bureau. Il ne se doute pas que ce qu'il m'inspire n'est plus que du mépris envers sa faiblesse, et non de la crainte, comme il l'espère sans doute.

Le menton fièrement relevé, je le dépasse et marche d'un pas assuré jusqu'à l'affiche à l'entrée, que je tourne du bon côté.

Les premiers clients – les *habituels*, comme j'aime les appeler – entrent presque aussitôt et je passe une bonne partie de la soirée à diriger les autres ici et là tout en prenant leurs commandes. À défaut d'avoir une performance d'Henry, du jazz joue en arrière-plan dans les haut-parleurs pendant que les verres s'entrechoquent. Les gens rient, parlent fort. Ils passent du bon temps pendant que, moi, je cours de tout bord, tout côté pour satisfaire leur moindre demande.

Je couvre le bar du regard. Quelqu'un n'a pas encore été servi, là, tout au fond. Je marche entre les tables, souris aux clients et redresse mon calepin pour prendre sa commande.

— Bonsoir, Monsieur ! Que puis-je vous servir ?

Il relève la tête vers moi au moment où je fixe mes yeux sur lui. Il retire ses lunettes d'aviateur et les glisse dans la poche de son veston. Je croise son regard vert aux éclats d'ambre. Mon cœur manque un battement, puis un deuxième. Je suffoque rien qu'à le regarder. Je recule d'un pas, les lèvres entrouvertes sur lesquelles mon sourire s'est éteint.

— Je vais vous assigner une autre serveuse pour la soirée.

Il se lève, pose sa main sur mon poignet. Le contact de ses doigts sur ma peau me fait frissonner autant qu'il me réchauffe. Je me dégage, un peu trop vite, un peu trop tard. Je garde la sensation de sa peau sur la mienne jusqu'à ce qu'elle s'estompe. Elle me manque déjà au bout de quelques secondes, et je ne pense plus clairement. En fait, je ne pense à rien du tout ;

j'ai le cœur qui palpite et des frissons qui me parcourent l'épiderme, et je succombe à un seul regard. Je ne sais plus du tout ce qui m'arrive.

J'ignore s'il a ressenti la même chose que moi, mais le cœur me serre ou plutôt, se gonfle jusqu'à ce que j'aie la sensation qu'il explose dans ma poitrine. Je recule de nouveau en pensant que si les gens étaient des catastrophes naturelles, il serait une tempête de sable et moi, un blizzard.

Je fais un autre pas vers l'arrière; mon dos se bute à celui d'un client qui vient tout juste de se lever. Je me confonds en excuses et fais volte-face. J'en profite pour prendre la fuite jusqu'à Frieda, qui revient avec un plateau en main. Je l'arrête et tente de lui prendre son cabaret.

— Je m'occupe de tes commandes si tu prends le garçon à la table là-bas, dis-je en lui désignant d'un coup de tête la table où se trouve Nayden, indéniablement surpris par ma réaction.

Elle arque le sourcil, nous regarde alternativement d'un air incrédule. Manifestement, elle ne comprend pas mon malaise tout comme mon refus de le servir. À sa place, je réagirais de la même façon.

— Emma, à moins que tu ne souffres de cécité momentanée, ce garçon est canon.

— Justement, je te le laisse puisqu'il a l'air de te plaire autant ! Ça paiera ma dette de l'autre soir !

Je tire légèrement sur son plateau et elle finit par céder alors que je jette un mince coup d'œil par-dessus mon épaule. Sa stupéfaction devant mon attitude est aussi nette que si elle avait tenu une affiche à néon au-dessus de sa tête. Quant à Nayden, il semble prendre goût à ma réaction des plus mal contrôlées. Au loin, je le vois esquisser un sourire qui trahit un amusement grand comme le ciel quand je regarde une fois de trop de son côté.

— Je ne te contredirai pas, ma chère, dit-elle en riant, les yeux brillants. La table trois pour ces deux verres-là et la cinq pour ceux-là. Tu as saisi ?

— Parfait ! Merci, Frieda.

— Tout le plaisir est pour moi, Emma, dit-elle d'un ton si aguicheur qu'elle parvient à me faire sourire.

Ton qui, bien sûr, n'était destiné qu'à Nayden.

Je la regarde s'éloigner de sa démarche de mannequin et je remets d'une main de maître les verres qu'elle m'a laissés, avant de revenir avec de nouvelles commandes pour Aleks. En attendant qu'il me les prépare, je couvre la pièce du regard et tombe sur Frieda et *lui*. Ils semblent bien s'entendre... Mais la voir si intéressée et séduisante auprès de Nayden envahit mon estomac d'un sentiment que je n'ai pas connu très souvent : la jalousie. Je me secoue rapidement et me retourne vers mon collègue. Je n'ai pas de quoi l'envier. Je ne connais pas ce garçon et je ne veux pas le connaître. Bon d'accord, je veux désespérément le connaître, mais je ne peux pas. C'est ainsi, je ne peux pas.

Connaître un lieutenant-général de l'Élite ne peut que m'attirer des ennuis.

Tu ne peux pas, Emma. Tu ne peux pas, Emma. Tu ne PEUX PAS, Emma !

— Voilà les verres que tu m'as demandés, ma chère.

Je sursaute et souris à Aleks le plus maladroitement du monde. Il grimace presque en voyant mon rictus qui se veut naturel.

— Merci.

Il fronce les sourcils et me toise d'un de ses airs intrigués.

— Tu as de drôles de réactions, ce soir, Emma.

— Qu'est-ce que tu veux dire ? réponds-je en faisant glisser le cabaret sur le comptoir.

— Tu es toujours perdue là-dedans, dit-il en tapotant mon crâne de l'index.

— Mon frère dit que je préfère la compagnie de la Lune à celle des autres ; je vais finir par le croire.

Aleksander sourit et je lui glisse un clin d'œil avant d'aller servir les tables. Je croise au retour Frieda, qui s'esclaffe de si belle façon ; par opposition, un rire comparable qui jaillirait de ma bouche sonnerait comme un accident de voiture. Et ce, même si je sais chanter. Elle a tellement de charme alors que moi... moi, je viens du mauvais côté d'un mur. La commande de Nayden en main, elle secoue son calepin devant son visage pour s'éventer.

— Que se passe-t-il ? ne puis-je m'empêcher de lui demander.

— Tu manques la chance de ta vie !

Je lève les yeux au plafond et débarrasse l'autre table plus loin. Quand je me retourne, Frieda est de retour auprès de lui. Il se penche vers elle, lui murmure quelque chose à l'oreille que je n'entends pas malheureusement. Elle se redresse et me pointe du doigt. Son sourire pâlit légèrement, et je peux voir ses lèvres esquisser mon nom.

Je ferme les yeux en me passant une main sur le visage. Je ne peux m'empêcher de jurer en récupérant le reste des verres vides pour les déposer sur le bar. S'il ne peut pas avoir mon nom en me le demandant, il l'aura auprès de mes collègues, quel qu'il soit. Il a tellement de charme qu'il pourrait demander à des fourmis de lui construire un immeuble de briques.

Seulement, pourquoi ne l'a-t-il pas tout simplement lu sur mon épinglette ? Je baisse les yeux sur mon chemisier. Je ne la porte pas ce soir, voilà pourquoi.

Quand je me retourne, Frieda a retrouvé son sourire. Sans doute l'a-t-il complimentée, Frieda adore ça. Cela renforce son assurance et sa confiance qui, à la base, n'ont d'égale que sa grande beauté.

Petit à petit, le bar se vide et je perds Nayden de vue. Il s'est éclipsé aussi rapidement qu'il a mis les pieds dans le bar même s'il y est resté un bon moment.

Je nettoie dans l'heure qui suit avec Frieda et Aleks. Trente minutes pile avant le couvre-feu, nous quittons l'endroit en nous souhaitant tous une bonne soirée.

Mes pas laissent de fines traces dans la neige; je prie pour que personne ne se décide à les suivre. Heureusement, je peux marcher dans les empreintes des autres dans les endroits les plus achalandés et ainsi minimiser toute trace de ma présence ici en Haute République.

Je traverse la rue suivante d'un pas rapide, la capuche rabattue sur ma tête. Je regarde à droite et à gauche, puis m'engage dans une rue beaucoup moins passante.

Je jette régulièrement des regards par-dessus mon épaule, de peur d'être suivie. Mon doute se confirme quand j'aperçois une ombre se faufiler derrière un bâtiment tout juste avant que j'aie pu l'identifier. Je fais volte-face, les sourcils froncés. J'effectue un pas vers l'avant, les poings serrés pendant que la peur me coince les tripes dans un étau. Je soupire. Je quitte la ruelle au pas de course et emprunte tous les détours possibles pour brouiller ma piste.

Je parviens à la frontière saine et sauve. Caleb n'y est pas cette fois. Je suis un peu déçue de le voir briller par son absence, mais ne m'éternise pas dans l'espoir vain qu'il débarque. Je regarde une dernière fois derrière moi avant d'arriver à la maison. C'est non sans soulagement que je me glisse enfin sous les couvertures.

Vingt-six

Cours d'histoire. Un seul mot: ennui. Dans le premier sens du terme, et non celui qui consiste à m'attirer des problèmes comme j'ai l'habitude de le faire dans ce cours. Bien que ce soit totalement involontaire. Monsieur Fleisch tente de nous décrire la formation de la République avec de nombreuses explications qui n'aboutissent tout simplement à rien; personne ne comprend quoi que ce soit. Je crois même qu'il doute lui-même de ses explications.

— Mademoiselle Kaufmann, veuillez vous lever, me demande Fleisch.

Je m'exécute en silence, les sourcils légèrement froncés par une inquiétude mal dissimulée. Je ne sais jamais ce que ce professeur me dira ou ce qu'il me fera faire. Alors je réfléchis à tout ce que j'ai pu faire de travers depuis le début du cours.

— Disons que mademoiselle Kaufmann représente, pour aujourd'hui seulement, la République à elle seule qui, cependant, n'est pas encore née. Et que monsieur Braun est un pays avoisinant, la

France par exemple, poursuit-il en désignant Gabriel de la main. Ensuite viennent tous les autres pays de l'Union européenne, représentés cette fois par mademoiselle Moscovitch, renchérit-il en demandant à Ariane de se lever ainsi qu'à plusieurs autres qu'il pointe au hasard.

Je croise les bras sur ma poitrine, m'interrogeant sur la suite de son explication ainsi que sur le type de mouche qui l'a piqué pour qu'il décide de me donner le rôle principal de sa mise en scène. Une façon plus affirmée de m'asservir peut-être ?

— Au lendemain de la Guerre, à quoi aspirent tous les gouvernements, Mademoiselle Moscovitch ?

— À la paix, Monsieur. À un état d'équilibre ainsi qu'à une stabilité économique, je crois.

— C'est exact. Et qu'ont fait les autorités de l'Union pour remédier à ce souhait collectif de la part des pays restants quand la demande fut trop grande ?

— Elles ont créé un second conflit. Intérieur cette fois et non mondial comme précédemment, que je réplique.

— Oui, approuve-t-il d'un ton bourru, presque irrité de m'entendre dire la bonne réponse. Alors que fait-on pour remédier à ce souhait non exaucé quand l'Union le rejette ?

— On crée soi-même l'équilibre, répond un garçon qui s'est levé quand notre enseignant le lui a demandé.

Mon professeur acquiesce en claquant des doigts, manifestement ravi que je ne réponde pas cette fois.

— Oui ! On le crée ! Et c'est ce que notre République a choisi de faire. Vous vivez dans l'équilibre, chers étudiants. Un équilibre précieux que votre gouvernement a lui-même instauré pour combler un souhait. D'un côté de la balance nous avons la Haute République et de celui-ci, la Basse République.

Monsieur Fleisch marche entre les étudiants, les mains levées, paumes tournées vers le plafond.

— Ensemble, les deux côtés pèsent aussi fort l'un que l'autre dans la balance et c'est ce qui forme l'équilibre et la stabilité à laquelle notre gouvernement aspirait.

Je me mordille la lèvre inférieure pour m'empêcher de soupirer. Il pourrait m'entendre. Le monde dans lequel je vis n'est nullement en équilibre. Ce n'est qu'un vase chancelant craquelé qu'on s'efforce de remplir d'eau en pensant qu'un jour, il cessera de fuir par toutes les fissures qu'il contient.

Suis-je la seule à le voir ainsi ? À littéralement savoir que je vis dans un monde instable ? Je ne peux m'y résoudre, bien que je sache pertinemment que tout le monde ici me contredirait si je m'exprimais.

Demandez à n'importe qui de ma République s'il croit que la vie qu'on lui concède est bien. Il vous répondra sans aucune hésitation que oui et que, considérant sa propre médiocrité, il ne mérite pas mieux.

Les gens croient que la vie qu'ils mènent est la meilleure qu'ils n'auront jamais parce qu'ils n'ont rien connu d'autre, mais surtout parce qu'ils n'ont pas vu la différence entre les deux côtés. Moi, je l'ai vue et je peux affirmer qu'il n'y a rien à envier du côté d'où je viens.

Je ne peux être la seule. C'est impossible. Je l'ai constaté dans la Galerie des cendres.

Insoumise, m'a dit monsieur Fleisch il y a plusieurs semaines. Je continue de me demander ce qu'il a voulu dire par là, mais comment en apprendre plus sur un mot tabou si tout le monde refuse d'en parler ? En quoi suis-je une Insoumise ? Parce que je refuse de me conformer ? Parce que la pensée collective qu'entretient ma République ne me rejoint en rien ? Parce que je ne crois pas que la pauvreté soit un avantage avec lequel on parvient au bonheur ? Parce que j'ai vu la différence entre ici et là-bas et qu'à présent, je sais plus que quiconque que l'endroit où je vis n'est pas acceptable ?

J'ai envie de répliquer au discours tenu par monsieur Fleisch. Les mots se bousculent déjà derrière mes lèvres, que je dois serrer pour les empêcher de s'ouvrir. Me prononcer ne réussirait qu'à m'attirer davantage de problèmes et je n'en ai pas besoin. Ma réputation est déjà faite dans cette classe.

— Est-ce que tout le monde a compris ? conclut mon professeur.

— Oui, approuve toute la classe en chœur, bien que je ne joigne pas ma voix aux autres.

— Bien. Rasseyez-vous et ouvrez votre cahier de notes à l'endroit où nous nous sommes arrêtés la dernière fois.

Je prendrai toutes les notes qu'il voudra, mais je ne croirai en rien à ce qu'il enseigne. Je ne croirai et ne soutiendrai en rien quelque chose d'aussi aberrant que de dire que je vis dans un monde équilibré.

L'équilibre n'existe pas quand une république est divisée en deux côtés distincts, séparés par une enceinte de surcroît.

En sortant du cours, je prends Ariane à part et lui pose la question qui me brûle les lèvres.

— Ariane. Dis-moi franchement et ne mens surtout pas: qu'est-ce que tu penses de la République ?

Elle fronce les sourcils et se redresse.

— J'en pense que nous reposons sur un gouvernement stable. L'économie fonctionne bien, nous vivons bien, dit-elle en haussant les épaules. Pour ma part, je la trouve bien.

— C'est ton idée à toi, pas celle de Fleisch ?

Elle secoue la tête.

— Oui, c'est la mienne. Pourquoi me poses-tu cette question ridicule ?

Ariane chasse ses paroles d'un geste de la main et me fait signe.

— Allons déjeuner !

Je hoche la tête et la suis parmi la foule. En tournant la tête, je vois mon professeur d'histoire, les yeux rivés sur moi. Je détourne promptement le regard et me presse derrière ma meilleure amie.

Il faut que je parle à Caleb. Peut-être que, lui, il raisonnera comme moi et comme cet homme qui arrachait des affiches. Une chose est sûre, je ne veux pas être la seule.

Vingt-sept

Nous soupons en silence, encore une fois. Effie me parle beaucoup moins qu'avant bien qu'elle ait recommencé à le faire, c'est au moins ça. Noah reste toujours le même, mais c'est mon père qui, à mes yeux, a le plus changé. Même si je continue de le voir peu, je remarque que sa jovialité habituelle s'est éteinte; il ne dit pratiquement plus un mot. Il n'intervient jamais quand je joue du piano pas plus qu'il ne m'adresse vraiment la parole maintenant.

J'ignore s'il m'en veut de lui avoir menti ou s'il m'en veut de courir d'aussi grands risques. Un mélange des deux, j'imagine.

Adam, à ma droite, dont les ecchymoses ont presque disparu contrairement aux miennes, lâche soudainement ses ustensiles dans son assiette. Le tintement du métal contre la céramique me fait lever la tête et les autres membres de ma famille en font de même. Ma mère l'interroge :

— Que se passe-t-il, Adam ?

— J'en ai assez.

— De quoi ? soupire doucement ma mère.

— De l'atmosphère qui règne ici. Ce n'est sain pour personne.

— Dis ça à ta sœur, intervient alors mon père.

Mon frère le foudroie du regard.

— À ce propos, j'ai trouvé une solution, dit-il.

Je me fige et le regarde. Mon pressentiment à son égard ne me rassure d'aucune manière.

— Je vais m'enrôler.

Je manque m'étouffer avec ma salive et dois tousser dans mon poing à plusieurs reprises avant d'être en mesure de le dévisager de nouveau. Mon père lâche ses ustensiles à son tour et lance un regard noir à Adam.

— Non, mon garçon. Il n'en est pas question.

— Adam, tu ne peux pas faire ça ! s'exclame Effie les yeux ronds.

— Je suis catégorique et j'y ai réfléchi, ce n'est pas sur un coup de tête que j'ai pris cette décision. Si c'est pour faire en sorte qu'Emma n'ait plus à traverser, je le ferai. De toute façon, l'engagement me sera obligatoire dès que j'aurai 19 ans. Je...

— Adam, le coupé-je rapidement. J'ai accepté sans rétorquer que tu fasses bien des choses pour moi et je t'en ai toujours été reconnaissante, mais cette fois, je refuse.

Mes yeux se remplissent rapidement de larmes ; je ne peux pas supporter le regard de mon frère.

— Emma, regarde-moi, me demande Adam en se tournant vers moi.

Je secoue la tête, ce qui a pour effet de faire couler mes larmes.

— Ta sœur n'a pas tort, Adam, soutient ma mère.

— Je sais, mais je devrai m'enrôler. Je ne déserterai pas en sachant que je risque de vous attirer encore plus de problèmes ainsi. M'enrôler est la seule solution pour que ma sœur ne traverse plus et pour nous assurer une survie égale à tous. Si je déserte, ils me traqueront et vous traqueront aussi, et je refuse que ça se produise.

Je me lève d'un bon, renversant ma chaise dans ma précipitation, et me dérobe au regard de mon frère en marchant jusqu'au pied de l'escalier où je m'arrête pour entendre la fin de la conversation.

— Adam, ce n'est pas raisonnable. Le revenu que nous apportera ton enrôlement sera supérieur à ce que tu gagnes actuellement, je sais, poursuit ma mère, mais il t'éloignera de nous à jamais.

Ma mère inspire profondément. Je sais qu'elle refusera de pleurer devant lui.

— Trop longtemps, nous avons repoussé le jour où j'aurai à m'enrôler. Je ne peux plus m'y soustraire.

— Maman, dis quelque chose, je t'en prie, dis-je d'une voix étranglée.

Elle s'enfonce dans un mutisme qui me déchire. Mon regard glisse sur mon père, qui observe le même silence que ma mère.

Je monte les marches quatre à quatre, incapable d'en supporter davantage.

Je claque la porte derrière moi et me laisse choir le long de celle-ci. Je ne supporterai pas d'avoir Caleb, et Adam aussi, loin de moi. C'est purement impossible. Je me fane déjà de l'absence de Caleb, celle de mon grand frère me serait tout simplement intolérable.

On cogne contre la porte. J'hésite quelques secondes avant de m'écarter pour laisser entrer Adam qui s'agenouille à ma gauche. Je fixe le plafond sans cesser de pleurer. Je suffoque à l'idée de ne plus le voir, de ne plus me lever en sachant que mon frère m'attend, d'avoir à lui dire au revoir comme j'aurai à le faire avec Caleb dans peu de temps.

— Je refuse que tu le fasses, Adam.

— Coccinelle... souffle-t-il.

Mon frère serre ma main dans la sienne.

— C'est catégorique, je ne veux pas. Si on réussit à prouver que tu as un emploi stable qui nous aide à vivre, ils te laisseront tranquille. Il faut simplement que...

— Emma, m'interrompt mon frère. Je me suis fait renvoyer il y a trois jours. Je crois que c'était pour ça qu'ils ont pris nos noms à l'école... Ils m'ont donné un délai et en voyant mon dossier, ils m'ont viré.

Une tonne de briques vient de se fracasser sur ma tête, mon corps se convulse de l'intérieur et je ne peux rien faire pour m'y soustraire. Il n'y a donc aucun espoir de garder mon frère près de moi ?

— Je ne peux pas déserter non plus et tu sais pourquoi, Em. Il faut aussi que tu saches que j'ai dit à papa et à maman que cela t'empêcherait d'avoir à traverser, mais tu sais...

Il secoue la tête, une grimace déformant ses traits.

— J'aurai tout de même à le faire, complété-je à sa place.

— Oui, concède-t-il. Je ne crois pas que ce que je gagnerai sera vraiment plus que mon salaire à l'usine alors... Il vaut mieux que tu continues. Seulement, en ayant deux personnes que tu connais dans l'armée, ton chemin se fera plus sûr.

— Mais je ne te veux pas dans l'armée, Adam. Je te veux ici, à la maison. Je veux savoir que tu seras là quand je rentrerai la nuit. Que tu seras là quand j'aurai des problèmes. Que tu seras là pour protéger Noah avec moi, ici, pas ailleurs.

Mon frère serre ma main entre ses doigts.

— Je continuerai de surveiller tes arrières, Coccinelle. Tout comme je continuerai de protéger Noah. C'est mon rôle.

Je baisse les yeux au plancher, un fin sourire aux lèvres et laisse aller ma tête contre son épaule.

À l'étage du dessous, on entend plusieurs coups secs à la porte qui font pratiquement trembler la maison. Je fronce les sourcils et me redresse. Adam m'aide à me relever pendant que j'essuie rapidement les larmes qui couvrent mes joues.

— Que se passe-t-il ? murmuré-je en sortant précipitamment de la chambre, mon frère sur les talons.

— Je ne pensais pas qu'ils allaient arriver si vite, grommelle mon frère en lâchant un juron.

— Qui ça ?

— Les sentinelles.

Mon sang ne fait qu'un tour dans mes veines pendant que je dévisage mon frère. La présence d'un escadron militaire dans le quartier n'est jamais une bonne nouvelle. Particulièrement quand ils frappent aux portes et qu'il y a un mois, j'ai vu monsieur Lesskov se faire tirer une balle dans la jambe.

J'espère seulement qu'ils ne viennent pas pour moi. Je m'apprête à descendre quand Adam m'arrête, une main sur le bras, pour me dire :

— Caleb m'a fait passer un message par madame Hänzel ce matin pour me dire qu'ils faisaient une tournée des maisons dans notre secteur.

Pourquoi à lui et pas à moi ? ne puis-je m'empêcher de penser. Et alors que je devrais me poser des questions sur la nature de cette tournée, je m'en pose davantage sur son instigatrice.

— Par madame Hänzel ? La secrétaire ? répété-je incrédule.

— Oui, la secrétaire ! Maintenant il faut cacher Noah avant qu'ils n'entrent, dépêche-toi !

Je reçois une décharge dans tout le corps et descends les marches au pas de course. Les coups redoublent contre la porte. On nous ordonne d'ouvrir immédiatement. Le ton est loin d'être amical. Le temps presse. Je me penche vers Noah, le prends par les épaules bien qu'il tente de s'y soustraire. L'urgence dans ma voix le retient juste assez pour qu'il ne déclenche pas de crise.

— Noah, écoute-moi bien.

— Je t'écoute bien, dit-il en hochant la tête plus de fois que nécessaire.

— Tu dois monter et entrer dans ta chambre.

— Entrer dans ma chambre.

— Oui et te cacher là.

— Me cacher, où ça ?

— Dans ta chambre. N'en ressors que lorsque je viendrai te chercher. C'est compris ? On fait comme la dernière fois. Tu te rappelles de ça, pas vrai ?

— Me cacher. Attendre qu'Emma vienne me chercher, comme la dernière fois. OK. OK. OK.

— C'est ça. Vas-y maintenant !

Je le pousse doucement vers l'escalier qu'il gravit en marmonnant, les mains près de la poitrine. Il s'arrête en haut de l'escalier.

— Emma. Je dois aller voir Emma quand un train va passer.

Il a raison. Un train passe dans peu de temps. Je passe rapidement une main sur mon visage, monte les marches au pas de course et arrive en haut quand la porte d'entrée s'ouvre.

J'attrape la main de mon frère. Il se raidit à mon contact, mais me laisse faire. Par contre, ses marmonnements se font plus forts et je dois lui faire signe de se taire en posant un doigt sur mes lèvres. Noah inspire et se remet à parler, de plus en plus faiblement cette fois. J'entends une voix grave déclarer :

— Nous faisons un recensement de votre quartier.

— Encore ? Vous en avez pourtant fait un il y a deux mois de cela ! rétorque mon père à l'agent.

— Veuillez, s'il vous plaît, vous rassembler au salon, demande le chef d'escadron. Et pour répondre à votre question, les procédures ont quelque peu changé.

Je tourne la tête vers mon petit frère.

— Noah, va dans ta chambre, s'il te plaît.

— Je vais dans ma chambre, mais le train passe dans cinq minutes.

— Tu peux le voir de la fenêtre de ta chambre ?

— Oui.

— Alors, vas-y. Je viendrai te chercher, d'accord ? Si on a le temps, on ira le voir ensemble, d'accord ?

— OK.

— Emma ! appelle ma mère. Viens, ma chérie !

Je pousse Noah dans la chambre et ferme la porte derrière lui, souhaitant de tout cœur qu'il ne songe pas à en sortir.

— J'arrive !

Je descends en me forçant à sourire bien que je ne pense pour l'instant qu'à me mettre à trembler.

Le dernier dénombrement *officiel* que nous avons eu date d'avant la naissance d'Effie et Noah. Ce genre de recensement prend plusieurs heures et les autorités procèdent à une inspection complète de chaque maison. À ce moment-là, ce n'était bien entendu pas encore un problème pour nous de devoir mentir aux autorités pour protéger mon petit frère, puisqu'Effie et lui n'étaient pas encore au monde. À mon souvenir, ma mère était enceinte d'eux.

Or, ces derniers mois, les visites se sont faites de plus en plus fréquentes et de plus en plus pointues quant à la nature des questions posées, se rapprochant davantage des dénombrements officiels. Pourquoi ? Je l'ignore. Peut-être pour contrôler davantage la population et déceler le moindre signe de rébellion ? Des déserteurs ont également été trouvés dans quelques demeures et les familles ont bien entendu payé le prix de leur vie pour cette trahison. Quoi qu'il en soit, nous détestons ces visites.

Je me poste entre Effie et mon frère, mes paumes déjà moites pressées contre mes cuisses. Nous devons nous placer en ordre de l'aîné au cadet, mon père d'abord, puis ma mère et ensuite les enfants. Le sergent se place devant nous et nous regarde à tour de rôle. Un soldat derrière son épaule ouvre alors un grand carnet, stylo en main, prêt à écrire tandis qu'un autre procède à l'inspection de l'étage inférieur. Au cas où nous cachions des marchandises illégales ou de faux carnets de rationnement, j'imagine...

Je le suis du regard pendant tout l'interrogatoire, et ce, jusqu'à ce qu'il s'arrête pour jeter un coup d'œil à l'étage supérieur. Il monte les premières marches, puis toute la série, à un rythme qui resserre l'étau autour de mes tripes. Mes doigts tambourinent contre ma hanche. Il disparaît dans le couloir. Je tente un pas vers l'escalier.

— Emma, qu'est-ce que tu fais ? Reprends ta place ! m'ordonne mon frère dans un souffle.

Je ne lui lance qu'un regard pour qu'il comprenne. Noah. L'interrogatoire se poursuit tandis que je continue de fixer l'endroit où le soldat a disparu. J'entends ses pas lourds s'arrêter, je suppose qu'il ouvre une porte puis la referme. Je fais un autre pas.

— Un problème, Mademoiselle ? me demande alors un des soldats vers qui je pivote en un quart de tour.

— Non. Aucun.

Je reprends ma place auprès de mon grand frère tandis que ma petite sœur pince les lèvres.

Je fixe toujours l'escalier quand les pas du soldat reviennent tranquillement vers lui.

Il redescend enfin et je me remets à respirer normalement. Rien d'inquiétant à signaler.

— Nom de famille ?

— Kaufmann, répond mon père.

— Prénom ?

— David.

— Date de naissance ?

— Le 22 juillet.

— Âge ?

— J'ai 43 ans.

— Profession ?

— Ouvrier.

— Branche ?

— Chemin de fer.

— Excellent.

Il se tourne vers ma mère, effectue le même manège pour s'assurer que les numéros de matricule et de dossiers correspondent, à croire que nous ne sommes que des numéros. Sofia. Le 26 janvier; 39 ans; sans emploi. Aux yeux du gouvernement, le travail de ma mère n'en est pas vraiment un puisqu'elle ne participe pas activement à l'effort collectif. À ce détail, le sergent pince justement les lèvres, une moue de mépris au visage.

Il arrive ensuite à mon frère.

— Prénom, date de naissance et âge, je vous prie.

— Adam, 6 décembre, 18 ans.

Le sergent fronce les sourcils.

— Comptez-vous vous enrôler prochainement, jeune homme ?

— Tout à fait, approuve mon frère.

J'ai la désagréable impression de recevoir un second poignard en plein cœur.

Le militaire acquiesce et fait un pas dans ma direction, son mépris maintenant dissipé à l'écoute de cette bonne nouvelle pour lui et mauvaise pour moi.

— À vous.

— Emma, 4 septembre, 17 ans.

— Parfait, Mademoiselle Kaufmann, je vous remercie.

Il arrive ensuite à Effie. Je sais qu'elle est nerveuse, elle joue avec une mèche de ses cheveux. Elle devra dire une date de naissance qu'elle n'est pas seule à avoir, un âge qu'elle partage. Il n'y a que son nom qui soit à elle.

— Je m'appelle Effie, dit-elle avant même que le militaire ne lui ait posé la question.

— Effie, répète le sergent en souriant bien que je doute que ce soit bon signe. Votre date de naissance, Mademoiselle Effie ?

— Le 21 mai, Monsieur.

— Et votre âge ?

— J'ai 12 ans, dit-elle en inspirant profondément.

— Parfait... Une dernière question pour vous, Effie.

Je fronce les sourcils, suis tentée de tendre la main vers la sienne puis me ravise. Je dois la laisser faire. *Elle peut y arriver, elle n'a pas besoin de moi.*

— Oui ?

— Aviez-vous un jumeau ?

Ma sœur acquiesce. Mon père prend aussitôt les devants pour la protéger d'un mensonge imminent qu'elle aura tout de même à dire.

— N'avez-vous pas déjà cette information ? Dans vos dossiers lors du dénombrement de l'an dernier par exemple, Monsieur, ou même celui d'il y a quelques mois ? Ce genre de question se répète difficilement lors de recensement pareil, si vous me permettez la remarque.

— Je ne vous la permets pas, non, réplique le militaire d'un ton acerbe.

— Ce que je veux dire c'est qu'un frère ne réapparaît pas miraculeusement d'entre les morts.

Je suis tentée de tourner la tête vers lui et de le foudroyer du regard pour qu'il se taise. S'il continue de parler, il risque d'éveiller les soupçons bien plus que de faire le contraire.

Le sergent pivote brièvement vers mon père qui rétrécit dans ses chaussures, de toute évidence.

— *Je* pose les questions. Laissez donc votre fille répondre d'elle-même, riposte-t-il durement. Elle n'a rien à cacher après tout. N'est-ce pas ?

Mon père acquiesce en déglutissant et n'ose rien ajouter.

— Alors ? demande le militaire.

— Oui, il est décédé peu de temps après notre naissance, répond ma sœur en piétinant sur place.

— De quoi est-il mort ?

— Mort subite, Monsieur, enchaîne sans ciller ma sœur, et je la félicite mentalement pour sa bravoure.

C'est commun. Particulièrement de ce côté de la ville et dans ce secteur. Les gens meurent souvent sans raison apparente. C'est donc logique même si, dans un autre sens, ça ne l'est pas du tout que des gens meurent sans raison. Le sergent acquiesce gravement et se tourne vers le soldat au carnet qui confirme l'information d'Effie.

Je n'ai qu'une envie: qu'il s'en aille pour ne plus jamais revenir.

Il nous regarde de nouveau tour à tour, puis fait volte-face vers son subalterne, qui lui remet un formulaire qu'il tend ensuite à mon frère.

— Votre formulaire, jeune homme. Au plaisir de vous revoir parmi nous très bientôt.

Mon frère acquiesce en silence et glisse subtilement sa main près de la mienne, mais je la retire d'un coup.

— Je vous souhaite une excellente soirée à tous, termine le sergent.

— À vous aussi, Sergent, réplique ma mère d'un ton qui me paraît beaucoup trop aimable.

La patrouille effectue un salut militaire et sort de la maison.

Je me précipite à l'étage sans plus attendre et ouvre la porte de la chambre des garçons à la volée tandis qu'au rez-de-chaussée, ma mère s'emporte contre son mari, qui a été beaucoup trop loquace pour ne pas éveiller un minimum de soupçons. Je n'y porte pas trop attention et me concentre sur la petite silhouette dans la pièce.

Mon frère est encore là, au bord de la fenêtre, à attendre.

Le train n'est pas encore passé, mais je ne peux pas aller le voir avec lui dehors. La patrouille nous verrait. Je m'installe donc à la fenêtre sur sa gauche et attends que le train passe.

— Merci, Noah, dis-je en posant ma joue dans ma paume.

— Merci, Noah, répète-t-il. Ils sont partis ?

— Oui. Ils sont partis.

— Je ne les connaissais pas.

— Moi non plus.

— Ah.

Je souris et tourne la tête vers les rails où le train passe dans son habituel vacarme.

— Effie est née le 21 mai. Moi aussi. J'ai aussi 12 ans.

— Oui, tu as 12 ans, Noah.

— J'ai 12 ans. Effie est ma jumelle parce que nous sommes nés le même jour. Est-ce qu'elle me ressemble ?

— Un peu, oui.

— Mais nous ne sommes pas identiques.

Je souris et pivote de nouveau vers lui.

— Non, parce que tu as mes yeux, dis-je en tapotant le dessous de mon œil droit qu'il suit brièvement du regard.

— Je ne peux pas avoir tes yeux. Tu as tes yeux et j'ai mes yeux. Tout le monde a ses propres yeux. On ne peut pas avoir les yeux des autres.

Je ricane.

— Nos yeux ont la même couleur alors.

— Ça, c'est possible. Je ne sais pas de quelle couleur ils sont.

— Un mélange de bleu et de vert.

— Bleu et vert. Bleu comme le ciel ou comme l'océan ?

— Comme l'océan.

Le ciel est bien plus gris que bleu, c'est pourquoi je lui donne cette réponse qui semble le satisfaire bien qu'il n'ait jamais vu d'océans de sa vie ailleurs que dans les livres. Livres aussi peu nombreux que les ciels bleus en réalité.

— Et vert comme la pelouse ou les feuilles d'un arbre ?

— Comme les feuilles d'un arbre.

La seule pelouse que nous arrivons à voir par-delà les frontières et les clôtures est de l'herbe haute, jaunie et rêche à cause de la pollution. La pelouse, qui n'est verte qu'après les grandes pluies à l'automne, est quasi inexistante et bien trop souvent remplacée par du béton.

— Ah. Alors je sais de quelle couleur ils sont.

Je lui souris même s'il ne me regarde pas et me lève. Nul besoin de regarder l'heure pour savoir que je dois partir. J'ai déjà suffisamment tardé.

— Je dois y aller, Noah.

— Tu dois traverser ?

— Oui.

Je marche jusqu'à la porte quand il me dit :

— Je peux venir ?

Je pince les lèvres pour retenir mes larmes.

— Non, mon grand, je suis désolée. Je ne peux pas t'emmener.

— Tu ne peux pas ou ne veux pas ?

— J'en ai la volonté, mais je n'en ai pas le pouvoir, Noah.

— Ah.

— On se revoit plus tard.

— Plus tard.

Je marche jusqu'à ma chambre pour me changer.

Au fond, je comprends mieux Noah que je ne pourrais le croire. Sa pensée est claire, ses questions, justes et sa vivacité d'esprit, sans pareille. Ce ne sont que ses aptitudes sociales qui diffèrent de celles des autres. Parce que mon frère possède clairement une intelligence au-dessus de la moyenne, il suffit de la comprendre.

Dans l'heure qui suit, j'arrive au café, prête à travailler en cette soirée où la neige continue de tomber.

Vingt-huit

Je suis encore seule pour fermer ce soir.

Les flocons virevoltent dans les airs, s'accumulent au sol, remontent vers le ciel quand une bourrasque se remet à les faire danser. Le vent siffle aux fenêtres, couvre de dentelles glacées les carreaux. La neige frappe sur le verre comme un millier de rebelles en quête de liberté.

Je m'approche d'une des fenêtres, souffle doucement dessus. Les fleurs de givre disparaissent et un minuscule duvet s'y colle pour fondre aussitôt que j'y presse ma paume.

Je m'éloigne, nettoie les tables d'un air absent. Je pense aux flocons qui dansent sans musique et commence à chanter. Si je ne peux jouer du piano, personne ne m'empêchera de chanter. Lanz est parti en verrouillant la porte de son bureau derrière lui tout juste après s'être assuré au moins un milliard de fois – à des moments tous plus inopportuns les uns que les autres – que je n'étais pas pour lui faire faux bond et voler dans la caisse. Comme si, d'un instant à l'autre, il pouvait me prendre en flagrant délit et enfin détenir la raison qui lui permettrait de me foutre à la porte. Personne ne risque d'entrer, pas plus que je ne risque d'être distraite par qui que ce soit; je ne vois pas pourquoi il s'inquiète autant.

Je chante donc en nettoyant les tables pour les danseurs solitaires qui virevoltent dans ce jardin d'hiver derrière les carreaux de verre.

Je chante pour combler le silence de cette serre de givre.

Je chante pour exprimer ma peine d'avoir à dire au revoir à deux des hommes que j'aime dans les semaines à suivre.

Je chante en me disant que j'aimerais aussi pouvoir danser sous la tempête, sans tracas, sans rien d'autre qu'un bonheur minuscule au creux de la poitrine que je pourrais chérir jusqu'à ce que le soleil se lève sur un jour nouveau et que je trouve une nouvelle raison de danser.

Un espoir plus grand que le jour précédent.

— C'est vous qui devriez chanter à la place d'Henry.

Je sursaute et me retourne si promptement que mon chiffon tombe au sol. Dans mon énervement, je fais tomber trois chaises qui provoquent un vacarme dans le café. Vacarme qui ne l'affecte point, à ce que je peux constater, contrairement à moi qui m'affole plus que nécessaire.

— Emma, n'est-ce pas ? dit-il en avançant entre les tables pour remettre en place les chaises tandis que je continue de reculer.

Dans sa bouche, mon nom semble prendre tout son sens. Comparable à une mélodie d'un autre monde, d'un autre univers, quasi surnaturelle.

— Comment êtes-vous entré ? La porte était verrouillée, dis-je sans répondre à sa question.

Nayden secoue la tête, s'arrête à environ un mètre de moi. Une distance raisonnable considérant l'endroit où nous nous trouvons, mais trop loin pour que je puisse sentir son parfum.

Trop loin pour que ma peau effleure la sienne. Trop loin pour que je voie sa poitrine se soulever à chaque inspiration.

Trop loin, simplement.

Je recule d'un pas, récupère le linge à mes pieds.

— Je suis désolée, mais le bar est fermé. J'ignore comment vous êtes entré, mais vous devriez sortir. Maintenant.

— Je ne vous veux aucun mal.

— Et moi non plus. Sortez, s'il vous plaît.

Je lui désigne la porte d'un geste. Il ne bouge pas, il se contente de me regarder, indubitablement amusé par ma réplique. Je ne sens aucune hostilité de sa part. J'ignore seulement comment réagir à sa présence, à son calme, à son assurance. Bref, à lui. Ce garçon est déjà quelqu'un et quelqu'un d'important de surcroît. Moi, je ne suis qu'une pauvre fille qui cherche encore à définir la nature de son nom par la façon dont les autres le disent.

— Nous ne nous sommes pas présentés.

— C'est inutile, dis-je en secouant la tête. Je connais déjà votre nom.

Un mince pli se forme entre ses sourcils. J'ignore s'il est dû à de la surprise ou à un questionnement.

— Laissez-moi le faire quand même. Nayden Keyes, enchanté, dit-il.

Je me raidis. Mes doigts se tordent autour du chiffon quand il avance pour me tendre la main. Il doit bien faire 1 mètre 80, si ce n'est plus. Ce qui, pour ma petite taille plus particulièrement, demeure très imposant.

Ma main droite lâche le tissu et se tend vers la sienne. Ma minuscule paume aux longs doigts effilés glisse sur sa peau. Encore cet électrochoc qui me parcourt, cette sensation de suffoquer au creux de la poitrine et les mots qui se bousculent dans ma tête sans qu'aucun ne franchisse la frontière de mes lèvres.

Il attend toujours que je lui réponde. Je déglutis, mes yeux vont à gauche et à droite et, de nouveau, croisent les siens. Je désigne l'épinglette sur mon chemisier.

— Emma.

— Sans nom de famille ?

— Sans nom de famille, répété-je.

Mes jambes se sont transformées en coton et j'ai l'impression d'être ballottée par la mer. Je tangue d'un côté comme de l'autre, m'accrochant à sa main comme à une bouée. Le café est un océan et je ne suis à présent qu'une épave en son centre, bousculée par les émotions qui me submergent. J'étouffe au creux d'un vide océanique qui tient uniquement sur le bout de ses doigts connectés aux miens.

Il me sourit et je lâche sa paume pour tenter de nager seule.

Mes pieds me font reculer d'un pas vers le rivage, je me bute contre une autre table sans en faire tomber les chaises cette fois, mais je sursaute tout de même.

Je crois qu'il vient de se noyer dans mes yeux. Du moins, il nage, mais n'arrive pas à atteindre la berge, et j'ignore si je dois le sauver en détournant la tête. En continuant de le regarder, c'est mon radeau qui risque de sombrer plus loin encore.

— Pourquoi avez-vous refusé de prendre ma commande l'autre soir et tous les autres qui ont suivi ?

— Je ne sais pas.

Bien évidemment, mon mensonge se décompose avant même que je n'aie eu la chance de le faire mûrir. Mes joues se pigmentent de rouge et je pivote pour marcher jusqu'au bar derrière lequel je pose le chiffon dont je me suis servie.

— Je suis navré de n'avoir pu vous être d'aucune aide.

Il s'exprime trop bien. Je perds le fil dès l'instant où je croise son regard obstinément fixé sur la chose insignifiante que je représente.

— Je vous demande pardon ? dis-je en me redressant.

— Quand Lanz vous a frappée.

Mon visage se fige, ma mâchoire se crispe, mes lèvres se pincent. Je lève instinctivement ma main et j'effleure ma joue.

La tache violette a presque disparu. Je peux sans peine me remémorer le coup porté et les menaces qu'Adam et Caleb ont proférées en voyant cet hématome pourpre sur ma pommette et ma joue. Amusant tout de même de constater tout ce qu'ils peuvent dire en sachant qu'il leur est, à tous les deux, impossible de faire quoi que ce soit pour me défendre de ce que Lanz me fait.

De ce côté, mon patron, aussi exécrable qu'il puisse l'être, demeure à l'abri des deux hommes qui m'aiment le plus au monde. Tout ça en raison d'un mur et de quelques fils barbelés. Je regarde ailleurs, compte le nombre d'expirations qu'il me faut pour reprendre la parole ; quatre inspirations plus tard, je poursuis.

— Il n'y avait rien à faire de plus. Que vous ayez pris ma défense représente déjà beaucoup pour moi.

— Vous n'avez pas l'habitude que l'on prenne votre défense ?

Je suis tentée de répliquer, mais me ravise. Au contraire, on prend trop souvent ma défense et à mes dépens. Adam, par exemple. Or, je refuse de lui parler de mon frère. J'ai déjà fait l'erreur de lui dire mon prénom, je n'ai pas besoin de m'empêtrer encore davantage.

Un ange passe. Je romps le silence.

— Pour ma part, je ne vous ai pas remercié.

Il fronce les sourcils, s'assoit sur l'un des tabourets. En s'asseyant, il manifeste encore plus son refus de partir. Je poufferais de rire si je n'étais pas aussi mal à l'aise.

— Si, vous l'avez fait. Avant de sortir, je vous ai vue le murmurer.

C'est à mon tour de le dévisager. Seulement, je suis loin d'avoir la même expression que lui d'étampée sur le visage. Il est satisfait alors que, moi, je ronchonne en silence.

— Je ne crois pas, non, dis-je alors que je sais pertinemment qu'il a raison.

Je baisse les yeux sur le comptoir d'onyx. Je peux y voir son reflet dans la pierre ; il continue de me regarder. Je n'arrive pas à comprendre ce qui se passe et pourquoi il me fixe ainsi. Je ne ressemble pas à un membre de l'Élite, je suis bien moins jolie que Frieda et moins encore que Lisabeth. Pourquoi s'intéresse-t-il à moi et non à elles ? Je devrais peut-être lui demander ? Une autre fois, peut-être. Je suis ridicule, il n'y aura pas d'autre fois.

— Vous devriez y aller, dis-je en relevant les yeux vers lui.

— Vous fredonnez toujours comme ça ?

— Quoi ?

— Vous fredonniez.

— J'ai dû chantonner par inadvertance.

— Ce n'était pas un reproche, rétorque-t-il alors.

Je me dirige vers la porte pour la lui ouvrir et du même coup, lui dissimuler ma gêne, mais je constate qu'il n'a toujours pas bougé si ce n'est que pour me suivre du regard, légèrement amusé de voir que je me défile.

— Vous ne sortirez pas, c'est ça ?

Il secoue la tête. Je tourne le verrou pour de bon. Je vais devoir le faire sortir par la porte des employés.

— Où avez-vous appris à chanter ?

J'arrête de respirer. Je cherche mes mots. *Réponds, Emma, allez !*

— On peut se tutoyer si tu veux ? lâche-t-il un fin sourire aux lèvres.

— C'est d'accord.

Je réponds à son sourire et lève les yeux vers l'horloge au-dessus du bar.

— Il faut que j'y aille.

Je passe près de lui pour me diriger vers la salle des employés. À cet instant, il se lève. Sa main effleure mon poignet. Il le fait exprès, c'est certain. Je sens aussitôt cet échange de tempête entre nos deux corps et pourtant, tout ce qu'il touche de moi, c'est l'épiderme de mon poignet.

Ce même échange de tempête. Sable et glace. Glace et sable, encore et encore à en créer un champ magnétique suffisant pour désaxer la Terre. Le temps ralentit tout autour. Chaque seconde me semble enfin durer une éternité. Éternité éphémère que je savoure bien plus que je ne le devrais en réalité.

Il s'éloigne légèrement pour me laisser passer, mais j'ai cessé de bouger et de respirer depuis plusieurs secondes déjà.

Le tic tac de l'horloge m'arrache à ma rêverie et me projette à un niveau gravitationnel plus respectable. Je me tourne vers l'horloge : il est 23 h 30. Je dois partir, je suis déjà plus qu'en retard.

— Il faut vraiment que j'y aille.

Je cours jusqu'à la salle des employés, empoigne mes vêtements et me change derrière le paravent à toute vitesse. La porte s'ouvre au moment où j'en ressors en replaçant mon chandail sur mes hanches. *Il entre juste comme ça, lui ?*

Il s'arrête sur le seuil, me scrute de ses iris qui me font penser à un fugace lever de soleil contre la colline la plus verdoyante du monde. Ce moment exact où l'étoile de notre monde semble embraser la Terre. *Cette couleur existe vraiment ?* Je baisse les yeux au plancher.

— Emma ?

— Oui ?

— Seras-tu là demain ?

Je hausse légèrement les sourcils. C'est la première fois qu'on me demande si je serai là le lendemain. La première fois que quelqu'un souhaite délibérément me revoir de ce côté du mur. Je dissimule ma surprise en enfilant mon manteau.

— Et toi ?

— Seulement si tu l'es, réplique-t-il du tac au tac.

— Alors j'y serai, dis-je en rougissant, incapable de le regarder en face.

Je tends la main vers la porte après avoir lacé mes bottes et le laisse sortir avant moi. Je sors en tirant ma capuche sur ma tête. Je lève les yeux pour regarder les flocons de neige tomber. Nayden me regarde, les lèvres étirées en un demi-sourire à faire fondre toute la neige au sol.

J'ignore s'il attend que j'avance, mais il ne bouge pas d'un centimètre. Un flocon tombe sur mon nez et je recule d'un pas, les yeux rivés sur la pointe où s'est posé le petit cristal de glace. Il tend le doigt vers lui et le récupère délicatement. Mon visage se fend d'un sourire et je me perds de nouveau dans son regard. J'ignore pourquoi, mais j'en oublie jusqu'à la raison de ma présence ici.

À cet instant, il n'y a que cette ruelle, lui et tous les flocons qui continuent de danser. Peut-être m'entraînera-t-il dans la prochaine danse afin qu'encore sa peau puisse toucher la mienne ?

Mon instinct rationnel me ramène à l'ordre et mon sourire s'éteint peu à peu. En plus du souvenir de Caleb. Pourquoi arrivé-je à penser à Nayden de cette façon ? Caleb est toujours là contrairement à lui, et je le connais depuis bien plus longtemps. De quel droit je me permets de l'oublier ainsi ? Jamais il ne ferait une chose pareille, alors je n'en ai pas plus le droit.

N'oublie jamais d'où tu viens, m'a un jour dit ma mère un soir où j'allais traverser. Et c'est exactement ce que je suis sur le point de faire. Voire même, en oublier les vraies personnes qui tiennent à moi de *mon* côté de la République. *Ne te laisse pas avoir par un inconnu, pauvre idiote,* pensé-je alors.

Je recule dans l'ombre jusqu'à m'y fondre, les yeux toujours perdus dans les siens. J'ignore s'il me voit toujours ou s'il ne fait que fixer l'endroit où il croit que mes yeux se trouvent.

Je recule de plusieurs pas jusqu'à ce que l'obscurité l'envahisse, lui aussi, et que je sois forcée de détourner le regard.

Je pivote et cours à la frontière. J'ai le cœur chargé d'adrénaline. Du sang bouillant coule dans mes veines réchauffées par sa simple vue. L'air glacé fait brûler mes poumons. Mes muscles frigorifiés s'échinent à me faire courir et à me ramener au plus vite de mon côté de la frontière.

J'ai beau vouloir rester fidèle à Caleb, Nayden m'a fait plus d'effet que je ne voudrais l'admettre. Je ferme les yeux quelques secondes et me maudis intérieurement. Ce n'est pas comme s'il était question d'un dilemme ! J'aime Caleb.

C'est tout ce qui importe. Je n'ai pas à me questionner plus longtemps.

J'ignore tout de Nayden et de ses intentions. Je ne dois faire confiance à personne de ce côté. Ce n'est pas avec lui que je baisserai ma garde non plus. J'ai d'autant plus intérêt à la redoubler en sa présence s'il peut arriver à me faire chavirer d'un simple regard.

Quand j'atteins finalement le mur, Caleb m'attend. Si seulement j'avais su...

Vingt-neuf

Je passe dans la mince ouverture. Caleb ne se retourne pas. Je dois légèrement m'exposer à la lumière pour qu'il pose enfin les yeux sur moi.

— Que faites-vous ici, Mademoiselle ?

Mes yeux s'arrondissent et mes lèvres s'entrouvrent d'un étonnement que je ne peux dissimuler.

— Caleb ? C'est moi, Emma.

Je tends la main vers son épaule. Il recule d'un pas. Je n'ai pas besoin de le toucher pour savoir qu'il est tendu à l'extrême. Je le vois à son regard, au ton qu'il emploie, mais plus encore à sa posture. Droite et implacable. Je ne l'ai jamais vu de la sorte. Ça n'a rien du Caleb que je connais.

— Comment êtes-vous arrivée ici sans que je vous voie ? Vous avez enfreint la loi ! Que faites-vous ici ?

— Caleb, c'est moi ! C'est Emma !

La consternation se lit à présent sur son visage alors que le mien est déformé par la peur.

Il ouvre la bouche pour répliquer sans qu'aucun mot en sorte. Il détourne le regard. Sa respiration se fait de plus en plus rapide et j'ignore pourquoi. Son expression se métamorphose en détresse dont je m'évertue à identifier la cause. Je m'approche encore, malgré son recul précipité.

— Caleb, regarde-moi. Je m'appelle Emma Kaufmann. Je suis la sœur de ton meilleur ami, Adam Kaufmann. Tu es caporal ici, à la frontière entre les deux côtés.

Il fait marche arrière jusqu'à ce que son dos se retrouve contre le mur. J'empoigne son visage entre mes mains glacées, la tentation étant plus forte que celle de rester à l'écart.

Mon contact semble le saisir sans pour autant qu'il soit en mesure d'identifier mon visage. Il n'a aucune idée du nom que je lui répète tout en cherchant dans ses yeux gris l'étincelle qui fera en sorte qu'il se souvienne de moi.

L'essentiel, c'est qu'il ne se dérobe pas à mon toucher, il reste là à attendre je ne sais quoi tandis qu'en moi, la panique monte parce qu'aucune braise ne vient allumer ses yeux.

— Caleb ! Tu t'appelles Caleb Fränkel et tu as 19 ans.

— Je sais comment je m'appelle..., marmonne-t-il froidement en me regardant dans les yeux.

Il cherche encore à m'identifier, me scrute à la loupe de ses yeux que je connais si bien. Il se connaît lui, mais ne me connaît pas *moi*. Pourquoi reste-t-il là, d'ailleurs ? Sans rien faire ? Il pourrait donner l'alarme et je serais à la fois accusée de bris de frontière et de violation du couvre-feu. Pourquoi ne fait-il rien ?

— Moi, je suis Emma. Emma Kaufmann. Souviens-toi, je t'en prie !

Il a perdu son air agressif du départ, mais il est encore sur la défensive, sans pour autant être hostile comme il l'était dans les premières secondes.

— Pourquoi devrais-je me souvenir de vous ?

Mes épaules s'effondrent. Mon cœur s'est transformé en neige qui ne tardera pas à fondre aux premières chaleurs jusqu'à n'être qu'un laconique souvenir au creux de mon âme. Exactement comme ce que je représente pour lui présentement. Je laisse retomber mes mains contre mon corps. Mes yeux se remplissent de larmes.

— Parce que tu es amoureux de moi, Caleb.

La première de mes larmes roule sur ma joue et je ne fais rien pour la retirer de mon visage. Il s'est détendu, il semble à présent désolé. Un mélange de désolation et de malaise de me voir pleurer, sans qu'il soit toutefois en mesure d'éprouver de l'empathie pour moi.

— Je suis désolé... Je ne m'en souviens pas.

Je recule dans l'ombre jusqu'à ce que mon dos soit acculé à l'alcôve et que je sente la brique rude contre la paume de mes mains.

Caleb passe une main sur son visage, l'arrête sur ses lèvres qui ont jadis connu le goût des miennes sans qu'il s'en souvienne. Pourquoi ai-je disparu de sa mémoire ? Pourquoi ne se souvient-il de rien ?

Je ne peux pas rester là à en supporter davantage.

S'il ne se souvenait bel et bien pas de moi, il y a longtemps qu'il m'aurait fait taire et que je serais en prison, attendant ma sentence. Alors une part de lui se souvient toujours. C'est sans doute cette part de lui qui lui donne la clémence de m'épargner ce soir-là et qui me permet de m'échapper en courant sans qu'il me retienne.

Je cours jusqu'à la maison le visage ruisselant de larmes. J'ai beau vouloir être silencieuse en arrivant, je claque la porte et m'effondre sur le sol de la cuisine, le visage entre les mains. Adam descend les marches à toute vitesse et se précipite vers moi.

— Emma, que se passe-t-il ? me demande mon frère en éloignant mes mains de mon visage pour que je le regarde.

— Caleb ne se souvient plus de moi.

— Quoi ? s'exclame-t-il à mi-voix.

— Il ignore qui je suis. Je ne comprends pas. Je ne sais pas pourquoi ni même comment...

— Comment peut-il t'avoir oubliée ?

Je hausse les épaules, secouée de sanglots.

— Je ne sais pas, Adam... Je ne sais pas. Tu imagines s'il me dénonçait ? Il m'a vue en dehors des heures permises et tout près du mur ! Je lui ai dit mon nom pour qu'il se souvienne de moi ! Il pourrait nous retrouver et me dénoncer. Il...

— Emma, arrête. Calme-toi. Il t'a laissée partir, c'est l'essentiel. Nous nous occuperons du reste en temps et lieu. C'est compris ?

Il serre doucement mon visage entre ses mains. J'attends que ma respiration ralentisse avant d'acquiescer. Je me détends et me blottis dans ses bras quand il me les tend.

— Ça va aller, Coccinelle. Je connais Caleb, il reste quelqu'un de bien et de gentil.

— Comment est-ce possible, Adam ? On n'oublie pas quelqu'un comme ça !

— Je l'ignore... Quoi qu'il en soit, personne ne viendra te faire de mal ici cette nuit, c'est promis.

— Ne promets pas une chose sur laquelle tu n'as aucun contrôle.

— Je te promettrai tout ce que tu voudras jusqu'à ce que tu sois rassurée, Emma.

Je resserre mon étreinte un petit moment pour me donner la chance de me ressaisir. Quand je m'éloigne, je lui pose la question qui chatouille mes pensées un minimum de cinq fois par jour si ce n'est plus.

— Quand entreras-tu dans les rangs ?

— Dans deux semaines.

— Avant tes 19 ans ? dis-je les yeux ronds.

Mon frère acquiesce.

— Je suis allé porter ma demande après que tu sois partie pour traverser. Elle a été acceptée sur-le-champ. J'entre en fonction la semaine prochaine, mais j'ai un délai supplémentaire pour faire mes bagages.

— Tu pars déjà, alors ?

Mon frère grimace et soupire.

— Nous avons encore le temps, Emma. Ne t'en fais pas.

Mon regard bifurque vers le sol.

— Nous avons le temps, Em. OK ? répète-t-il devant mon silence.

— OK.

— Viens, tu dois aller dormir avant que le soleil ne se lève. Jusqu'à preuve du contraire, tu as des cours demain.

Je fais la grimace et lui tends les mains pour qu'il m'aide à me relever.

— Et toi, tu ne dors jamais ?

— Je dormais jusqu'à ce que je t'entende claquer la porte.

Le couloir s'éclaire à l'étage au moment où je retire mes bottes et mon manteau.

Mon père descend en passant une main sur son visage encore endormi.

— Qu'est-ce qui se passe, les enfants ? Est-ce que tout va bien ?

— Oui, dis-je en m'approchant, Adam sur mes talons. Tout va bien, juste quelques petits ennuis.

— Rien de grave, j'espère ?

Mon frère secoue la tête pour moi.

— Non, papa. Nous allions dormir justement.

— Bien. Tu es certaine que ça va, ma princesse ? me demande mon père en inclinant la tête sur le côté.

— Oui. Je suis fatiguée.

— Tu ne me mens pas, hein ?

— Non, je ne te mens pas. Je suis vraiment épuisée, c'est tout.

Et c'est la stricte vérité. Mes paupières sont lourdes et je tombe de fatigue. Je m'efforce de rester sur mes pieds et de garder les yeux ouverts.

Il fronce les sourcils un moment, puis finit par opiner d'un coup de menton.

— Je te fais confiance, Emma. Tu sais ce que cela signifie, pas vrai ? Ne me donne pas de raisons de perdre la foi que j'ai en toi. C'est compris ?

— Oui, papa.

— Bien. Montez, les enfants, nous dit mon père en nous désignant l'escalier d'un geste.

Je monte aussi rapidement que mes jambes fatiguées me le permettent. Je souhaite bonne nuit à mon père et à mon frère avant d'entrer dans ma chambre où Effie dort à poings fermés, comme toujours.

Si seulement je pouvais dormir aussi bien qu'elle ne serait-ce qu'une seule nuit ! Il faut croire que ce privilège-là non plus ne m'est pas accordé. Pas plus que celui d'avoir l'esprit tranquille.

Trente

C'est toujours quand je voudrais que le temps avance plus vite qu'il s'arrête. Quand les minutes sont longues, comme stagnantes dans un espace vide. En classe ces temps-ci, je n'ai jamais connu de secondes si pénibles que celles-là. Depuis que je traverse, l'école est une torture bien plus qu'un enrichissement intellectuel. Alors qu'il y a quelque temps j'aurais tout donné pour être ici, pour rien au monde maintenant je ne voudrais être là, à cet instant, à cette longue seconde, pendant cette pérennité où il me semble qu'un milliard de choses plus importantes se déroulent.

Je compte les tuiles au plafond pendant mon cours de mathématiques alors que monsieur Dinkel nous explique une théorie supplémentaire qui ne me servira jamais à quoi que ce soit dans les années à venir. J'aime les mathématiques. J'aime leur rationalité. J'aime le fait qu'il ne peut y avoir que des réponses logiques et sensées. Mais je sais que, dans la République où je vis, cet enseignement ne me servira pas à grand-chose. Sauf peut-être à voir les choses d'un œil plus objectif encore.

J'ai encore les yeux au plafond quand une énorme boule de papier me frappe la tempe gauche. Je sursaute et je me tourne vers Ariane qui me fait les gros yeux. Elle pointe avec empressement le papier qui vient de rebondir au sol. Échanger ce genre de missive en classe est strictement interdit et passible de retenue. Si Ariane m'envoie un message, c'est qu'il y a sûrement urgence.

Je me penche rapidement vers le papier et le récupère en le glissant sous mes cahiers. Je le déplie le plus silencieusement possible et tâche de ne pas me faire prendre en le lisant :

Emma, qu'est-ce qui se passe chez toi ? Ton frère s'est enrôlé ?! Rumeurs ou pas ?

Je me tourne vers elle et fais la moue. Ce ne sont pas des rumeurs. Malheureusement. Les yeux d'Ariane s'agrandissent de surprise. Je lui fais signe que je lui en parlerai plus tard et tente de concentrer mon attention sur monsieur Dinkel.

Cet enseignant est aussi palpitant qu'un mur de verre. Quoiqu'à mon avis, même le mur de verre l'est davantage. Lui au moins nous renvoie une réflexion, filtre la lumière du soleil pour la décomposer en fragments de couleur. Attire le givre, se moule, se fond, se grave.

Après réflexion, mon enseignant ressemble davantage à une enregistreuse défraîchie. Un ton monotone et grave. Une expression imperturbable étampée en permanence. Le parfait robot de la République.

La cloche nous libère enfin et j'attends Ariane pour sortir avec elle. Elle aborde le sujet immédiatement.

— Pourquoi s'est-il enrôlé ? Il avait un emploi, non ?

— Si, seulement il l'a perdu. Les temps sont difficiles, Ariane. L'hiver arrive et ils seront plus durs encore. L'hiver sera long, je le sens.

Ma meilleure amie grimace, puis acquiesce.

— Je souhaite de tout cœur que Raphaël n'ait jamais à faire ça.

— Il est encore jeune, ne te torture pas avec ça.

— Tu as raison. Et Noah ? Comment crois-tu qu'il acceptera la nouvelle ?

Je hausse les épaules, ouvre mon casier.

— Je ne sais pas. Ce sera une perturbation pour lui, c'est clair, mais il s'y fera à la longue.

— J'imagine. Il faut surtout que...

— Tiens donc ! Regardons qui nous avons là ! s'exclame une voix dont la simple intonation m'écorche les oreilles.

Je me crispe avant même d'avoir tourné la tête vers Alec O'Dell.

— Kaufmann et Moscovitch ! Ton frère n'est pas là cette fois, Emma. Que vas-tu faire sans lui ?

Je regarde autour. Le couloir est déjà vide. J'ignore si c'est un phénomène provoqué par sa bande, mais il me semble qu'il ne reste jamais qui que ce soit dans les parages quand il débarque.

— Va-t'en, O'Dell ! Je sais ce que tu lui as fait, pourriture. Ta bande et toi n'êtes que des salauds. Dégagez avant que je ne vous fasse partir moi-même !

Ariane a toujours eu énormément de caractère et n'a pas la langue dans sa poche qu'en classe. Si nous avons des ennuis, elle sera la première à s'avancer pour nous défendre. Un trait de caractère des rousses, j'imagine. Seulement, elle est aussi imposante que je le suis ; c'est-à-dire pas du tout.

— La ferme, Moscovitch. Qu'est-ce que tu vas faire de toute manière ? Nous lancer tes chaussures au visage ? ricane-t-il, provoquant des éclats de rire gras dans le reste de sa bande.

— Viens, Ariane.

J'empoigne son bras et l'éloigne le plus vite possible. Malheureusement, ils s'empressent de nous rattraper et deux des cinq nous bloquent le passage. Nous nous arrêtons brusquement, puis bifurquons à droite dans le couloir qui mène à l'extérieur. Nous ne faisons pas le poids face à ces cinq hommes. Il faut trouver un moyen de nous enfuir.

Je tourne de nouveau, sur la gauche cette fois, prenant le plus de virages que me le permettent les couloirs de l'école, jusqu'à ce que nous puissions trouver une sortie ou, à la limite, un escadron qui pourra nous venir en aide.

— Emma, où est-ce qu'on va? me demande Ariane en me suivant d'un pas rapide.

— Il faut sortir.

— Comment fais-tu pour les semer si vite?

— On ne les a pas encore semés, rectifié-je en jetant un coup d'œil par-dessus mon épaule pour constater qu'ils nous suivent toujours.

Je reporte mon attention sur l'avant et accélère au pas de course quand je vois un type de leur bande dans le virage suivant à gauche. Je prends donc à droite avec Ariane, mais ils parviennent à nous rattraper quand même. Je pousse à la volée la porte qui mène à l'extérieur et nous sortons dans l'air glacial.

— Ariane, cours!

— Quoi? s'écrie-t-elle en se tournant vers moi.

— Cours, va-t'en!

La porte s'ouvre de nouveau derrière nous. Je pivote au moment où le chef de la bande me pousse si violemment que je me retrouve au sol. Je tombe dans la neige à m'en glacer les os alors qu'un autre tente de s'en prendre à Ariane. Je me débats jusqu'à ce que je parvienne à frapper O'Dell au visage et me précipite vers mon amie. À cet instant, un escadron arrive, avec à sa tête un caporal que je connais comme le fond de ma poche: Caleb.

Il empoigne Alec par le collet et lui envoie un crochet au visage suffisamment fort pour que sa pommette se fende et que le rouge de son sang vienne éclabousser les flocons de neige. Le reste des soldats s'occupent des autres garçons, qui se retrouvent tous dans l'impossibilité de riposter en quelques secondes à peine. Ariane s'accroche à ma main glacée. Et aussi ridicule que cela puisse paraître, j'en ai assez de me faire sauver *in extremis* sans arrêt.

— Caleb Fränkel ! Ça fait longtemps ! s'exclame Alec en crachant du sang dans la neige.

— La ferme, lui ordonne Caleb. Amenez-les tous à la Direction. Nous verrons bien ce qu'ils décideront de faire avec eux. Je vous rejoins dans quelques minutes.

— Bien, mon Caporal. À vos ordres.

— Caporal ? répète Alec d'un ton condescendant. J'ignorais que tu étais caporal à présent ! Il fallait que...

Un autre coup directement sur le nez et la bouche le fait taire, et il se retrouve projeté au sol, le bas du visage couvert de sang. Je crois bien qu'il a une dent cassée.

— Je t'ai dit de la fermer, O'Dell, gronde Caleb en l'agrippant par le haut de la chemise pour le relever et le pousser vers le groupe de garçons et de soldats.

À ce que je vois, il n'a pas oublié le nom de cet ancien camarade de classe contrairement au mien. En quoi ce vaurien est-il plus important que moi pour lui ?

— C'est bon, je me la ferme, marmonne O'Dell en crachant un nouveau filet de sang, tellement sonné que j'ai l'impression qu'il risque de tomber dans les pommes.

Le caporal acquiesce et ses soldats entrent dans l'établissement en escortant le récalcitrant.

J'entends Caleb se tourner vers nous, mais j'ai le regard rivé au sol. Je ne peux pas le regarder en sachant que les yeux que je croiserai ne me reconnaîtront pas.

Ariane le connaît un peu moins bien que moi, mais elle le connaît assez pour savoir comment il s'appelle. Et aussi pour savoir que nous sommes amoureux l'un de l'autre.

Il approche de quelques pas et je sens les larmes affluer au coin de mes yeux.

— Vous allez bien, Mesdemoiselles ?

— Voyons, Caleb ! pouffe Ariane. Tu n'as pas à nous parler comme ça, tu sais qui...

Je lui donne un coup de coude dans les côtes, qui la fait taire instantanément. Elle se tourne vers moi, le regard furibond, et dès qu'elle croise mes yeux, sa colère tombe. J'ignore si elle a compris, mais il est clair qu'elle me réclame des explications.

— Oui, nous allons bien. Merci, Caporal Fränkel, dis-je en relevant suffisamment la tête pour qu'il voie mon maigre sourire.

Un voile passe devant ses yeux. J'ai la vague impression qu'il parvient à me reconnaître, mais ce n'est sûrement qu'en raison des évènements de la veille.

— Mademoiselle ?

— Moscovitch, lui répond Ariane.

— Mademoiselle Moscovitch, vous voudriez bien entrer, j'ai quelques mots à dire à votre amie.

— Oui, bien sûr. Je t'attends à l'intérieur, Emma.

— D'accord, dis-je tout bas.

Je tire les manches de mon cardigan sur mes paumes. Je suis frigorifiée, mais j'essaie de ne pas le laisser paraître. Mes lèvres seront bientôt pourpres si je reste trop longtemps dehors. Je relève la tête vers Caleb, qui a attendu qu'Ariane entre dans l'établissement avant de m'adresser la parole.

— Emma Kaufmann, c'est ça ?

— Oui.

— Je ne vous ai pas dénoncée, Mademoiselle, alors que j'aurais pu.

— Je vous en remercie, Caporal.

Il fait un pas dans ma direction, passe une main autour de sa nuque. Il fait toujours cela quand il est nerveux. Je connais chacune de ses manies depuis des années déjà. S'en souvient-il seulement ?

— Et j'ignore pourquoi, mais vous semblez me connaître alors que ce n'est pas réciproque.

Mon visage se tourne vers le sol. Un léger éclat, s'apparentant davantage à une expiration sèche, saute d'entre mes lèvres glacées. Je frissonne et il me désigne la porte de l'établissement d'un geste candide.

— Rentrons ou vous allez mourir de froid, ricane-t-il doucement tout en m'ouvrant la porte.

Il m'entraîne un peu plus loin, dans le boudoir, à l'écart de la porte menant à l'extérieur, peu fréquenté et fort probablement abandonné puisqu'il ne semble pas y avoir vraiment plus de chauffage, avant de poursuivre :

— Pour ça, je vous dois des excuses. Je crois vous avoir blessée l'autre soir et...

Je le coupe :

— Caleb.

— Oui ?

Je m'approche, pose ma main sur sa poitrine par-dessus son uniforme, à l'endroit où se trouve ce cœur qui me semblait jadis battre au même rythme que le mien. Ce n'est plus le cas à présent. Il a arrêté de respirer pendant un bref instant.

J'observe mes doigts sur le tissu de son manteau blanchi par le froid plusieurs secondes avant de relever la tête vers lui, de croiser ses yeux identiques à un ciel d'orage en été.

Un mélange de sombres nuages gris et d'espoir que le beau temps revienne.

— Pourquoi est-ce si douloureux de vous regarder, Emma ? murmure-t-il.

Je refuse de répondre, j'en suis incapable de toute façon. Il approche son visage du mien. Nos fronts s'effleurent, ma main s'accroche à son uniforme. La douleur est trop grande. Je recule d'un pas, laisse retomber mes doigts, en fais un autre vers la porte. Un pas qui me rapproche de cette solitude monstre et qui m'éloigne de sa chaleur.

— Je suis sûrement un homme fou, mais... Si vous avez encore à traverser, je vous laisserai passer.

Je me tourne vers Caleb, tente de cacher mon air stupéfait.

— Je garderai le secret, renchérit-il.

— Vous feriez ça pour moi ? Pour une inconnue ?

Caleb secoue la tête.

— Vous n'êtes pas une inconnue, Mademoiselle Kaufmann.

Le plus difficile, c'est de regarder dans ses yeux et de voir qu'il est toujours là, mais que ce n'est plus le Caleb que j'ai connu. C'est quelqu'un qui lui ressemble, qui parle comme lui, qui a sa voix, son visage, sans pour autant être lui. Sans pour autant être celui que j'aime. Et pourtant... pourtant... pourtant... je sais qu'il est là derrière. Que le Caleb que j'aime, et qui m'aime, est toujours là. Que cette amnésie n'est que temporaire, du moins je l'espère.

— Allez vous réchauffer ou vous allez finir en bloc de glace, dit-il en posant sa main à quelques centimètres de la mienne sur la poignée de la porte menant à un autre couloir. La chaleur me submerge comme un vent d'été et je sens tous mes muscles se détendre sous l'effet de la température au-dessus de la barre du zéro.

Je marmonne un « au revoir » et m'éclipse dans un second couloir jusqu'à un vestiaire où j'ai souvent dîné avec Ariane. Je me laisse choir le long du mur derrière une série de casiers vides sous une fenêtre contre laquelle des flocons dansants se butent. Je tremble des pieds à la tête, grelottant comme si tous mes os allaient se briser sous l'impact de mes soubresauts.

J'ai trop mal pour pleurer. Toute l'eau que j'ai en moi s'est gelée, transformée en cristaux de glace que je n'attends qu'à lancer par la fenêtre pour qu'ils aillent éclater au sol. Je me sens tellement vide.

Pourquoi Caleb m'a-t-il oubliée ? Pourquoi veut-il continuer de me protéger alors qu'il ignore totalement qui je suis ? Au fond, peut-être m'aime-t-il encore ? Je l'espère tellement, tellement...

— Emma ?

C'est la voix d'Ariane dans l'entrebâillement de la porte. Je lui fais signe de la main. Elle approche au pas de course et s'assied à ma droite. Elle dépose mon sac sur mes genoux et l'ouvre.

— Mange. Tu n'as rien avalé depuis de longues heures déjà. Et la période qui nous est octroyée pour le dîner est presque terminée. À ce que je vois, tu es frigorifiée aussi.

Elle retire sa veste et me la passe sur les épaules par-dessus mon cardigan.

— Je n'ai pas faim.

Ma voix ressemble à un murmure discordant, faible, pitoyable. Ariane tire l'une de mes mèches vers l'arrière.

— Je suis désolée.

Les trois mots qu'elle prononce ont pour effet de faire fondre toutes mes larmes de glace qui jaillissent à flots sur mes joues, qui commencent à rougir sous l'effet de la chaleur.

Elle sait, et c'est tout ce qui importe. Je la serre du peu de force qui me reste dans ce corps si frêle et si vide.

Elle passe ses bras autour de mes épaules et je me laisse bercer par ma meilleure amie qui partage mes larmes sans même que j'aie à m'expliquer. Ici, il n'y a aucun surveillant pour venir nous l'interdire.

— Ça va aller. Tu es forte, tu vas te relever, me dit Ariane en prenant mon visage entre ses mains. Tu verras, aie confiance.

Je hoche la tête et sèche mes larmes. Ce n'est pas en pleurant que je ferai revenir le souvenir de mon existence à la mémoire de Caleb.

Trente et un

Quand la cloche annonçant la fin du dîner sonne, elle est tout de suite interrompue par une annonce de notre bien-aimé directeur.

— Chers étudiants, vous êtes priés de bien vouloir vous rendre au centre de la cour. Merci.

Une phrase, rien de plus. Ma meilleure amie fronce subtilement les sourcils puis me tend la main pour m'aider à me relever. Je n'avais pas la tête à sortir des toilettes et elle non plus, alors nous avons préféré rester ici.

— Tu crois que c'est pour O'Dell et les autres ? demandé-je en replaçant ma jupe.

— Je ne sais pas.

Je hausse les épaules et inspire profondément.

— Allons voir.

La foule est déjà rassemblée autour de la cour et nous devons nous faufiler entre les élèves de longues secondes avant d'atteindre un endroit assez à découvert pour nous permettre de voir ce qui va se passer. Et c'est exactement ce que nous pensions.

Il fait froid, le vent nous glace les os, faisant frissonner notre peau, mais ce qui nous glace encore davantage, c'est la terreur dans nos yeux. Alec et sa bande sont à genoux, les mains liées derrière le dos, en attente.

Le visage tuméfié pour la plupart et les yeux apeurés furetant de tous les côtés. Nous savons tous ce qui les attend. L'humiliation publique. Et pour être parfaitement honnête, j'attendais ce moment depuis terriblement longtemps. L'humiliation, oui, le châtiment corporel qui l'accompagne, non.

— Oh seigneur ! Ils vont les fouetter ! dit une fille à ma droite en portant une main à sa bouche.

— Ils s'en sont pris à une fille, à ce qu'il paraît. J'ignore qui, mais ce n'était pas la première fois. Le caporal Fränkel a choisi de les faire payer, il faut croire, rétorque sa copine.

— C'est horrible ! couine la première.

— Pas du tout. Tu t'imagines s'ils s'en étaient pris à toi ? Non. Être à la place de cette fille, je remercierais le ciel de les voir payer.

— C'est de sa faute à elle. Elle n'avait qu'à ne pas s'attirer d'ennuis. Je suis persuadée qu'ils ne le méritent pas vraiment. Ce ne doit être qu'une garce, de plus, qui n'a pas compris qu'il fallait se taire et qui s'est attiré des ennuis. Sûrement Kaufmann. À ce qu'il paraît, elle fait partie de celles qui sortent la nuit pour faire de l'argent. Si tu savais le nombre de rumeurs qui circulent sur elle, je me demande encore comment c'est possible qu'elle puisse vivre dignement tout en sachant ce qu'on raconte sur elle. À sa place, je...

— La ferme, lâche une troisième fille en se tournant brièvement vers les deux filles, coupant celle qui monologuait contre moi.

Cette dernière, légèrement offusquée de s'être fait couper la parole, jette un coup d'œil sur sa droite pour suivre le regard lourd de celle qui l'a interrompue et réalise que je suis juste à côté. Son visage s'empourpre, et Ariane la fusille du regard, le poing serré, prête à le lui balancer au visage, je n'en doute pas une seconde.

Je baisse instinctivement le regard sur mes mains glacées, compte le nombre de respirations qu'il me faut avant de reprendre le contrôle et d'être en mesure de regarder devant moi sans avoir envie de me mettre à pleurer. Ariane glisse sa main autour de mon poignet, qu'elle serre doucement.

— Tu vaux plus que ça et tu le sais, Emma, murmure-t-elle tout bas. Reste forte.

J'opine d'un léger coup de menton avant que mes membres ne se mettent trop à trembler.

Le premier coup de fouet claque contre le dos d'Alec O'Dell avant même que nous ayons eu la chance de nous y préparer.

Quelques cris de stupéfaction sont lâchés ici et là parmi les élèves. Je les comprends tout à fait; pour ma part, c'est un sursaut qui me saisit. Le pire cri reste celui du garçon au centre de la cour et sur lequel le fouet s'abat. Il s'arque sous l'impact, et la douleur déforme son visage.

Le claquement se reproduit aussitôt, suivi d'un troisième, puis d'un quatrième. Je les compte tous. Jusqu'à dix. Un tressautement me saisit chaque fois.

Je ne ressens plus le froid. Je suis plutôt prise d'un mélange de pitié et d'horreur. Je suis persuadée que, de l'Autre Côté, il n'est pas du tout question de ce genre de châtiment. Alec s'effondre dans la neige, le visage crispé, couvert de larmes qu'il n'a pu retenir et le dos strié d'estafilades rouge vif. Son petit frère se précipite vers lui, mais il est rapidement retenu par un des soldats de l'escadron de Caleb. Ce dernier observe la scène, les lèvres légèrement crispées.

Il n'a jamais apprécié ce genre de châtiment, exactement comme moi, et maintenant qu'il doit l'appliquer, cela doit être encore pire. Ses yeux croisent les miens. Il hésite à se prononcer et, moi, j'hésite à le regarder plus longtemps.

O'Dell cherche dans la foule pendant qu'on le redresse. Ses yeux la scrutent dans l'espoir qu'on ne voie pas sa douleur mêlée à de la colère. Mon menton se baisse d'un geste vif.

Je ne veux pas qu'il me voie et j'ai soudainement honte de ne pas être en mesure de le regarder en face alors que je le devrais. Je devrais être satisfaite de le voir souffrir et pourtant il n'en est rien. Est-ce donc cela, le fait d'être humaine ? De se sentir coupable, d'avoir de l'empathie, même quand nous n'en avons aucune raison ?

Deux soldats redressent Alec et l'amènent plus loin tandis que le reste de sa bande subit la même sanction que lui, cinq coups de fouet en moins.

Au second, j'en ai assez vu ; j'entraîne Ariane, qui en a assez elle aussi. Je jette un coup d'œil par-dessus mon épaule, regarde Caleb une dernière fois.

Il hoche subtilement la tête et j'en fais de même. Nous nous sommes compris sans avoir à dire quoi que ce soit. Ils ont eu ce qu'ils méritaient, point barre. Je n'ai plus rien à faire ici au premier rang.

Je croise le regard d'Adam, un peu plus loin, qui acquiesce à son tour. Il semble satisfait, mais crispé tout à la fois. Il sait parfaitement ce que ces adolescents ressentent. Il l'a lui-même vécu. Quant à Effie, elle est introuvable. Je suis contente qu'elle n'ait pas assisté de trop près à cette sanction. Du moins, je l'espère puisque je ne l'ai vue nulle part dans la cour intérieure. Si elle n'y a pas assisté d'aussi près que moi, elle le saura bien assez tôt de toute manière. Nous avons beau avoir tous été conviés, il est fort probable qu'elle n'ait rien vu du tout considérant le nombre d'étudiants. En faisant quelques pas pour rentrer avec Ariane, je vois monsieur Fleisch contre le cadre de la porte de sa classe, les bras croisés sur la poitrine. Instantanément, son radar se pose sur moi et il me dévisage de la tête aux pieds. Me tient-il encore une fois responsable de ce qui vient de se produire ? J'en mettrais ma main au feu.

— Satisfaite, Mademoiselle Kaufmann ?

— De quoi voulez-vous que je sois satisfaite, Monsieur ? Il n'y a aucune satisfaction à y avoir.

— Vraiment ? s'étonne-t-il.

— Qui tirerait satisfaction de ce genre de chose ?

— Je ne sais pas, dit-il en haussant les épaules. Vous, par exemple. N'ont-ils pas attenté à votre innocence ?

— Ça ne vous regarde pas. La Direction a pris sa décision en fonction de leurs actions, non pas des miennes.

Il se repousse du mur d'un air nonchalant. Il fait toujours aussi froid, mais j'ai l'impression que la température a chuté encore davantage depuis qu'il me regarde sans dire un mot. Derrière nous, le silence de la foule est oppressant tandis que les coups de fouet continuent de claquer contre le dos des garçons qui se sont attiré des ennuis à cause de leurs fréquentations. Quelques filles se sont aussi retirées, le visage figé d'horreur, d'autres s'effondrent contre les murs, retenues de peu par leurs amies qui tentent de rester de marbre, de peine et de misère il faut l'admettre.

— Bien sûr, lâche enfin mon professeur d'histoire. Vous n'êtes pas responsable de ce qui leur arrive. Alors si ce n'est pas vous qui êtes responsable, Emma, qui l'est ?

L'envie de répliquer est forte. Or, ce qui est souvent tentant regorge de dangers. C'est quelque chose que j'ai appris ici et qui n'est pas à négliger en présence de monsieur Fleisch.

Je resserre mes bras autour de mon corps transi par la température glaciale. Mon geste n'échappe pas à monsieur Fleisch, qui ne cache pas sa dérision en me lançant cette recommandation :

— Je vous conseille de ne pas rester aussi longtemps dehors, Mesdemoiselles. Il ne faudrait pas que vous attrapiez froid.

Sur ce, il entre dans sa classe, laquelle donne justement sur le couloir extérieur menant à la cour interne de l'établissement, tout en refermant la porte derrière lui. Je me tourne brièvement vers Ariane et d'un commun accord, nous entrons à l'intérieur des murs de l'école pour nous réchauffer. Peu à peu, tous les couloirs se remplissent et le brouhaha revient. Gabriel rejoint Ariane et tous deux s'éloignent vers leurs casiers en murmurant. Je les laisse faire, préférant attendre, au cas où Caleb déciderait de venir me parler.

Je retourne sur mes pas et m'arrête devant une fenêtre qui donne sur la cour. Les cinq garçons sont encore là, le dos zébré de marques rouges. L'escadron de Caleb est toujours présent et il discute avec le directeur, qui opine de la tête toutes les six secondes. Les garçons sont par la suite relevés par les soldats et transportés, je le devine assez bien, à l'infirmerie. L'échange dure encore quelques secondes, puis le caporal conclut d'un salut militaire et s'éloigne en direction de la sortie. Le directeur l'a sans doute remercié pour son implication, d'où le salut officiel dont l'a gratifié Caleb. D'autant plus qu'il se trouve à être un ancien étudiant de cette école; le directeur se souvient-il ? Je ne parierais pas là-dessus.

Je suis le jeune homme du regard jusqu'à ce qu'il disparaisse de mon champ de vision. Quelque chose d'humide glisse sur ma joue et je lève une main tremblante à mon visage pour en essuyer la larme.

Je baisse les yeux au sol et prends appui contre le mur tout près du verre glacé de la fenêtre. Je ne sors de ma torpeur que de longues minutes plus tard, secouée par la cloche annonçant la fin de ce cours qui n'aura jamais eu lieu en raison de l'appel du directeur. Je me dirige vers ma prochaine classe, sans un mot, sans même relever les yeux. Je me fais bousculer par quelques élèves, sans doute plus pressés que je ne le suis. Leurs yeux à eux sont simplement tristes, ou choqués par ce qu'ils ont vu. Les miens sont lourds, non pas de larmes cette fois, mais d'un fouillis d'émotions que je ne veux plus jamais ressentir.

Trop lourds, si lourds que je crains de ne plus jamais être en mesure de les relever. Je me sens en partie coupable, alors que je ne devrais pas. J'ai la désagréable impression d'être tenue responsable de ce châtiment.

Le petit frère d'Alec s'arrête devant moi et me pousse de toutes ses forces.

— C'est de ta faute ce qui lui est arrivé ! s'écrie-t-il les joues baignées de larmes. De ta faute, tu m'entends ?

J'ouvre la bouche pour répliquer, sans rien dire. Ce garçon à peine plus vieux qu'Effie a les yeux si remplis de fureur que je ne lui en tiens pas rigueur de la laisser s'écouler sur moi. Qu'il le fasse si ça peut lui être d'une quelconque utilité, il doit avoir de la peine, lui aussi. Il est tout juste dix centimètres au-dessous de ma taille, mais je me sens plus petite que lui encore.

— Je suis désolée, Peter.

— Je te déteste, lâche-t-il d'un ton hargneux en me crachant au visage.

Je recule d'un pas, essuie mon visage du revers de la manche sur lequel se mêlent des larmes que je ne peux plus contrôler.

Il n'y a presque plus d'étudiants dans le couloir et le peu d'élèves qui restent me jettent des coups d'œil furtifs avant de se mettre à courir vers leurs salles de classe. Pour ma part, je reste plantée là, le corps tremblant.

La cloche annonçant le début de la troisième période sonne et plus aucun son ne vient rompre le silence à part mes sanglots, dont l'écho est sourd à mes oreilles que j'ai couvertes de mes mains. Une ombre passe à ma gauche, dont les paumes se posent sur mes avant-bras qu'on baisse gentiment.

— Venez, Emma. Je vous exempte de votre dernière période, chuchote madame Hänzel en récupérant mon sac au sol pour me le glisser sur l'épaule.

Je secoue la tête. Mes cheveux se collent à mes joues humides.

— Ne vous en faites pas, je me charge de votre absence, Mademoiselle. Venez avec moi, je refuse de vous laisser aller ainsi. Et vous ne devez pas rester seule. Venez, insiste-t-elle en me regardant dans les yeux avant d'acquiescer pour elle-même.

Je la suis, sans envie, mais reconnaissante malgré tout. Et je ne peux m'empêcher de me dire que si les yeux sont le miroir de l'âme, les miens doivent être misérables.

Trente-deux

C'est plus difficile que je ne l'aurais cru de le regarder, de passer près de lui tous les soirs, de sentir son odeur malgré l'air glacial tout en sachant que plus jamais je ne pourrai le sentir à même sa peau.

Mon cœur se perce d'un second vide chaque seconde que je passe sans pouvoir le toucher, sans pouvoir l'entendre me dire qu'il m'aime. Comment vivre, en sachant que le garçon que j'aime n'a aucun souvenir de qui je suis ? De ce que je suis ? De ce que je représente pour lui ? À ses yeux, ne puis-je être plus qu'une étrangère du nom d'Emma ? Bien qu'il prétende que je sois plus... Le dit-il seulement pour être gentil avec moi ? Parce qu'il a vu à quel point j'étais triste ? Ma peine est-elle si apparente ?

Les points d'interrogation valsent dans ma tête comme les flocons de neige à travers la fenêtre de ma chambre par laquelle je regarde au loin. Que donnerais-je pour danser avec Caleb sous les flocons de neige comme il n'y a pas si longtemps ? Comme lors de cet hiver où j'avais fait plus que sa connaissance... Comme cet hiver où pour la première fois j'avais senti mon cœur battre plus rapidement, et pas seulement parce que je le regardais, mais bien parce que ses mains me faisaient tournoyer dans ses bras. Comme cet hiver où, pour la première fois, mes lèvres avaient pris le goût des siennes.

Mon premier baiser. Mon premier amour. Tout ça à l'anniversaire de mon frère Adam. Je pouvais presque en rire en y repensant... Tomber amoureuse du meilleur ami de mon grand frère.

Ce garçon de 17 ans, alors que je venais tout juste d'en avoir 15 et mon frère, 16, aurait-il songé une seconde à être en amour avec la sœur de son meilleur ami ? Je ne crois pas, non. Pas plus que cette pensée n'a davantage effleuré mon esprit à l'époque. Je me souviens encore de toutes ces soirées que je passais au haut de l'escalier de la maison, parce que j'étais beaucoup trop gênée de le rencontrer pour de bon, à l'observer dans l'espoir qu'il lève les yeux vers moi. Dans l'espoir qu'un jour ses yeux croisent les miens afin que j'y voie l'étincelle née jadis et qui m'habite encore quand je le regarde. Celle qui persiste dans ses yeux malgré ses souvenirs altérés et qui, j'espère, s'embrasera de nouveau.

Ses sentiments pour moi sont bien réels. Je le vois à sa façon de me regarder, aux marques d'attention qu'il me porte malgré tous ses souvenirs de moi qui n'y sont plus. Je veux de nouveau l'entendre me dire que je suis ce qu'il a toujours voulu.

Celle qu'il a toujours attendue. Je veux espérer, rêver. Savoir qu'il pense à moi le soir avant de s'endormir quand les étoiles scintillent et que je suis la première chose à laquelle il pense quand le soleil se lève.

Je veux le ravoir près de moi, chaque seconde, chaque minute, chaque heure, chaque jour du reste de ma vie pour combler tout ce temps où il ne se souvenait plus de moi.

Je veux comprendre pourquoi il ne se souvient pas. Je veux savoir pourquoi il m'a oubliée.

Je veux savoir pourquoi les soldats qui partent ne reviennent jamais. Je veux savoir pourquoi ce soir-là, lorsque je suis revenue, il n'y avait plus rien à mon sujet dans sa tête. Je veux savoir pourquoi mon petit frère m'a dit qu'il était impossible d'oublier. Je veux comprendre ce qu'il a voulu dire par là, un soir où je revenais en larmes parce que rien n'avait changé.

Je veux, je veux, je veux.

Je veux que *mon* Caleb me revienne.

Trente-trois

Encore une fois, il faut croire que le chemin vers l'Autre Côté m'amène à réfléchir et pas nécessairement pour les bonnes raisons.

Voilà une semaine que mon frère n'est plus là. Son départ rend la maison sinistre. Quand il est parti, ma mère n'a pu retenir ses larmes et moi non plus. Mon frère a parlé à Noah pour lui faire comprendre qu'il partait et qu'il ne reviendrait pas avant longtemps. Longtemps, c'est peu dire quand on s'engage et qu'on ne revient jamais en réalité.

Il m'a promis de faire passer des messages par madame Hänzel jusqu'à moi, pour garder contact. J'ai vite compris que cette femme n'est pas qu'une simple secrétaire. C'est une alliée précieuse et une femme au grand cœur. Elle m'a prise sous son aile quand je n'ai eu personne à la suite du châtiment d'Alec, et je lui en suis extrêmement reconnaissante. D'ailleurs, j'ai appris qu'il s'était enrôlé lui aussi après avoir été expulsé définitivement de l'école. Un problème de moins à régler considérant qu'il fera le meilleur lèche-bottes de tous les temps.

Effie aussi a beaucoup pleuré à la suite du départ d'Adam; le voir partir a été en somme assez déchirant, et le mot est faible. J'étais en mille morceaux au centre du salon. Un membre de plus qui quittait notre navire déjà chancelant et qui nous disait adieu aujourd'hui.

J'ai joué du piano pour lui.

Il voulait m'entendre chanter une dernière fois avant de partir. S'imprégner de ma musique pour qu'une fois dans sa chambre avec ses compagnons, il puisse se souvenir du son de la maison et se rappeler à quel point cette musique nous réunissait tous les six.

Adam est mon frère, mon ami, mon *meilleur* ami. C'est sans doute pourquoi ses derniers mots dans la maison ont été pour moi. Un « Au revoir, Coccinelle ! » qui fut suivi pour ma part d'un « À plus tard, Coquerelle ! », comme si ce n'était pas un véritable adieu. Comme si je savais qu'il allait revenir dans quelques heures ou le lendemain au plus tard. J'aurais tellement aimé que ce soit le cas.

Après son départ, Noah a erré dans la maison en marmonnant notre réplique fétiche. Il cherchait son frère sans comprendre pourquoi celui-ci n'était plus là, bien qu'Adam lui ait répété à maintes reprises avant son départ pourquoi il partait.

À la fin de la semaine, après de nombreuses crises, d'objets lancés, de coups portés et de repas sautés, il a fini par s'y faire.

En fait, il a trouvé un autre moyen de passer au travers : le mutisme.

Je croise maintenant régulièrement Adam dans ses tours de garde. Il connaît mon itinéraire du soir, celui du matin quand nous allons à l'école, Effie et moi, mais aussi celui quand nous rentrons. Nous ne le voyons pas tous les jours, il est clair que cela lui est impossible. Or, je sais qu'il s'assure le plus possible d'avoir des rondes sur notre trajet. L'armée ne pourra jamais l'éloigner tout à fait, qu'elle le veuille ou non.

Ce soir, je marche donc pour une énième fois jusqu'à Caleb qui… ne se souvient toujours pas de qui je suis.

Pas plus qu'il ne se souvient d'Adam. Toutefois, il a pu recréer les liens d'amitié qu'ils avaient tous deux autrefois. Avec moi, par contre, ça semble plus difficile.

Il me laisse toujours passer et j'imagine que c'est l'essentiel. Il fait preuve d'une grande gentillesse à mon égard et ne m'a jamais dénoncée, pas plus qu'il ne parle de moi à Adam. Je le sais parce que mon frère me l'a dit dans l'un des messages qu'il a laissés à madame Hänzel ; et à ce que j'ai pu voir, je ne suis pas la seule à recevoir des messages de militaires. Tous semblent passer par elle. Cette femme est beaucoup plus qu'elle ne le prétend. Son emploi n'est, de toute évidence, qu'une façade. Au fond, elle est probablement insoumise elle aussi… Enfin, je ne le dirai jamais tout haut pour ne pas la mettre dans le pétrin, mais je ne peux m'empêcher de me dire qu'elle est un peu comme moi, particulièrement depuis l'après-midi que j'ai passé avec elle.

J'arrive à la frontière juste avant qu'il ne se mette à neiger de plus en plus fort. L'hiver approche et les tempêtes s'intensifient de jour en jour. Caleb s'empresse de me laisser passer et je me rends au café, le bout des doigts gelés et les joues glacées. Aleks, lui, n'est pas encore arrivé, contrairement à Lanz qui a déjà déverrouillé la porte pour moi; j'en profite donc pour aller me changer et me réchauffer à l'arrière. Quand je sens de nouveau mes doigts, je retire mes gants de laine sans bouts que j'ai remis après m'être glissée dans mon uniforme de travail. Il y a près de dix ans, ces gants couvraient toute la longueur de mes doigts bien sûr, mais force est d'admettre que mes mains n'ont plus la même taille qu'avant. Alors ma mère a retiré les premières phalanges pour que je puisse continuer à les porter.

La clochette à l'entrée m'indique que quelqu'un est arrivé et je traverse dans l'autre salle pour accueillir Aleks, qui semble bien moins frigorifié que je ne l'étais en arrivant.

Il a pris un taxi contrairement à moi; je peux voir par la fenêtre la voiture de luxe qui s'éloigne sous la tempête. À moins qu'il n'ait son chauffeur personnel – ce qui ne me surprendrait pas le moins du monde.

— Bonsoir, Aleksander !

— Bonsoir, Emma ! Tu sembles de bien bonne humeur ce soir, commente-t-il en retirant son écharpe d'angora noire et ses gants de cuir doublé.

— Je le suis ! Ce sera une longue soirée, mon cher ! Nous sommes samedi !

— Nous sommes samedi, c'est vrai, ricane-t-il. Commence à descendre les chaises, je te rejoins dans quelques minutes.

— D'accord !

Je m'exécute et Aleks revient à peine deux minutes plus tard, s'affairant aussitôt à descendre tous les tabourets de son gigantesque bar.

— Je te sers quelque chose ?

— Avec plaisir !

Le serveur acquiesce, mais plutôt que de me préparer mon cocktail fétiche – celui qui porte mon nom d'ailleurs –, il me prépare dans une petite tasse un genre de café très crémeux qui, je sais, sera alcoolisé. Il le fait, même en sachant que ce n'est pas ce que je préfère. Sans doute essaie-t-il de m'habituer au goût. Ou simplement apprécie-t-il de me voir sourire davantage lorsque j'ai l'esprit légèrement embrouillé ?

Je saute sur un tabouret et regarde Aleks préparer ma boisson.

— Que me prépares-tu cette fois, ô grand manitou du cocktail ?

Aleks sourit et dépose sur le verre à martini deux cerises sur un bâtonnet après avoir filtré ce qu'il avait passé au mélangeur.

— Pour vous ce soir, ma chère Demoiselle, un *Cherry Blossom*.

— Et que contient cette merveille d'onctuosité ?

— Onctuosité, c'est le cas de le dire, Blondinette. C'est une crème irlandaise agrémentée de liqueur d'amandes, d'un voile de lait au chocolat, de quelques petits glaçons, de grenadine et pour finir de deux magnifiques cerises rouges.

Je lève mon verre, inspire les effluves et en prends une gorgée.

— Excellent, Aleks. Ne lui donne pas mon nom à celui-là, par contre. Il ne me ressemble en rien.

— Il ressemble davantage à...

— Lisabeth, disons-nous d'une seule et même voix en riant.

— Je pourrais l'appeler *Beth* plutôt que *Cherry Blossom*.

— C'est une très bonne idée, dis-je en prenant une seconde gorgée.

— Il ne restera plus qu'à trouver un cocktail pour Frieda, dit-il en me faisant un clin d'œil.

— Il devra être explosif... et rouge, dis-je en me levant pour aller tourner l'affiche du bar.

— Rouge ? Intéressant. C'est vrai que c'est une couleur qui lui sied à ravir.

Je hoche la tête et reviens vers le bar en sautillant.

— Les voilà justement! s'exclame Aleks en nettoyant son bar bien qu'il soit déjà excessivement brillant.

— Emma et Aleks ! Toujours à l'avance, j'ignore ce que vous appréciez tant de cet endroit, s'écrie Frieda en retirant ses gants.

— Il faut bien que quelqu'un arrive à l'heure, rétorque Aleks en un demi-sourire.

Beth lève les yeux au ciel en riant et s'empresse d'aller se changer avec Frieda.

Je termine mon verre d'un trait et accueille les premiers clients le visage fendu d'un sourire. Ce soir, il n'y aura pas de première partie, c'est Henry qui ouvre et ferme le bal. Il arrive dans une demi-heure tout au plus alors il n'y a pas de temps à perdre quant aux préparatifs.

Les filles reviennent rapidement et m'aident aussitôt à diriger les clients et à prendre les commandes. Jusqu'à ce que Nayden entre dans la pièce en retirant ses lunettes d'aviateur.

Les battements de mon cœur s'accélèrent, et je crains qu'il ne l'entende de là où il se tient. Il semble m'avoir vue, puisque son regard s'arrête droit dans le mien.

Frieda et Lisabeth arrivent à mes côtés et me dévisagent tour à tour avant de reporter leur attention sur lui.

— On tire à la courte paille, nous dit Beth en posant ses mains sur ses hanches.

— Mieux, on joue à pile ou face ! s'exclame Frieda, son cabaret serré sous le bras.

— Nous sommes trois, Frieda. Pour jouer à pile ou face, il faut être deux, lâche Beth en roulant les yeux.

— Très bien, courte paille alors, grommelle Frieda. Sauf que nous n'avons pas de pailles. Il faudrait aller en chercher au bar. Aleks en a sûrement, avec tous les cocktails qu'il fait... Hé, Emma, qu'est-ce que tu fabriques ?

Je me suis décidée à avancer vers Nayden, les laissant à leur jeu ridicule. Pendant tout le temps où elles se querellaient à savoir qui allait le servir, c'est moi qu'il regardait.

Je suis prête à prendre mon courage à deux mains cette fois. Je ne suis tout de même pas pour l'éviter éternellement ! Je serre la carte des boissons contre ma poitrine et m'arrête à environ un mètre de lui.

— Monsieur, si vous voulez bien me suivre, dis-je en lui désignant la salle d'un geste tout en lui offrant le plus beau sourire dont je suis capable.

Le coin de ses lèvres se retrousse finement, d'un air satisfait.

Il me suit de très près. Tellement qu'un simple faux pas de ma part l'entraînerait dans ma chute. Si près que je l'entends distinctement quand il me souffle à l'oreille :

— Tu ne vas tout de même pas te remettre à me vouvoyer. En passant, tu es très belle ce soir.

Mes joues s'empourprent et je lui cède la place en faisant un pas de côté pour le laisser s'asseoir.

— Je ne fais que suivre le protocole, Monsieur Keyes.

— Tu n'as pas oublié mon nom de famille à ce que je vois, Mademoiselle Sans-Nom-de-Famille.

— Pas plus que tu n'as oublié le mien.

Je lui tends la carte des boissons et cocktails. Il la regarde à peine quelques secondes et relève les yeux vers moi. Je perds pratiquement l'équilibre. Ses lèvres magnifiques dévoilent doucement ses dents parfaites en un sourire tout aussi incroyable. La petite fossette qui se creuse au coin de sa bouche n'échappe pas à mon regard, qui ne cesse de le détailler.

— Surprends-moi, me dit-il alors.

Je récupère la carte en souriant et pivote rapidement, faisant ainsi balancer ma haute queue de cheval blonde à droite et à gauche. J'arrive au bar et commande ma boisson fétiche à Aleks.

— Qui donc a succombé à tes irrésistibles charmes, allant jusqu'à te demander le cocktail qui porte ton nom, ma tendre Emma ?

Je glousse et récupère la longue flûte bleutée qu'il a remplie en un éclair.

— Il ignore le nom de ce cocktail, mon cher Aleks.

Il me toise d'un air mi-charmeur, mi-complice qui ne réussit qu'à provoquer mon hilarité.

— Dans ce cas, il ne tardera pas à le deviner !

Je passe près de Frieda. Elle me sourit en levant le pouce d'un signe d'encouragement, malgré un brin de jalousie qui fait en sorte que ses lèvres se pincent, mais qui, de mon côté, me fait extrêmement plaisir. J'arrive enfin à susciter de l'envie chez quelqu'un de l'Élite. Pour une fois, je ne suis pas aussi médiocre qu'on le prétend sans arrêt. Je m'arrête à la table de Nayden et dépose la flûte devant lui. Il l'observe un moment, l'approche de ses lèvres sans me quitter des yeux cette fois. Il en prend une longue gorgée, nous regarde alternativement, le cocktail et moi.

— Je parierais toute ma fortune que ce cocktail porte ton nom. Emma...

Je baisse les yeux et camoufle ma gêne dans mon sourire qui ne veut pas s'éteindre.

— En effet. Qu'est-ce qui t'a mis la puce à l'oreille ?

Il plisse légèrement les paupières et sourit comme s'il s'agissait d'une évidence.

— Il a la couleur de tes yeux, tout comme ton caractère.

— Que sais-tu de mon caractère, Nayden ?

Ce dernier pouffe légèrement de rire et je poursuis sans le laisser répondre :

— À présent, Monsieur, veuillez m'excuser, j'ai bien peur d'avoir d'autres clients à servir, dis-je en me remettant à le vouvoyer pour la forme.

— Si je désire autre chose, vous resterez à ma disposition, n'est-ce pas ? dit-il en poursuivant dans la même veine.

— Bien entendu.

Il recule jusqu'au dossier de sa chaise avec une aisance qui fait manquer un battement à mon cœur.

— Parfait, murmure-t-il.

— J'espère que vous passerez une agréable soirée.

Je m'incline un peu et croise ses yeux en me redressant. Il nage beaucoup mieux que la dernière fois, puis-je aisément constater.

— Sans nul doute, Mademoiselle.

Dans les quinze minutes qui suivent, je cours sans jamais m'arrêter. Je passe même porter une vodka sur glace – que l'on sert dans un verre robuste avec quelques quartiers de limes et un soupçon de sucre – à celui que je tâche tant bien que mal d'éviter tout au long de la soirée. Une boisson très forte, parfaitement à son image.

Ce soir, Henry, que je me suis empressée d'accueillir vu l'achalandage, passe saluer la plupart des gens rassemblés pour venir l'écouter, s'arrêtant ici et là pour signer des autographes, mais aussi pour discuter. Je suis justement au bar quand je le vois s'arrêter à la table de Nayden. Ce dernier se lève et donne une forte accolade au pianiste qui y répond avec tout autant d'enthousiasme. Ils discutent un moment avant qu'Henry ne se tourne, me fasse un magnifique clin d'œil et s'éclipse vers la scène qui brillera encore plus une fois qu'il y sera.

Je sers les quelques tables qui me sont assignées et marche d'un pas rapide jusqu'à celle de Nayden, à qui je ne peux m'empêcher de demander de quoi il parlait avec Henry ainsi que la raison de ce clin d'œil de sa part à la toute fin.

— À moi de te réserver la surprise, Emma.

Je fronce subtilement les sourcils; je suis contrariée, mais je tâche de ne pas le laisser paraître. Je ne peux me permettre des surprises de ce côté de la République. Tous mes faits et gestes sont calculés. Je ne peux prendre de risques. J'en prends déjà de gros avec Nayden et même avec les employés du café.

Plus particulièrement avec Henry, qui sait d'où je viens, mais qui, heureusement, ne représente pas une menace outre mesure.

— Tu n'apprécies pas les surprises à ce que je vois, lâche-t-il m'arrachant du même coup à ma compagne solitaire, la tête légèrement inclinée sur le côté.

Je baisse les yeux vers lui, l'observe siroter sa vodka. Je lâche sans gentillesse:

— Non.

— Intéressant. Tu veux bien t'asseoir quelques minutes avec moi? Profiter du spectacle?

L'offre est tentante malgré son absurdité. Je marche sans arrêt depuis longtemps déjà et mes pieds me font souffrir, mais je finis par secouer la tête en voyant Lanz sortir de son bureau et poser ses yeux sur moi.

Nayden suit mon regard d'un air impassible. Il revient à moi pendant que je continue de fixer ce patron que je crains autant parce qu'il tient ma vie entre ses mains que parce qu'il a conscience du pouvoir qu'il détient. Et j'aurai beau le mépriser, le trouver misérable d'avoir supplié Nayden, je ne peux m'empêcher d'en avoir peur. Pour moi, mais également pour tout le reste de ma famille.

— Je ne peux pas, désolée.

Je m'éclipse avant qu'il n'ait la chance de me retenir avec des paroles ou un geste.

Comme j'aurais aimé savoir ce qui m'attendait... Peut-être aurais-je pu me sauver encore plus loin. Sur la Lune peut-être ? Elle apprécie ma compagnie autant que j'apprécie la sienne. Enfin, j'ose l'espérer. Et en même temps, j'aimerais être une autre ce soir. Rien qu'une fille que Nayden aurait croisée dans un bar et avec qui il aimerait prendre un verre, tout bonnement, rien que pour le plaisir.

Peut-être que le jour où quelqu'un osera prendre ma main pour m'apprendre à voler sera enfin celui où je pourrai la voir de plus près, cette Lune qui m'intrigue tant. Peut-être que celui qui me donnera des ailes n'est justement pas aussi loin qu'il y paraît. Peut-être qu'il se trouve dans la même pièce et non derrière un mur, la mémoire altérée, ses yeux pareils à un mirage posés sur mon épaule par-dessus laquelle je jette moi-même un regard.

Trente-quatre

Au beau milieu de la soirée, vers 22 h, Henry est confortablement assis à son piano avec son groupe et joue ses plus belles chansons de jazz et de blues. Il joue un morceau que je connais par cœur lorsqu'au moment de son solo, il se tourne vers moi et me pointe brièvement du doigt, sans arrêter de jouer pour autant.

— Emma ! Un garçon fort aimable et qui s'avère être un ami à moi m'a dit que tu savais chanter. C'est vrai ?

Je m'arrête au milieu du café, manque lâcher le plateau que je tiens entre les mains. Un éclairagiste qui a suivi le geste de Henry tourne une lumière vers moi, et je me retrouve exposée comme en plein jour.

— Il a dû se tromper ! dis-je d'une voix forte en haussant les épaules, légèrement aveuglée par le projecteur vers lequel je lèverais bien une de mes mains si elles n'étaient pas toutes les deux occupées à tenir mon plateau.

Je piétine un moment, mal à l'aise d'être maintenant le centre de toute l'attention.

Henry poursuit la partie de son solo, qu'il fait exprès de répéter, et secoue la tête en riant.

— M'aurait-il menti alors ?

— Non !

Je me sens rapidement ridicule de crier tout aussi promptement.

— Alors qu'attends-tu pour me rejoindre, ma chère ? Elle est un peu timide ; elle a besoin d'encouragement ; tout le monde ! s'écrie Henry en lâchant son piano pour taper dans ses mains au rythme des autres musiciens qui ont pris la relève presque aussitôt.

Ils sont tellement en symbiose qu'ils savent exactement quand se remettre à jouer lorsque Henry arrête. Ça en est presque aussi déconcertant que cette foule qui m'applaudit.

Les gens m'encouragent, tapent des mains, scandent mon nom. Je m'inquiète de Lanz, mais avec cette lumière qui me tape au fond des yeux, je ne le vois nulle part. Henry me fait de nouveau signe et je secoue la tête plus fermement cette fois, les yeux aussi assassins que possible. Lisabeth passe devant moi, récupère mon plateau en souriant et me désigne la scène d'un coup de tête. Je lui fais de gros yeux et refuse de bouger.

Quelqu'un pose ses mains sur ma taille. Je saute presque au plafond si ce n'est qu'elles me retiennent juste assez pour faire courir des frissons le long de mon épiderme. Je reconnais ce contact sur ma peau même si une mince couche de tissu nous sépare. Je me tourne vers Nayden, le foudroie du regard. Il continue de me pousser vers la scène et je suis bientôt forcée d'avancer.

— Nayden, non ! Lâche-moi, je n'irai pas ! grogné-je à mi-voix tout en posant mes mains sur les siennes pour qu'il me lâche.

Bien au contraire, il ne fait que garder ses mains sous mes côtes pour continuer de me pousser vers la scène. Il pourrait sentir mon cœur qui se débat tellement il cogne à tout rompre dans ma poitrine.

— Emma, il faut que tout le monde t'entende chanter, murmure-t-il à mon oreille, son souffle chaud contre mon cou.

Je sens mes jambes se dérober, ce qui lui rend la tâche encore plus facile pour me conduire contre mon gré jusqu'à l'avant. *Ressaisis-toi, bon sang !* crié-je dans ma tête. Le problème, c'est que je suis pire qu'une marionnette. J'ai beau tâcher de mettre du plomb dans mes membres, je ne suis qu'une plume entre ses mains.

— Et Lanz ? Tu as une idée de ce qu'il dira ? dis-je en tournant la tête vers lui.

Son regard se durcit et il me fait monter les marches sur le devant de la scène. Heureusement que la foule continue de m'encourager, sans quoi il y a longtemps qu'on nous aurait entendus. Je me tourne vers lui sur la seconde marche. Ses mains sont toujours sur ma taille, les miennes sur ses doigts que je n'arrive pas à lâcher.

Deux tempêtes font rage autour de nous jusqu'à n'en former qu'une seule de feu et de glace. Pourquoi l'air s'électrise-t-il autant quand je sens ses mains sur moi ?

Mes yeux sont toujours perdus dans ceux de Nayden quand il déclare à mi-voix :

— Je m'occupe de lui. Il touche ne serait-ce qu'à un seul de tes cheveux, Emma, et je le fais exécuter. Là, maintenant, je ne te demande qu'une chose : laisse-toi aller.

Il est plus sérieux que jamais et je sais qu'il ne trahira pas cette promesse. J'ai la conviction ce soir qu'il ne le laissera plus jamais me faire du mal. Je capitule, et mon visage retrouve son sourire. Je me tourne vers le musicien le plus près qui s'empresse de me tendre la main pour me faire monter.

Un tonnerre d'applaudissements retentit quand je me retrouve sur la scène et que le saxophoniste, qui a brièvement laissé de côté son instrument, me fait tournoyer pour me présenter aux clients qui me connaissent déjà, pour la plupart. Je baisse les yeux sur mes talons hauts noirs. *Bon sang, qu'est-ce que je fais sur cette scène devant toute cette foule ?*

— Le micro est à toi, ma belle ! s'exclame Henry en me le désignant dès qu'on vient le poser à l'avant-scène tandis qu'il continue de faire courir ses longs doigts noirs sur les touches d'ivoire.

Je m'avance vers le micro, les mains moites. Mon sourire est figé sur mon visage, c'est l'essentiel. Je repense à ce que Nayden m'a dit. *Laisse-toi aller.* J'y compte bien.

Je prends le micro argent entre mes mains qui, j'espère, ne tremblent pas trop. Je tourne la tête vers le pianiste et lui fais un signe: je suis prête. Il entame au piano une chanson que je connais bien et que j'ai souvent jouée pour Noah à la maison.

Une très vieille chanson d'avant la Guerre, mais que je connais sur le bout de mes doigts. Les musiciens le suivent rapidement et je joins ma voix à la mélodie exactement au bon moment. J'enchaîne avec le refrain, m'imprègne de la chanson jusqu'au bout des ongles.

Ici, sur scène, avec cette musique tout autour, je ne peux qu'oublier ma gêne. Je peux oublier que ma vie est difficile. Ici, je peux tout oublier parce que chanter est ce que j'aime le plus au monde et parce que la musique est ce qui me donne le regain d'énergie nécessaire pour que je continue de me battre pour vivre. Là-dessus, rien ni personne n'y changeront jamais quoi que ce soit.

Pendant que je chante, je couve l'assemblée du regard. Je croise celui de Lanz, qui fulmine en silence, les bras croisés. Je ne le laisse pas me perturber outre mesure et continue mon balayage, ma voix s'élevant de plus en plus haut dans le café, celle d'Henry en guise de choriste. Frieda et

Lisabeth semblent ébahies, ce qui m'emplit encore plus de fierté.

J'arrive enfin à Nayden, qui me sourit de toutes ses dents, les mains posées contre la table derrière lui. Je lui lance un clin d'œil furtif. Clin d'œil qu'il me renvoie aussitôt en levant le pouce en l'air.

Je flotte, je vole, je m'élève enfin. J'ai des ailes et elles se déploient sur scène, sous les yeux de tous. Quand la chanson prend fin, j'aurais souhaité qu'elle ne le fasse jamais. Un bref instant de silence suit ma prestation avant que les applaudissements ne retentissent.

On m'offre une ovation digne des plus grands et je ne peux faire autre chose que de rougir. Si les compliments me désarçonnent, cette fois je crois bien que je viens de mourir sur place, fusillée par les acclamations.

Je m'incline respectueusement devant mon public qui réclame à grands cris une autre chanson de ma part. Je secoue la tête, mais Henry m'encourage à poursuivre d'un grand sourire en levant les bras en l'air pour que les gens m'ovationnent encore. Je suis couverte de rouge de la tête aux pieds. Si seulement j'étais en mesure de le remplacer par une autre couleur pour exprimer toute la joie que je ressens à cette seconde. Une couleur brillante, flamboyante, pleine de vie.

Je me tourne vers Henry et m'assois rapidement sur le banc pour usurper son trône, qu'il me cède sans véritables protestations, plus avec surprise et amusement.

— Tu sais jouer du piano en plus ? s'exclame-t-il discrètement à mon oreille.

— Il y a bien des choses que vous ignorez, Henry, dis-je avant de lui glisser un clin d'œil.

— La scène est à toi, ma belle Emma, et les musiciens, à ta disposition, me dit-il en serrant mon épaule dans sa large main.

— Merci, Henry, vraiment. Une seule chanson et je vous redonne votre précieuse scène.

— Tout le plaisir est pour moi. Ce soir, c'est toi la vedette.

Je lui souris de nouveau et lève les mains au-dessus du piano pour que le calme revienne. Les gens se rassoient, impatients d'écouter la suite. Je m'éclaircis la gorge. Le joueur d'harmonica approche avant que je ne touche aux premières notes.

— Auras-tu besoin de nous, *bella* ?

Je secoue la tête.

— Pas pour ce morceau, non merci.

Il fait signe à ses collègues de quitter la scène.

— Cette chanson est pour toi, Noah, murmuré-je si bas que c'est à peine si je m'entends.

Le silence est total. Il n'y a plus aucun tintement de verre, aucun bruit autre que mon souffle lent et calculé tout près du micro pour maîtriser l'excitation qui vient tout juste de précéder. Je caresse l'air au-dessus des touches, puis commence à jouer.

C'est une chanson d'espoir comme j'en ai rarement entendu. Une chanson d'unification du monde pour qu'une paix universelle règne enfin. Une chanson d'un rêve que je partage depuis que mon père me l'a apprise. Mon père l'ayant appris du sien et lui-même de mon arrière-grand-père et ainsi de suite. Une chanson de légende que je ne suis pas prête à oublier.

Imagine, de John Lennon.

Un grand rêveur, mais surtout un idéaliste qui espérait qu'un jour nous partagions ce monde tous ensemble. Sans guerre. Sans violence. Sans pays. Sans mur pour séparer deux côtés d'une seule et même ville, m'a raconté mon père. N'ai-je pas là le rêve initial de notre République ? J'ai pris longtemps à en comprendre la signification d'autant plus qu'elle est écrite dans une langue dont j'ignore à peu près tout, mais j'ai fini par réaliser que je courrais un très grand risque en la chantant. Parce qu'elle va à peu près à l'encontre de tout ce que ma République profère.

Pourtant, je n'ai rien à perdre. C'est cette chanson que je veux chanter, la chanson de Noah, et c'est cette chanson que je chanterai. La salle a l'air vide tellement personne ne profère aucun son, laissant toute la place à celui que je produis avec mes doigts et ma voix.

Ma ballade s'achève dans un murmure et je soulève mes mains pour les laisser retomber sur mes cuisses en soupirant. Je me retourne et le café s'éclaire d'un seul coup.

Les gens se lèvent pour m'applaudir, certains les larmes aux yeux, d'autres, un grand sourire aux lèvres, impressionnés par ma performance. Une larme roule sur ma joue. Je l'essuie d'une main tremblante en m'inclinant une autre fois, les doigts croisés en priant pour que personne ne m'ait vue. Henry monte sur scène et me soulève de terre pour me faire tournoyer, un sourire étincelant fendant son visage couleur chocolat.

Mes larmes cèdent la place au rire, et les musiciens reviennent pour reprendre le spectacle. Je n'étais qu'un court entracte, en fait, mais ça valait tout l'or du monde à mes yeux. Quand Henry me repose, Nayden m'attend au bas du petit escalier, un grand sourire aux lèvres et une étincelle pétillante dans le regard. Je réponds à son sourire et le laisse me prendre dans ses bras pour me poser au sol. Ses mains s'attardent au creux de ma taille et je finis par me détacher en pinçant finement les lèvres pour contenir ma joie, les joues en feu bien malgré moi quand il les effleure du revers de la main.

Je me dirige vers le bar dans une mer de monde qui me félicite pour mon talent. Je n'ai fait que chanter avec mon cœur.

Arrivée au bar, je me tourne vers Nayden qui m'observe toujours et je lui murmure « merci » comme la première fois où nous nous sommes vus.

Il incline la tête vers l'avant en décrivant un moulinet de sa main droite. Un fin sourire, véritablement sincère, étire alors mes lèvres rosées par l'excitation d'avoir chanté, et je me détourne de nouveau pour m'asseoir sur un tabouret.

Aleks effectue une révérence théâtrale en m'acclamant beaucoup plus fort que nécessaire et me sert un verre d'eau sans même que j'aie à lui demander.

Le spectacle d'Henry a repris et les gens ont bientôt oublié ma présence. Tout ce que j'espère, c'est d'avoir marqué leur mémoire de ma voix, rien de plus. Qu'ils se souviennent ou non de qui je suis n'a aucune importance à mes yeux. Je veux seulement qu'ils se souviennent de la jeune fille à la jolie voix et aux cheveux blond clair dont le message signifiait davantage que la présence. C'est tout ce qui m'importe.

Trente-cinq

Je ne cours pas pour rentrer ce soir. J'ai quitté le bar et ce n'est pas moi qui ai fermé. Je suis partie la tête haute et le cœur léger. L'esprit tranquille et du bonheur plein la poitrine. Lanz n'a rien dit sur ma performance, il a préféré s'enfermer dans son bureau pour le reste de la soirée après mes deux chansons. Nayden est parti sans me dire au revoir, non sans s'être assuré que mon patron ne me ferait rien de mal par contre. Mais le fait qu'il parte sans me dire au revoir m'a quand même un peu blessée.

J'aurais au moins aimé qu'il vienne me le dire. Rien qu'un « au revoir ! » aurait fait l'affaire, je n'en demandais pas plus.

Je ne m'en suis tout de même pas trop préoccupée.

Parce que rien n'est en mesure de brûler mes ailes ce soir. Je suis trop heureuse pour le permettre à qui que ce soit.

Je savoure l'air frais de la Haute République jusqu'à ce que j'arrive à la frontière.

Quand je traverse finalement, Caleb n'est pas là. Ni Adam. Je soupire doucement, tâche de ne pas me laisser abattre. Ce n'est pas grave s'il n'est pas là. Ils seront là demain, c'est tout. Mais au fond, que Caleb ne soit pas au mur m'indiffère presque. Il ne me reconnaît plus, et puis c'est presque plus douloureux de le croiser sans arrêt et de me dire qu'il se souvient à peine de moi.

Je regarde à gauche puis à droite, vérifie qu'il n'y a personne, puis parcours la distance qui me sépare de mon côté de la ville au pas de course. Une fois dans les rues, je ralentis et me glisse dans l'ombre de chaque bâtiment.

La tempête de neige qui sifflait en début de soirée a redoublé d'ardeur. Ce ne sont plus que de simples flocons de neige qui dansent dans l'air glacial, ce sont des troupes de danseurs qui voltigent ici et là.

La tempête est si forte que je vois à peine ma main au bout de mon bras quand je le tends. Je pourrais passer sous les projecteurs militaires que personne ne me verrait. J'ai beau rabattre ma capuche sur ma tête, les flocons s'y infiltrent tout de même et s'accrochent à mes cheveux dénoués.

Je m'arrête dans une ruelle où le blizzard est moins intense et j'attends qu'il se calme avant de continuer. Je ne peux plus avancer dans une telle tempête, j'ai beau connaître toutes les rues comme le fond de ma poche, sans être en mesure de les voir, je risque de me perdre. Et je suis à peine à cent mètres de la frontière.

Au moins, je n'ai pas à m'inquiéter pour les traces que je laisse, elles auront disparu d'ici quelques minutes à peine. En attendant, je compte les flocons de neige qui tombent du ciel ou, plutôt, les amas de flocons qui tombent du ciel.

Je souffle dans mes mains pour les réchauffer puis les enfonce dans mes poches. J'arrive à deux cent dix-sept quand la tempête diminue et que je peux me remettre à marcher.

J'accélère légèrement. Mon état d'euphorie s'évapore peu à peu et la peur de me faire surprendre remonte. Quoi qu'il en soit, j'ai toujours un sourire béat sur le visage quand je tourne à l'autre coin de rue.

Je baisse les yeux quelques secondes, aveuglée par la neige qui virevolte. En redressant le menton, je vois quelqu'un passer à ma droite. D'allure magnifique, sa démarche est splendide. J'en oublie presque le danger qu'implique le fait de croiser quelqu'un à une heure pareille. Son visage est caché dans l'ombre, alors je peux à peine distinguer ses traits. Quand il relève la tête vers moi, je croise finalement son regard dans le peu de lumière qu'offrent les réverbères aux ampoules bleues. Des yeux de couleur...

De quelle couleur sont-ils ? Je l'ignore puisque celle que je vois immédiatement après est d'un noir d'encre. L'obscurité, soutenue par une détonation assourdissante qui fait bourdonner mes oreilles.

Une panique sans nom, qui n'a d'égale que la douleur que je ressens, me prend d'assaut.

Le genre de douleur à vous faire sombrer en un claquement de doigts.

Le genre de douleur à vous en couper les cordes vocales par des hurlements aphasiques.

Le genre de douleur à vous faire oublier absolument tout du garçon qui vient de vous tirer dessus.

Trente-six

C'est seulement quand on frôle la mort de quelques secondes qu'on réalise que rien n'est gris. Du moins, pas dans le monde dans lequel je vis. Le mien est noir et blanc, et rien d'autre.

Je rouvre les yeux, tout juste après être passée si près de mourir et déjà, c'est l'incompréhension totale. Je suffoque. La douleur que je ressens à l'abdomen se répand dans mon corps en entier, me paralyse, me fige des pieds à la tête. Mes membres se sont transformés en béton et je ne suis rien de plus qu'une vulgaire dalle au sol. J'ai peine à respirer. Chaque inspiration est une torture et j'ignore ce qui cause cette douleur atroce. J'ai trop mal pour crier, trop mal pour me relever, trop mal pour appeler à l'aide.

Je me demande même comment il m'est possible que je puisse penser aussi clairement tout en souffrant autant.

Mon bras de béton semble se dégourdir et mes doigts grimpent lentement jusqu'à mon abdomen, là où se trouve l'épicentre de ma douleur. Sous le bout de mes doigts à découvert, je sens un creux sanguinolent. Une balle s'est logée entre mes côtes. Je peux la sentir sans même avoir à la toucher.

Ma main tremble tandis que le reste de mon corps stagne, complètement immobile contre le sol glacé.

Des pas précipités autour de moi. Des ombres me bloquent la lumière. Je ferme les yeux, les rouvre pour combattre la noirceur qui m'envahit. On murmure, on parle, on crie, mais tout se passe en sourdine. Mes oreilles bourdonnent, je suis insensible à leur énervement parce que je ne comprends pas. Je ne comprends rien. Je ne suis plus rien.

Du sang continue de s'écouler à travers mon manteau, tachant du même coup de pétales rouges le tapis de neige sur lequel je me trouve.

Je devrais être morte. J'ignore si c'est moi qui le pense ou quelqu'un qui le dit. Quoi qu'il en soit, je ou lui avons raison.

Oui. C'est ce que je devrais être. Morte.

Je ne devais être qu'un corps raide et froid. Inanimé. Glacé par l'absence de vie. Par l'absence de chaleur. Et pourtant, mon corps est chaud, mais il se glace peu à peu par l'hiver qui m'assaille.

Je suis à mi-chemin, un détour s'offre à moi. Qui vais-je visiter ? Qui préféré-je comme voisine ? La vie ou la mort ? Si j'avais vraiment le choix, je choisirais la Lune. Oui, la Lune. Voilà une voisine qui en vaut la peine.

Quelqu'un m'implore. Qui donc ? Mes yeux papillonnent. Je ne comprends toujours pas pourquoi je suis toujours en vie. La neige tombe encore du ciel, mes oreilles bourdonnent comme si un essaim d'abeilles se trouvait dans ma tête. Tout n'est que brouillard. Dans ma tête, devant mes yeux, tout autour. J'arrive enfin à tourner le visage vers la voix qui continue de m'implorer.

Adam.

J'ai envie de crier son nom. Il me parle, mais j'arrive seulement à voir ses lèvres bouger. Le son qui s'en échappe est décalé et fait à peine grésiller mes tympans. Un son loin d'être suffisant pour couvrir le bourdonnement des abeilles. J'ignore ce qu'il me dit. Je voudrais le faire répéter, m'accrocher à son visage, mais on le tire vers l'arrière dans l'obscurité.

Je sens qu'on me soulève. Je le sais parce que j'ai encore plus mal qu'avant maintenant. Pourtant, aucun son ne franchit mes lèvres. Je crie en silence. Je hurle dans un mutisme complet, recluse au fond de ma tête dans l'espoir de couvrir le bruit des insectes qui continuent de bourdonner.

Si seulement quelqu'un pouvait m'entendre ! Si seulement je pouvais parler, dire que j'ai mal, que je veux qu'on me repose, que je veux mourir si pour vivre plus longtemps je dois souffrir ainsi !

L'alarme vient d'être déclenchée à coup sûr. Celle qu'on fait sonner lorsqu'on surprend quelqu'un pendant le couvre-feu, découvert par les projecteurs, exactement comme je l'ai été. Ce n'est que là qu'elle résonne à en éveiller toute la ville. Je l'entends retentir, intermittente, unique son strident qui puisse se rendre à mon cerveau.

Mes pensées se déconstruisent, s'entremêlent, se font bataille. Étrange comme l'envie de mourir vous submerge quand vous avez mal, mais que la vie s'accroche à vous si désespérément que vous ne pouvez qu'éprouver de l'empathie pour elle et tendre la main, malgré la douleur, malgré tout ce qu'il y a autour pour l'extirper du ravin dans lequel la noirceur tente de l'entraîner. Et vous aussi, au risque de sombrer à votre tour. Parce que la mort n'est jamais rassasiée. Exactement comme l'obscurité qui m'engloutit peu à peu. Elles sont sœurs après tout, partenaires d'une même hantise.

Alors c'est ce que je fais. Je lui tends la main, à cette vie, malgré la douleur, parce qu'elle en vaut davantage la peine, parce que j'y tiens, parce que je désire plus que toute autre chose m'accrocher à quelque chose.

À ma gauche, je peux voir qu'on repousse violemment mon frère de moi. Je tente de lui parler, ordonne à mon autre main toujours cimentée de se tendre vers lui pour qu'il se calme, mais elle refuse de m'obéir. Personne ne me répond, pas même mon corps.

Quelqu'un d'autre accourt, comme un fantôme, pour retenir mon frère qui s'éloigne de plus en plus, à moins que ce ne soit moi qui m'éloigne;

je l'ignore. Je ferme les yeux, les ouvre encore pour voir de qui il s'agit. Je dois savoir si mon frère est en de bonnes mains avant de tendre la mienne pour de bon vers le goût de vivre qui sombre de plus en plus dans le ravin.

Mes paupières se ferment. Non, je ne veux pas fermer les yeux ! J'ai oublié de tendre ma main. Il faut que je m'accroche.

Je reporte mon regard au-dessus de moi. On appose un masque sur mon nez et ma bouche. Mes yeux se révulsent.

Tout n'est qu'ombre et lumière.

J'ai beau essayer de me battre, je dois capituler. Je dois comprendre que ce n'est pas la mort qui me tire vers elle, mais le goût de vivre vers qui j'ai tendu la main qui m'invite à dormir en ce bas monde.

Capitule, Emma. Oui. Capitule. Tu rejoindras la Lune bien assez tôt.

Malgré tout, je continue de me battre, ce serait trop facile d'abandonner maintenant alors que j'ai été forte pendant si longtemps. Du moins, j'ai essayé de l'être.

Et pourtant, on ne peut être fort toute sa vie. Il y a des jours où on finit par craquer. Et ce sont ces jours où l'on craque qui nous montrent notre véritable force. Parce que la véritable force ne se mesure pas par celle que l'on affiche tous les jours en se tenant debout, le menton fièrement relevé, mais plutôt les jours où on choisit d'abdiquer.

Alors j'abdique aujourd'hui même.

Ce soir, sous le regard paisible de l'astre argenté qui m'observe.

Je cours rejoindre ma compagne solitaire.

J'espère que, elle, elle m'entendra.

J'espère que, elle, elle m'écoutera.

Car j'en ai assez de crier en silence dans l'espoir que l'on comprenne la langue que je parle : celle de la détresse de vouloir vivre et mourir tout à la fois.

La Lune comprendra. Oui, elle comprendra.

Trente-sept

Je n'ouvre pas les yeux, mais je sais que je suis réveillée parce que je reprends connaissance. Mes oreilles ont arrêté de bruire et j'ai toujours aussi mal. J'ai la bouche aussi sèche que je m'imagine qu'un désert d'Orient peut l'être; un goût amer qui y roule. Sur ma gauche, j'entends les bips d'une machine. Un son régulier que j'identifie à mon rythme cardiaque. Ma main gauche, la plus dégourdie des deux, se tend vers mon visage. Il y a un petit tuyau qui entre dans mes narines pour me faire respirer un oxygène plus pur que je n'en ai jamais respiré. Mes paupières lourdes, trop lourdes, se décollent peu à peu.

J'observe ma main aux longs doigts pâles, blancs comme neige, à laquelle sont branchés divers câbles qui me relient à la machine qui continue d'émettre des sons à un rythme irrégulier.

Je regarde tout autour. Les murs sont blancs. Trop blancs pour que je sois chez moi, le matériel médical en est aussi une preuve. La chambre est stérile, sans personnalité, sans identité et beaucoup trop technologique pour que je sois du côté de la frontière où j'ai l'habitude d'être.

Mon rythme cardiaque s'accélère, j'entends la machine s'affoler. Pourquoi suis-je dans une chambre d'hôpital de l'Élite ? D'ailleurs, pourquoi suis-je à l'hôpital ? Je regarde de tous les côtés dans l'espoir de voir quelqu'un qui puisse répondre aux questions muettes qui se bousculent dans ma tête à m'en donner la migraine.

Je tente en vain de me redresser. Une douleur insoutenable me prend à l'abdomen et me force à me recoucher. J'étouffe une plainte en serrant les lèvres. Mes yeux se ferment d'un seul coup sous l'effet de la douleur. Et pourtant, je ne pense qu'à une seule chose : je dois sortir d'ici. Je dois sortir. Il faut que je sorte. Je ne peux pas rester ici, de ce côté de la frontière, dans cet hôpital, alors que j'ignore pourquoi j'y suis. J'ai mal, mais cela ne m'aide pas à comprendre pourquoi je me trouve en Haute République.

Je m'affole, je suffoque. L'oxygène que je reçois semble arriver en trop petite quantité. Il faut que j'arrive à me lever. *Surmonte la douleur, Emma. Vas-y.* Je me pousse à l'aide du coude, tends l'autre main vers la commode blanche à ma droite pour m'y appuyer. J'ignore si ma perception visuelle a été altérée, mais ma main manque son objectif et je m'effondre sur le plancher glacé de l'hôpital.

Cette fois, ma plainte se fait bel et bien entendre et les larmes roulent sur mes joues avant même que je n'aie eu la chance de m'y opposer. Ma main droite se referme en un poing crispé par la souffrance.

Je me suis débranchée de quelques-unes des machines en chutant et l'une de mes mains vole à mon ventre qui saigne abondamment au travers de la chemise blanche que je porte. La porte s'ouvre devant moi et je relève la tête vers l'infirmière, qui est précédée d'un homme. Un homme au regard comparable à un bijou d'émeraude et d'or.

Nayden.

L'infirmière se précipite vers moi et tâche de m'aider à me relever, mais j'en suis incapable. Le cri que je lâche l'en informe aussitôt.

— Il faut vous remettre sur pied, Mademoiselle, dit-elle d'une voix douce en relevant mon visage vers le sien quand je me plie en deux.

Je la repousse mollement tout en reculant le plus possible, mais je m'effondre de nouveau sur le plancher. Mon sang dégoutte entre mes doigts et coule sur le plancher. Le regard empreint de pitié que me lance l'infirmière me fait fermer les yeux et j'ai honte de ce que j'ai l'air.

Il faut que je sorte d'ici. Je dois sortir, il faut que je sorte. Je refuse de rester ne serait-ce qu'une minute de plus ici. Je dois partir, il faut que je m'en aille. C'est la mort qui m'attend de toute façon si l'on vient à apprendre d'où je viens, bien qu'on doive déjà le savoir. Je préfère mourir, maintenant.

Pourquoi est-ce que je suis ici ? Je veux partir. Je veux m'en aller. Loin d'ici. Très loin d'ici.

La jeune femme approche de nouveau, me prend par le coude, tente de me redresser. Mes jambes flanchent, elles ne sont faites que de coton maintenant. Je vois des points argentés tandis que ma vision se rétrécit, comme un tunnel. Je vais m'évanouir.

— Emma, murmure Nayden.

J'ignore si je me raidis à son contact ou si mes jambes ramollissent plus du simple fait de sentir ses mains à présent passées autour de moi.

— Laissez-nous, je vous prie, demande-t-il à l'infirmière en se tournant brièvement.

— Bien sûr, Monsieur Prok... Keyes, balbutie-t-elle. À vos ordres.

Elle s'incline brièvement et sort de la pièce en refermant la porte derrière elle. Pendant ce temps, Nayden me pose délicatement sur le lit et tâche de me rebrancher à toutes les machines. Je suis ses mains du regard, son visage exposé à la lumière éclatante des néons blancs qui m'aveuglent plus qu'autre chose. Même sous cette lumière à rendre malade n'importe qui, il est resplendissant.

Ma main gauche est poissée de sang et se trouve toujours à l'endroit où ma plaie se cicatrise difficilement.

— Nayden, explique-moi ce que je fais ici.

Ma voix est rauque et si laide à côté de la sienne, avec laquelle je composerais mille mélodies. J'ai toujours la bouche aussi sèche et ce goût horrible sur la langue. J'ignore de quoi j'ai l'air, mais je dois sans l'ombre d'un doute avoir une mine affreuse, ce qui ne l'empêche pas de me regarder sans dédain, sans mépris, sans gêne. Son regard glisse vers ma main rougie.

— Il faut changer ton pansement. Je dirai à l'infirmière de t'administrer des antidouleurs. Ils vont te transfuser très bientôt. Tu as beaucoup trop perdu de sang. Je reviendrai.

Sans rien ajouter de plus, il sort silencieusement de la pièce. J'ouvre la bouche pour répliquer, mais je ne laisse échapper qu'un maigre soupir. Quand l'infirmière revient, mes paupières sont closes et je sombre vers le sommeil.

Trente-huit

Il fait nuit quand mes paupières se soulèvent : toutes les lampes sont éteintes et un faisceau argenté entre par la fenêtre de la chambre. On dirait que ma compagne la Lune est de retour pour veiller sur moi. Cette fois, j'arrive à me redresser sans trop de problèmes. La douleur est mille fois plus tolérable que la dernière fois où je me suis réveillée. Quand ? Je ne saurais dire. J'ai l'impression d'avoir beaucoup dormi. Trop même. Je retire ce que j'ai au bord du nez et balance mes jambes sur le bord de mon lit. L'une de mes mains couvre tout de même ma plaie, par simple précaution.

Je sens un épais pansement de coton sous le tissu et contre mes côtes qui bande tout mon abdomen en dessous de ma chemise d'hôpital. Je lève une main vers mes cheveux et découvre à ce moment les tubes qui y sont branchés. Je les retire tous d'un seul coup et serre les dents pour contenir la douleur.

Mes pieds nus se glacent instantanément au contact du linoléum avant même que je ne sois véritablement debout. J'y vais précautionneusement, voire avec une lenteur mesurée. Je ne veux pas tomber de nouveau. Une fois suffit.

Je suis d'abord instable, mais je retrouve rapidement mon équilibre. Mes jambes sont faibles, les médicaments que l'on m'a administrés font encore effet, mais j'arrive à tenir debout, et même à faire quelques pas. Il faut croire que je ne suis pas encore tout à fait débranchée puisqu'un moniteur dans mon dos s'affole. Je me retourne et appuie sur plusieurs boutons avant de trouver le bon pour l'éteindre.

Je crains justement d'avoir appelé une infirmière par mégarde quand j'entends des pas devant la porte. Je retiens mon souffle et je me relâche d'un seul coup quand les pas poursuivent leur chemin dans le couloir. Une fois que je suis entièrement débranchée, je me tourne vers la fenêtre dont les rideaux se soulèvent au gré de la brise hivernale qui s'infiltre par une mince ouverture.

Par la suite, c'est la porte qui attire mon attention et qui, surtout, m'invite à sortir. Ce que je fais aussi rapidement que mes membres engourdis me le permettent. Je sais que la douleur reviendra sous peu maintenant que je ne suis plus reliée à rien. Je dois faire vite.

J'ouvre la porte, en ne sortant que le bout de mon nez. Le corridor est désert. J'ignore l'heure qu'il est, il n'y a aucun tic tac pour m'en informer, pas même une horloge au mur. Je compte les secondes qu'il me faut pour parcourir le couloir en entier: vingt-quatre secondes sont nécessaires. Je sais donc que, pour traverser un autre couloir dont la longueur est comparable, il me faudra vingt-quatre secondes. Pour tout dire, c'est long quand on tente de fuir et qu'en temps normal, il me faudrait moitié moins de temps.

Les lumières ont été tamisées pour la plupart alors que d'autres sont complètement éteintes. Mes doigts glissent le long des murs que je suis. De cette façon, si je sens mes genoux fléchir, je pourrai me retenir à quelque chose.

Je jette régulièrement des regards par-dessus mon épaule, exactement comme j'ai l'habitude de le faire quand je rentre chez moi. Sauf qu'ici, je suis entièrement en territoire ennemi. Pour l'instant, aucun médecin, aucune infirmière, aucun autre patient n'a croisé mon chemin. Je dois trouver la sortie. Quand je sens mes jambes se dégourdir à force de marcher, j'accélère le pas, une main toujours contre l'abdomen de crainte que ma blessure ne se remette à saigner.

Un autre regard derrière moi. Je m'arrête de justesse et me faufile aussi précipitamment qu'il m'est possible de le faire dans un couloir adjacent. Je ne suis pas à l'abri pour autant. Un groupe d'infirmiers et de médecins approche. S'ils me voient hors de ma chambre, mon plan d'évasion tombe à l'eau. Je recule encore, le souffle haletant. Ma main s'arrête sur une poignée de porte en métal.

Je lève les yeux vers le haut. « PERSONNEL AUTORISÉ SEULEMENT ». Par chance, la porte n'est pas verrouillée. Une bonne étoile doit veiller sur moi ce soir. Je l'ouvre rapidement et me glisse dans la petite pièce sans éclairage. J'entends les pas se rapprocher, je ne peux pas fermer complètement la porte sans attirer l'attention.

L'odeur des produits de nettoyage sur les étagères derrière moi m'emplit les narines à m'en donner un haut-le-cœur. J'arrête donc de respirer un moment en espérant que le groupe passe rapidement devant ma cachette.

— Comment est-ce possible qu'elle soit en vie ? marmonne un homme.

— La question n'est pas comment, mais pourquoi ! réplique un autre.

— Quand l'ont-ils amenée ici ? demande le premier homme.

— Il y a deux jours. Sa blessure est importante. Elle avait déjà perdu beaucoup de sang avant qu'elle n'arrive. C'est pourquoi on l'a transfusée dès qu'on a pu avec du O négatif. Son dossier m'a l'air inexistant, rétorque une voix féminine que je reconnais : celle de l'infirmière qui est entrée dans ma chambre la veille.

C'est donc de moi qu'ils parlent.

— D'où vient-elle ? questionne une autre dame.

Les voix s'éloignent, je dois tendre l'oreille pour comprendre la suite.

— Ses origines restent nébuleuses...

— Quel est son nom de famille ?

— Kaufmann, reprend la première voix masculine. C'est d'ici assurément, ce n'est pas une étrangère. Mais de quel côté vient-elle ? Je l'ignore. Quoi qu'il en soit, elle est ici et...

À partir de là, je n'entends plus rien. *Comment ont-ils eu mon nom de famille ?!* Je tends l'oreille et pousse la porte en quête de plus d'informations. Ils ont pris un couloir hors de portée de mes oreilles. Avant de sortir de ma cachette, j'allume le faible néon au plafond et regarde autour de moi. Je dois me vêtir d'autre chose si je ne veux pas qu'on me remarque.

Je regarde ici et là, jusqu'à ce que je voie au fond de la pièce, sur un crochet, l'uniforme d'un homme d'entretien ainsi qu'une paire de chaussures.

L'ensemble est trop grand certes, mais cela fera l'affaire. J'enfile le pantalon trois fois trop long et large pour ma petite taille et y entre la chemise le mieux possible. Un écusson avec le prénom « Albert » est brodé à la hauteur de la poche. J'enfonce sur ma tête la casquette qui complète l'ensemble.

Je sors de la petite pièce en refermant doucement la porte dans mon dos. J'ajuste le couvre-chef sur ma tête en espérant pouvoir passer incognito.

Les effets des antidouleurs se dissipent petit à petit. Je sens ma blessure s'échauffer sous ma main.

J'accélère le pas dans ces souliers trop grands lorsque je passe devant l'administration, le regard rivé au sol. La secrétaire relève la tête vers moi et simplement à son ton, j'en comprends qu'elle doute de ma véritable identité.

— J'ignorais que vous travailliez ce soir, Albert, s'exclame-t-elle en fronçant les sourcils.

Je m'arrête une seconde, trop longtemps, lève les yeux un centimètre trop haut, m'attarde alors que je ne devrais pas. La secrétaire écarquille les yeux et se jette sur le téléphone. À ce moment, je n'ai qu'un quart de seconde pour réagir, mais mes muscles endormis me restreignent dans ma précipitation.

J'arrive tout de même à m'enfuir au pas de course et ralentis une fois engagée dans un second couloir pour retirer précipitamment mes chaussures trop grandes. Ma plaie me fait de nouveau souffrir ; je ne peux courir ne serait-ce qu'un mètre de plus. Mes pas pour le moins rapides suffisent... pour l'instant.

J'ai le regard rivé au sol, je continue de marcher dans ce dédale de couloirs sans même savoir où je vais et j'ai l'impression de tourner en rond.

Enfin, j'aboutis à une cage d'escalier. Je m'y précipite et descends les marches à la hâte. Je suis rendue au palier suivant quand la porte que j'ai empruntée s'ouvre.

— Elle est là ! s'écrie une voix grave.

La sécurité est à mes trousses. Le problème est qu'ici, la sécurité, c'est l'armée.

Je cherche mon souffle, j'ai mal partout et je ne peux m'arrêter. Dans quoi est-ce que je me suis embarquée ? J'ouvre la première porte qui s'offre à moi sur l'étage inférieur et m'engage dans le couloir tout aussi faiblement éclairé que le précédent. Je m'arrête, regarde à gauche, puis à droite, et m'engage finalement sur la droite.

Je ralentis le pas à cause de la douleur quand j'atteins un grand couloir dont un mur entier est couvert de verre. Je m'empresse de prendre appui sur le mur le plus près et en profite pour contempler brièvement le paysage urbain de la Haute République. La vue est vraiment incroyable. Une main sur ma plaie, je me remets à avancer.

Je dois les semer.

Je jette un coup d'œil derrière moi, baisse de nouveau les yeux et fonce directement sur un homme beaucoup plus grand que moi. Je manque de tomber à la renverse, mais il me rattrape avant que je ne chancelle davantage. Mon cri s'assourdit contre son épaule. Le contact de sa peau contre mon poignet m'informe automatiquement de son identité avant même que je ne lève les yeux vers lui. C'est définitivement le genre de contact qui vous électrise autant que la foudre. Qui crée autant d'électricité qu'une tempête de sable face à un blizzard.

Nayden.

Il me dévisage, ouvre la bouche, écarquille les yeux. J'ignore ce qu'il fait ici et s'il est prêt à m'aider, mais moi, j'ai désespérément besoin de l'aide qu'il peut m'apporter.

Des pas et des cris au loin m'exhortent à agir. Je sens de nouveau les battements de mon cœur s'affoler, ma respiration devenir plus haletante qu'elle ne l'était déjà. Il doit sans l'ombre d'un doute sentir mon pouls contre mes poignets tellement il cogne.

Il me tient toujours les bras et, moi, je m'accroche au veston de son uniforme.

Je souffle entre deux inspirations :

— Aide-moi, je t'en prie !

Je me prépare déjà à l'éventualité d'un refus. Après tout, pourquoi m'aiderait-il ? Les pas se rapprochent de nous et les voix aussi. Je panique. Mon souffle s'emballe. Nayden m'entraîne derrière lui au pas de course, les doigts pressés contre ma taille. Une grimace de douleur déforme mes traits ; je ne peux retenir un gémissement tant la douleur est grande. Bientôt, il n'y aura plus en moi une once du médicament qu'on m'a administré et la douleur sera fulgurante. Je l'appréhende déjà.

Nayden tourne la tête vers moi, alerté par mon gémissement, puis vers la gauche où plusieurs portes s'offrent à nous. Sans même savoir ce qui s'y trouve, il ouvre la première et m'y pousse précipitamment avant de me claquer la porte au nez.

J'ai le souffle court et je suis couverte de sueur. Je lutte pour m'empêcher de sombrer dans l'inconscience. Il m'a poussée dans une pièce d'entreposage médical pleine à craquer ; le moindre faux mouvement risque de faire tomber tout ce qui se trouve sur les étagères.

Les pas et le brouhaha de la sécurité se rapprochent et j'essaie de tendre l'oreille pour les écouter. Je tremble des pieds à la tête et croise les doigts pour que ça ne s'éternise pas.

— Lieutenant-général Keyes ! s'exclame l'un des hommes. Avez-vous vu quelqu'un passer ici ?

— Oui, il est parti par là. Qui cherchez-vous ?

— *Elle*, Monsieur. On nous a informés qu'elle était vêtue d'un uniforme de l'un des hommes de main c'est sans doute pourquoi vous l'avez confondue. C'est une patiente fugitive dont l'identité nous est inconnue. Elle est potentiellement dangereuse. Nous avons des ordres précis et...

— Alors cessez de discuter et rattrapez-la, bande d'idiots !

— Oui, Lieutenant. Bien sûr, Lieutenant, bafouille-t-il avant de remettre sa patrouille au pas de course.

Une fois qu'ils sont partis, je me laisse choir le long du mur, à gauche de la porte. Le battant s'ouvre au moment où je m'évanouis.

Trente-neuf

Mes paupières lourdes se soulèvent tranquillement pendant que son pouce caresse mon front alors qu'il me tient entre ses bras. Le contact du sol est froid contre mes pieds dénudés. *Tu es dans une salle d'entreposage avec Nayden, Emma.*

— Emma ? Emma, ouvre les yeux. Ça va ? murmure-t-il, sa voix pareille à un ronronnement fauve.

— Je me suis évanouie ?

— Oui, et dire qu'ils te considèrent potentiellement dangereuse, hein ? dit-il légèrement amusé.

Je glousse, mais mon éclat de rire est tout de suite arrêté par une nouvelle vague de douleur que Nayden constate d'un simple regard. Il affiche un calme rassurant et une bonne humeur contagieuse pour me redonner confiance.

— As-tu peur de moi, Nayden ? parviens-je tout de même à marmonner avec un brin d'ironie.

— Pas le moins du monde, Emma. Le devrais-je ? poursuit-il d'un ton charmeur.

Sa réplique réussit à me donner un sourire ; je soupire, ce qui m'arrache une grimace douloureuse.

— Tu as mal ?

— Plus que tu ne pourrais l'imaginer.

Il fronce les sourcils et retire la casquette de ma tête, laissant ainsi retomber mes longs cheveux blonds que j'avais tant bien que mal essayé de dissimuler dessous. Il la regarde un moment puis s'en débarrasse d'un simple coup de poignet qui l'envoie loin dans la pièce.

— Pourquoi ne pas être restée dans ta chambre ? demande-t-il en plissant les paupières.

— Et toi, que fais-tu dans un hôpital à une heure pareille ?

Un muscle dans sa mâchoire se tend malgré son flegme inébranlable.

— Ma question est légitime, considérant ta blessure. Réponds d'abord.

Je soupire, sans pour autant lui donner la réponse qu'il attend. Cette expiration seule m'arrache une nouvelle grimace. Ça y est, l'analgésique n'est plus qu'un souvenir remplacé par une douleur qui me fait suffoquer.

— Tu me laisses jeter un coup d'œil ? me demande-t-il en pointant ma blessure.

— Ça fait déjà deux questions, ça, dis-je les dents serrées.

Il ricane.

— La seconde est simplement pour que tu puisses répondre à la première.

C'est à mon tour de pouffer.

— Alors ? Je peux ? insiste-t-il.

— Qu'est-ce que tu y connais en blessures ? demandé-je dans un souffle.

— Plus que tu ne pourrais te l'imaginer, rétorque-t-il en me faisant un clin d'œil.

Ma douleur m'accorde un moment de répit suffisant pour que je lui fasse une moue. Mon expression ne réussit qu'à l'amuser encore davantage.

Il tire doucement sur ma chemise et détache les quelques boutons du bas.

— Où as-tu trouvé ça ? me questionne-t-il en désignant la chemise d'Albert.

Je marmonne :

— Trop de questions.

Il esquisse un demi-sourire que j'arrive à voir malgré le peu de lumière. Il tend d'ailleurs la main vers l'interrupteur, qu'il allume. Les néons blancs grésillent, puis prennent quelques minutes avant d'éclairer toute la pièce. Je ferme les yeux et protège mes paupières closes du bras en grimaçant de m'être fait aveugler ainsi.

— Désolé, je vais régler l'intensité.

Il tend de nouveau la main vers un petit panneau métallique sous l'interrupteur et l'ouvre à l'aide de l'index. Un clavier lumineux apparaît et j'écarquille les yeux : c'est la première fois que je vois ce genre de technologie, à la fois tactile et holographique. De mon côté de la République, on considère cette technologie comme un mythe. La luminosité descend d'un cran et je peux le regarder sans plisser les paupières.

— C'est mieux ?

— Beaucoup, oui.

— À présent, regardons ce que nous avons là, marmonne-t-il en dévoilant le bandage couvert de sang.

Pendant qu'il regarde ma blessure, je le regarde lui, sa réaction, son expression. Il est stoïque, imperturbable. La vue du sang ne semble pas l'affecter le moins du monde. Ses gestes sont calmes et assurés. Il les exécute avec une précision déconcertante. Ce n'est visiblement pas la première fois qu'il change un pansement de la sorte.

— Est-ce qu'ils sont partis ?

— Oui, ils sont partis vérifier l'aile adjacente. On a encore quelques minutes devant nous avant qu'ils ne reviennent sur leurs pas lorsqu'ils se seront rendu compte que je leur ai menti et que nous sommes cachés ici. Si on peut vraiment appeler ça une cachette.

J'esquisse un sourire. Une fois le bandage souillé retiré, il se lève et regarde tout autour. Il roule le coton en boule et le jette dans une poubelle à déchets biomédicaux.

— Qu'est-ce que tu cherches ?

De quoi te faire un nouveau bandage pour stopper l'hémorragie. Tu ne cicatriseras jamais malgré les points de suture si tu continues de saigner comme ça. Et je dois te dire que si cela n'en tenait qu'à moi, je te ramènerais de force à ta chambre. Tu ne devrais pas être ici, Emma.

— Ne le fais pas, s'il te plaît, répliqué-je en me redressant, mais je dois y renoncer dans la seconde qui suit quand mes yeux se ferment brusquement d'eux-mêmes.

Je peine à les rouvrir et croise son regard.

Il secoue faiblement la tête.

— Non, je ne le ferai pas, m'assure-t-il.

Le coin de mes lèvres se soulève légèrement. Nayden marche quelques minutes entre les rangées et revient avec de nouveaux bandages ainsi qu'un petit flacon de comprimés qu'il secoue.

— Peux-tu te tenir quelques minutes à l'écart du mur le temps que je bande ta plaie ? dit-il en un souffle réconfortant.

— Je crois, oui.

Je me décolle lentement du mur.

— Parfait. Ne bouge plus maintenant.

Je tâche de me tenir le plus droite possible, les mains plaquées au sol, mais chaque inspiration m'inflige une véritable torture. Chaque expiration devient plus douloureuse que la précédente. Mes mains et mes bras se mettent à trembler.

— Appuie-toi sur moi si tu n'arrives pas à tenir, me dit Nayden, toujours aussi concentré sur le bandage, sans même lever la tête vers moi.

Il n'a pas besoin de le faire pour savoir que je tremble et que mon effort est considérable.

Je secoue la tête, ferme les yeux.

Je peux tenir.

Je peux tenir.

Je peux... Non, je ne peux pas.

Mon coude fléchit et je dois me rattraper à son épaule pendant qu'il me fait face. Je pose ma tête contre ma main posée sur lui, la mâchoire crispée à l'extrême. Ses mains sur ma peau m'effleurent à peine, mais, quand elles le font, une traînée de frissons les suit. Il pose le bandage méthodiquement sur ma plaie, exerçant une pression égale sur toute la surface. Il enroule plusieurs fois la bande de gaze autour de ma taille et pour ce faire, ses mains doivent se trouver à plat contre mes côtes. C'est la première fois qu'il me touche aussi longtemps.

Mes lèvres sont soudées par la douleur malgré la douceur de Nayden, j'ai le visage en feu et le corps glacé par de longs frissons qui me secouent régulièrement.

Il achève mon bandage à l'aide d'une petite boucle qu'il tapote gentiment. Sa main se soulève, puis retombe en m'effleurant au passage. Un léger spasme me prend et je bouge sur le côté. Je descends la chemise sur ma taille d'une main tremblotante quand un doux éclat de rire de sa part vient étirer un sourire sur mes lèvres.

— Pardonne-moi. Je ne voulais pas te surprendre.

— Ce n'est rien. Tu as terminé ?

— Oui. En fait non ; il reste ça.

Il lève le flacon à la hauteur de son visage. Je pince les lèvres.

— Qu'est-ce que c'est ?

— De quoi soulager ta douleur. Un comprimé toutes les quatre heures. C'est assez puissant et ça peut causer de la somnolence.

— Comment sais-tu tout ça ? m'exclamé-je à mi-voix.

Il fait tourner le flacon entre ses doigts pour me désigner l'étiquette :

— C'est écrit juste ici.

Il ouvre la bouteille et prend ma main, qu'il tourne paume vers le ciel pour y déposer une petite capsule blanche.

— Tu veux un verre d'eau ?

— Merci, je ne dirais pas non.

Il se lève et revient quelques secondes plus tard avec un gobelet de plastique, qu'il me met entre les mains.

La capsule a un goût amer dans ma bouche et je m'empresse de l'avaler. J'ai tellement soif que je peux sentir l'eau couler tout le long de mon œsophage. Je pose le gobelet, puis il me tend la main pour m'aider à me relever. Ma main glisse dans la sienne et je referme mes doigts dessus. Pour minimiser mon effort, il passe un bras autour de ma taille pour me redresser.

— Ça va ?

— Oui. Merci, Nayden, dis-je en rougissant de le savoir de nouveau si près de moi alors que je le connais à peine.

— Le médicament ne devrait pas tarder à faire effet. Il est presque instantané. D'ici là, je crois que tu veux sortir d'ici. Je me trompe ?

— Non.

— Si je t'aide, répondras-tu à mes questions ?

— Et toi, aux miennes ?

Il s'apprête à répliquer quand on cogne plusieurs coups à la porte. Les soldats s'activent à vouloir l'ouvrir. La poignée se secoue, de même que le battant. Je sursaute et recule d'instinct. Nos quelques minutes viennent de s'envoler. J'espère qu'il a un plan, parce que moi, pour l'instant, je n'en ai aucun.

Quarante

Mon cœur frappe dans ma poitrine, le sang bat contre mes tempes. Mes mains sont moites. Nayden, devant moi, me fait office de protection.

— Bon sang, qu'est-ce que tu as fait, Emma ? s'emporte-t-il à mi-voix avec une pointe d'ironie.

— Rien, je t'assure ! que je m'exclame en faisant un pas vers les étagères derrière nous. Je suis seulement sortie de ma chambre, je...

— Ouvrez la porte, Lieutenant-général ! Nous savons que vous êtes là ! Ouvrez la porte immédiatement ! Nous n'hésiterons pas à la défoncer !

— Depuis quand un simple soldat me donne-t-il des ordres ? grommelle Nayden, manifestement insulté. Tu crois pouvoir courir ?

— Oui.

— OK.

Nayden se tourne vers moi et regarde audessus de ma tête.

— Vite, partons. Viens.

Il glisse sa main dans la mienne et m'entraîne vers une sortie sur notre droite. Elle mène à une autre pièce. La salle est plongée dans l'obscurité. C'est une autre salle de rangement, moins pleine que la précédente cette fois. Mes yeux s'accommodent peu à peu à l'absence de lumière et localisent enfin une autre porte à gauche.

— Là ! dis-je en pointant la porte.

Nayden acquiesce et nous nous pressons vers la porte, sa main serrant toujours mes doigts. Il jette un coup d'œil dans le corridor désert avant de m'y pousser avec douceur.

Nayden ferme la porte derrière nous sans le moindre bruit et continue de me pousser pour que j'avance. Je crois que nous sommes de l'autre côté de l'hôpital et ici, le silence est total malgré les quelques infirmiers qui vont et viennent; je me surprends à me demander pourquoi personne ne nous arrête. Notre pas est rapide, et je regarde constamment derrière moi : c'est l'une de mes habitudes, vérifier les traces que je laisse. Je ne risque pas de changer de sitôt malgré l'urgence de fuir.

— Arrête de regarder derrière toi, ça te ralentit.

— Désolée.

Des bruits derrière nous rompent le silence de cette aile de l'hôpital. Nayden empoigne ma main et nous nous remettons à courir. Il m'entraîne dans un virage serré sur la droite et je peine à me tenir à sa hauteur. Le comprimé que j'ai avalé n'a pas encore agi alors j'ai toujours aussi mal qu'avant. Les infirmiers s'éloignent précipitamment pour nous laisser passer en voyant Nayden et tout en marmonnant son titre à la fois pour le saluer et pour le dévisager. Leurs regards en disent long sur ce qu'ils pensent et sur les questions qu'ils se posent à voir deux jeunes adultes courir dans un hôpital. Certains tentent de nous barrer la route, et mon sauveur s'empresse de nous faire prendre d'autres couloirs.

Nous tournons ensuite sur la gauche et nous précipitons tous les deux dans un ascenseur. Les portes se referment à l'instant où la patrouille débarque au détour que nous venons tout juste de quitter. Nayden appuie d'abord sur le bouton d'un étage inférieur, puis d'un étage supérieur.

— Pourquoi remonter ?

— Parce qu'ils penseront que nous descendrons pour sortir de l'hôpital. Si on veut arriver à les semer, il faut emprunter un autre ascenseur.

— D'accord, dis-je.

— Tu tiens le coup ?

— Je crois, oui.

Je force un sourire sur mon visage fatigué et les portes s'ouvrent dans un tintement. Nous sommes à l'étage réservé à la pédiatrie. Je le vois simplement à la décoration et aux couleurs des murs.

— Viens, allons par là. Il faut faire vite, ils risquent de faire surveiller tous les ascenseurs et nous ne pouvons pas utiliser les escaliers. Tu as quelque chose dessous ? ajoute-t-il en se tournant brièvement vers moi et en pointant l'uniforme que je porte.

— Oui, pourquoi ?

Il te gêne dans tes mouvements. Il est trop grand et rien qu'à le regarder, il doit également être très lourd. Ce n'est donc rien pour t'aider.

Il a raison.

— J'ai encore ma chemise d'hôpital dessous, dis-je en m'arrêtant dans un corridor faiblement éclairé.

Nayden acquiesce puis lâche ma main qu'il tenait toujours, ce que je n'avais pas réalisé. Je défais rapidement tous les boutons de la chemise d'Albert avant qu'il ne passe derrière moi pour m'aider à l'enlever.

Le pantalon tombe dès que je l'ai détaché, et je n'ai qu'à l'enjamber. Je m'assure que la jaquette d'hôpital couvre bien mes fesses. Je suis pudique, même si ma vie est en jeu. Plus particulièrement avec des inconnus.

— Attends, tu n'es pas pour rester comme ça, ricane-t-il en voyant mes orteils se plier sous l'effet du plancher glacé.

Il se penche vers ses bottines et retire ses chaussettes de laine, qu'il me tend gentiment. Je les récupère, m'apprête à me pencher pour les enfiler quand je grimace, les épaules affaissées. Je dissimule mal mon découragement par rapport à mon état. J'ai toujours été extrêmement autonome; me retrouver aussi dépendante me mine complètement le moral.

— Je ne peux pas me pencher, dis-je la mâchoire serrée.

Son visage se fige dans une expression d'excuse qu'il camoufle à l'aide d'un sourire charmeur.

— Bien sûr. Pardonne-moi. Madame, me laisseriez-vous l'honneur de vous enfiler ces chaussettes ?

Je m'esclaffe.

— Arrête de dire n'importe quoi et dépêche-toi, lui reproché-je. On n'a pas de temps à perdre !

Il râle sans trop se préoccuper de mon avertissement. Il doit considérer tout ce qui se passe comme étant sous contrôle. Pour ma part, mon cœur a repris son marathon de plus belle et il n'est pas près de ralentir !

Il pose un genou au sol et prend délicatement ma cheville, et ce, malgré l'urgence dans le ton de ma voix et dans mon regard qui ne cesse d'aller et venir. Je me rattrape à son épaule quand je me sens basculer ; il se redresse une fois le travail terminé, un fin sourire aux lèvres.

Ses chaussettes sont beaucoup trop grandes pour moi et le surplus de tissu s'entasse sur mes chevilles. Je ne risque plus d'avoir les pieds glacés maintenant.

J'ai toujours les yeux rivés au plancher, plus précisément sur mes pieds dans ses grands bas quand il m'adresse la parole.

— Mieux ?

— Beaucoup, oui.

Il sourit avec candeur et me désigne le couloir d'un coup de tête. Les quelques secondes qui passent me semblent agréablement plus longues et sereines que les minutes folles qui viennent de passer.

— On y va ?

— Oui.

— OK.

J'accélère le pas pour me garder à sa hauteur. Étant plus grand que moi, il fait de beaucoup plus longues enjambées. Nous faisons le tour de l'étage en passant devant plusieurs chambres d'enfants endormis, à l'exception d'une petite fille à qui je fais signe d'être silencieuse en posant un doigt sur mes lèvres. Elle acquiesce en souriant et m'envoie la main lorsque nous nous éloignons, Nayden et moi.

Me voir vêtue de la même chemise qu'elle semble la rassurer.

Quand nous arrivons à l'ascenseur à l'autre bout du couloir, Nayden m'y pousse gentiment. Je sens sa main contre mon dos dénudé. Je tourne la tête vers lui en sursautant à son contact. Ses yeux descendent sur mes épaules puis sur mes omoplates et finalement au creux de mon dos découvert.

Quand les portes se referment, il rattache ma chemise avec une extrême délicatesse. Je suis crevée. Mes paupières se ferment toutes seules, et son contact m'apaise. La douleur se fait moins intense, et mes membres s'engourdissent. Il se poste devant moi et lève mon menton pour croiser mon regard, qui, je le sens déjà, bascule vers le sommeil.

— Emma, reste éveillée. Combats le médicament encore quelques minutes, tu peux y arriver. Je vais t'emmener en lieu sûr.

Il n'a pas dit qu'il allait me ramener chez moi. Sait-il que je ne viens pas d'ici ? Sûrement pas.

— Je suis tellement fatiguée.

— Je sais. Je vais te protéger, c'est promis.

— Pourquoi, Nayden ? Pourquoi fais-tu ça ?

Ses doigts se raidissent sur ma joue avant qu'il ne les laisse retomber.

— Pour être honnête, je ne sais pas.

Je souris quand mes yeux se referment. Au moins, il est honnête, c'est déjà ça.

Les portes s'ouvrent sur une foule considérablement plus nombreuse. C'est à cet étage que l'hôpital accueille tous ses patients. Nous nous trouvons à l'urgence, où la présence militaire est accrue.

Par ailleurs, Nayden est loin de passer inaperçu avec son manteau de lieutenant-général. Je ne crois pas que les soldats se baladent régulièrement avec les patientes de l'hôpital... J'ai le regard rivé au sol, je tente de me faire discrète, et sa main a retrouvé le chemin jusqu'à ma taille. Il me tient serrée contre lui, et nous nous faufilons entre les petits groupes.

Il s'arrête derrière une colonne et m'adosse tout contre en posant ses mains sur mes épaules.

Je vais finir par penser que le contact de son corps si près du mien a une incidence sur mon état de plus en plus chancelant. Ma poitrine se soulève frénétiquement quand je sens sa ceinture contre mes hanches et que son visage se retrouve à un battement de cils du mien.

— Attends-moi ici. Fais-toi discrète. Compte jusqu'à cent vingt à partir du moment où tu ne me verras plus. Ensuite, rends-toi à l'entrée juste là, sans te retourner. C'est compris ?

J'opine d'un coup de menton. Son regard s'attarde dans le mien quelques secondes encore, puis il s'éclipse vers la sortie. Mes yeux le suivent jusqu'à ce qu'il disparaisse dans l'obscurité de la nuit. À partir de ce moment, je commence à compter.

Je regarde tout autour. Les chiffres valsent dans les brumes de mon esprit. Je suis étourdie. Derrière mes paupières qui se font lourdes, les yeux de Caleb m'observent, je vois son sourire. Je pense à lui. Sait-il où je suis présentement ? Et mon frère ? Qu'est-il arrivé à mon frère ? Se trouve-t-il avec Caleb ?

Je sombre vers le sommeil, me rattrape à la colonne sous le regard intrigué d'une femme qui passe devant moi. Vingt-six, vingt-sept, vingt-huit... Le médicament se dilue et m'assomme carrément; je dois régulièrement me rattraper à la colonne derrière moi. Je donne un sens à ces nombres en comptant les patients qui attendent.

Quarante-deux, quarante-trois, quarante-quatre... Heureusement, personne ne semble remarquer ma présence. Excepté un petit garçon qui a l'air de n'avoir rien de mieux à faire. Je dois cligner des yeux plusieurs fois pour rester éveillée. Le garçon me fixe toujours. Soixante-neuf, soixante-dix, soixante et onze, soixante-douze, soixante-treize... Je compte maintenant les tuiles sur le plancher. Peut-être que cela m'empêchera de penser au gamin qui me fixe. Quatre-vingt-quinze, quatre-vingt-seize, quatre-vingt-dix-sept, quatre-vingt-dix-huit, quatre-vingt-dix-neuf, cent... Sûrement qu'il se demande ce qu'une patiente de l'hôpital fabrique à l'urgence. Je me poserais la même question.

Il me fait un peu penser à Noah, bien que ce dernier ne croiserait jamais directement mon regard. Je relève la tête. Les chiffres se brouillent dans ma tête. Je ne dois pas perdre le compte. Je dénombre les fenêtres de la salle d'attente, les additionne à ce que j'ai déjà recensé. C'est une salle prestigieuse, même pour un hôpital.

Le secrétariat se trouve en plein centre et une mezzanine aux rampes de verre fait le tour de l'étage. Les bois m'ont l'air riches, trop pour un simple institut de santé. La seule chose qui puisse me confirmer que ça en est un, ce sont les médecins qui marchent ici et là ainsi que les malades qui attendent. Cent seize, cent dix-sept, cent dix-huit, cent dix-neuf, cent vingt !

Je dois rejoindre l'entrée sans me faire voir par les patrouilles. Les premiers pas que je fais sont chancelants. J'ignore si je vais y parvenir, réussir à me rendre jusqu'aux grandes portes de verre coulissantes. Je pose une main sur mon abdomen pour me sécuriser et commence à avancer. Je sens toujours le regard du garçon posé sur ma nuque quand j'avance. Je me retourne. Je ne devrais pas. Nayden m'a dit de ne pas me retourner. Et pourtant, je le fais quand même. Un soldat se penche vers le garçon qui me regarde. Ce dernier me pointe. Le soldat se relève.

Je me suis arrêtée. Pourquoi me suis-je arrêtée ?

Mon regard croise celui du soldat, qui avance de plus en plus rapidement vers moi. Je pivote et m'élance vers la sortie. Mes chaussettes me font glisser sur le plancher, ralentissent mon élan. C'est sans doute pourquoi je les perds en chemin.

L'adrénaline parcourt mes veines en combat avec le médicament qui souhaite me faire sombrer vers le sommeil.

J'atteins enfin les portes, bouscule une vieille dame au passage. Je n'ai pas le temps de m'excuser. Quand j'aboutis sur le trottoir, une voiture noire m'attend. Nayden m'ouvre la portière en se penchant dans ma direction.

— Monte ! me crie-t-il voyant que je reste paralysée dans l'air glacial.

Dans un ultime effort, je saute dans la voiture. Nayden claque ma porte, le bras par-dessus moi et fait vrombir le moteur de la voiture. Les pneus crissent sur le sol avant que nous ne nous élancions sur la route.

— Boucle ta ceinture.

Je ne suis jamais montée dans une voiture de toute ma vie. Mes doigts tremblotants s'emparent de la ceinture que je boucle comme il me l'a demandé, bien que cela me prenne quelques secondes avant d'en comprendre le fonctionnement. Ma tête tombe contre le dossier. Tous mes membres sont engourdis, mes paupières papillonnent.

— Je t'emmène en lieu sûr. Fais-moi confiance. D'accord ?

Je l'entends se tourner brièvement vers moi. Ses vêtements bruissent contre son siège de cuir noir. Mes paupières sont trop lourdes pour que je les ouvre.

Et puis, je l'ai suffisamment regardé pour aujourd'hui.

Je sombre vers le sommeil. J'ai fini de me battre. Pour l'instant en tout cas.

Quarante et un

Je nage dans les limbes. Une portière s'ouvre, puis se referme. La portière à ma droite s'ouvre; quelqu'un s'approche. On glisse un bras sous mes genoux, l'autre dans mon dos. Je ne suis qu'une poupée de chiffon entre ses bras. Une minuscule poupée ballottée par la somnolence. J'essaie d'ouvrir les yeux. Mes paupières ressemblent à deux trappes fermées par un cadenas dont je ne possède pas la clé. Ma bouche est pâteuse, aucun son ne s'en échappe.

J'essaie de bouger, mais j'en suis incapable. L'essentiel, c'est que je n'ai plus mal du tout. Nayden ne m'aurait pas droguée, tout de même? Ai-je eu tort de lui faire confiance? Non. Il m'a aidée. Il m'a cachée. Nayden ne me veut pas de mal. Il me l'a promis. C'est seulement l'effet des médicaments. Je dois arrêter d'avoir peur.

Il se met à marcher.

Je sens sa main sous mes genoux se tendre vers quelque chose. Une poignée de porte en métal. Je sens l'acier glacé contre mon mollet quand il recule pour l'ouvrir.

La porte se referme derrière nous, il accélère le pas. Le tintement d'un ascenseur me secoue. Il ne m'aurait pas ramenée à l'hôpital, quand même ? Je m'agite sans qu'il s'en aperçoive. Ce n'est que mon esprit qui s'active, pas mes membres. Il appuie sur un bouton, le mouvement de l'ascenseur nous secoue légèrement, puis j'entends les portes qui s'ouvrent de nouveau.

Ma respiration est calme. Je suis à cheval entre la réalité et le sommeil. Nayden marche encore un petit moment. Je sens l'une de ses mains qui se tend. Je le sais parce qu'il m'a serrée plus fort contre lui quand il a dû le faire. Quand la dernière porte se ferme, son odeur est omniprésente et la chaleur réconfortante m'assaille de partout.

Les clés ont arrêté de cliqueter : il les a probablement lancées quelque part.

Sur un comptoir, sans doute. Au bruit qu'elles ont fait, c'est ce que je me dis, mais ce n'est qu'une supposition. Il continue d'avancer, monte des marches, son souffle se fait légèrement plus fort contre mon épiderme.

Ma tête est lourde contre son épaule et elle roule régulièrement vers l'arrière. J'essaie de me réveiller, mais j'en suis incapable. J'essaie de parler, mais cela m'est impossible. J'essaie encore de bouger, mes membres refusent de me répondre.

Vais-je encore devoir me tourner vers la Lune pour qu'elle traduise mes envies ? J'en ai bien peur.

Un son, faible, à peine plus fort qu'un murmure, à peine plus intense qu'une brise, s'échappe de mes lèvres. Or, c'est suffisant pour que je le sente se pencher vers moi. Mes paupières s'ouvrent de quelques millimètres.

Mon dos touche une surface moelleuse. Un lit. Le matelas le plus confortable que j'aie jamais connu, un oreiller duveteux et son parfum partout autour de moi. Je marmonne son nom.

Un cocktail d'effluves qui me font penser à ce qu'évoquent pour moi la mer et sa salinité, légèrement fruité par des odeurs d'agrumes subtiles, qui apportent une vague de soleil vivifiée par un arôme poivré puis, adouci par un souffle de cèdre d'automne, m'envahit d'un seul coup.

Un parfum que j'inspirerais pour le restant de ma vie.

Enivrant. Sensuel. Masculin.

De nouveau, je murmure ce nom qui est étampé partout dans cette demeure, qui gambade hors de ma bouche et sautille dans l'air devant mon visage : Nayden. Il effleure ma joue du revers de la main, remonte les couvertures jusqu'à mes épaules et souffle quelques mots à son tour.

Je suis trop embrumée pour décoder ses paroles, bien que je m'épuise à tenter de le comprendre. L'effort est trop grand.

Je glisse de nouveau vers le sommeil avant même d'avoir eu le temps d'y penser plus longtemps.

Quarante-deux

Il fait jour et le soleil caresse mon visage. Je tente de rouler sur le côté pour m'y soustraire, mais une douleur cuisante me prend à l'abdomen.

Malgré mes paupières closes, j'ai l'impression de regarder à travers un kaléidoscope; mes souvenirs s'enchaînent, s'emboîtent, se succèdent par cet unique éclair de douleur qui me foudroie de part en part. Je me suis fait tirer dessus. Je ne suis pas chez moi. À ma droite, le lit de ma sœur Effie est absent. Ici, je ne connais personne à l'exception de Nayden. J'ouvre les yeux sur un plafond entièrement blanc aux poutres d'acier poli. Devant moi, les fenêtres à carreaux sont en métal et de grands voilages blancs diaphanes les recouvrent du plafond jusqu'au plancher de l'étage inférieur.

Le lit se trouve au centre de la pièce, qui couvre également toute la mezzanine. Il y a une penderie sur ma gauche, immense de toute évidence, mais il n'y a que cela. Rien d'autre. Pas d'objets personnels ni de meubles; rien que du blanc et du gris. À l'exception peut-être de cette petite table de chevet en métal sur ma droite sur laquelle se trouve un flacon noir que j'identifie comme étant le parfum de mon hôte. Ainsi qu'un verre d'eau. Pas de note, rien que ce verre. Pour l'instant, ça me suffit.

Sous mes doigts, la couette duveteuse est d'un gris anthracite; quelques coussins moelleux apportent des touches plus claires. Je suis au beau milieu d'un ciel d'orage aussi confortable que le paradis. Je me relève sur mes coudes avec la lenteur d'une tortue.

Je m'assois et j'appuie mon dos contre la grande tête de lit en me passant une main sur le visage pour en effacer la trace des draps qui me semble incrustée à même ma peau. Assoiffée, j'engloutis le verre d'eau. Sur ma droite, il y a l'escalier en colimaçon, blanc aussi, dont la rampe en métal poli scintille presque sous l'éclat du soleil. Derrière se trouve une grande bibliothèque dont les étagères vont du sol jusqu'au plafond de l'étage inférieur, que j'aperçois par l'ouverture de l'escalier.

Je balance délicatement mes jambes hors du lit. Le temps que j'arrive à me remettre sur pied, de longues minutes ont déjà passé. Je vais jusqu'à l'escalier où chaque marche m'impose une véritable torture. Arrivée au bas, je m'accroche à la rampe, le souffle haletant et le corps recouvert d'une pellicule de sueur. Je fais face à la grande baie vitrée que je pouvais voir de la chambre à l'étage; elle est encore plus splendide d'ici, avec ce grand paysage urbain qui s'étend à mes pieds.

— Nayden ? appelé-je d'une voix timide, une main sur la rampe.

Je n'obtiens aucune réponse.

— Nayden ? répété-je un peu plus fort cette fois.

Toujours rien, et aucun bruit. Je suis donc seule dans son immense appartement.

Le plancher est en bois, de la même teinte que dans la chambre. Le plafond, légèrement plus bas que celui à l'étage du haut, est blanc, tout comme le reste.

La bibliothèque pleine à craquer couvre un pan de mur en entier. Il y a un petit fauteuil gris entre l'escalier et la bibliothèque. Au centre du mur se situe la très grande porte d'entrée double en bois couleur caramel munie d'une toute petite fenêtre dans chaque battant.

Sur un meuble blanc presque lumineux repose un très mince rectangle en métal argenté mat. J'ignore ce que c'est, je n'en ai jamais vu auparavant. Une technologie à laquelle je n'ai pas accès de mon côté, sans doute. Sur le même plan de travail, il y a aussi une lampe de travail en acier.

Le salon est simple et sobre. Un canapé à trois places trône dans la pièce. Décidément, il n'a pas l'habitude de recevoir qui que ce soit. Il y a quelques coussins gris sur le canapé ainsi qu'un grand téléviseur devant qui dissimule légèrement la baie vitrée, mais pas suffisamment pour causer un manque de lumière naturelle et encore moins couper la vue.

La cuisine est séparée du reste par de gigantesques caissons de verre et de bois blanc percés d'une grande ouverture centrale, sans portes. La pièce se résume à un grand îlot de pierre grise avec des armoires en deux tons; celles du haut sont blanc laqué et celles du bas sont de la même teinte que le plancher de couleur sable, le tout souligné par la teinte métallique des électroménagers.

Il n'y a pas d'objets personnels non plus dans le peu d'espace vacant. Aucune photo de famille ou de voyage, aucune babiole personnelle, aucun objet qui puisse me confirmer que cet appartement appartient à Nayden, excepté le fait que je m'y trouve et peut-être ce flacon d'eau de toilette à l'étage. J'ai l'impression qu'il n'y a que moi qui suis en vie dans cet appartement. Et tout ça m'est complètement étranger. Chez moi, il y a toujours quelqu'un parce que Noah est toujours là. Sans faire partie du décor malgré sa discrétion, il est ce petit écho d'un cœur qui bat qu'on est incapable d'ignorer ou de ne pas écouter. Ici, cet écho n'existe pas. Ce cœur qui bat s'est arrêté et je n'ai rien pour combler son absence. Alors je me contente de cet abandon, de cette liberté entre quatre murs que j'ai en étant là, dans ce loft gigantesque où j'ai pourtant l'impression d'être prise au piège. Je tourne sur moi-même.

Il y a deux portes au fond, dont une qui mène sans doute à la pièce que j'ai le plus envie de visiter présentement : la salle de bain. Et je dois avouer que je tuerais pour une douche !

En ouvrant la porte, c'est sans surprise que je tombe sur une pièce dans la même veine que toutes les autres : la douche de verre est épatante, le grand miroir au-dessus de l'évier est somptueux, le comptoir de pierre est incroyable.

J'ai beau avoir remarqué le miroir, je ne peux me regarder. Je ne veux pas me regarder. Je ferme la porte derrière moi, puis tourne le dos au miroir. Je défais le nœud de ma chemise d'hôpital et l'enjambe après qu'elle soit tombée au sol.

J'observe la robinetterie un moment, sans trop savoir comment elle fonctionne. Après quelques essais, je parviens à faire jaillir l'eau de la pomme de douche comme de la pluie.

Je baisse les yeux sur mon bandage et grimace. J'hésite à aller sous l'eau avec ma plaie à peine cicatrisée et j'ai encore moins envie de voir de quoi elle a l'air.

Je me tourne vers le meuble-lavabo, ouvre le premier tiroir et tombe pile sur ce que je cherchais : une débarbouillette et une savonnette neuve. L'eau continue de couler dans mon dos, c'est le seul bruissement qui occupe la pièce et sans doute tout le reste de l'appartement.

J'ignore encore comment je vais réussir à laver mes cheveux si je suis incapable de me tenir sous la douche ou de me pencher, d'autant plus que j'ai de la difficulté à lever les bras. C'est à peine si j'arrive à m'étirer suffisamment. Il y a une énorme baignoire blanche sur ma droite, mais elle m'offre encore moins de possibilités.

Je suis donc devant la douche, la mâchoire crispée en pensant à ce qui m'attend. J'ai sans doute l'air superficiel, mais je refuse de me présenter ainsi à qui que ce soit, particulièrement à celui qui m'héberge.

Après tout près d'une heure ponctuée de cris de douleur et d'éclaboussures qui inondent le plancher, je termine mon nettoyage rudimentaire.

Je prends l'épaisse serviette de la grande étagère et l'enroule autour de mon corps après avoir retiré le bandage. Je crois que ma plaie a arrêté de saigner, du moins en partie. Une fraîche odeur flotte dans la pièce: celle de la savonnette au sel de mer et au cèdre qui imprègne également ma peau et qui me rappelle le flacon de parfum laissé sur la table de chevet. J'essore mes cheveux avec une autre serviette plus petite et tamponne mon visage couvert de minuscules gouttelettes de vapeur. Je ne crois pas que j'aie déjà senti aussi bon, ne serait-ce qu'une seule fois dans ma vie.

Je pince les lèvres en m'arrêtant devant le grand miroir couvert de buée. Ma réflexion y est floue. J'expire un bon coup et essuie, en faisant un cercle grandissant, la vapeur qui s'est collée au miroir. Je retire ma main et la serviette du miroir et me regarde. C'est la première fois que je me vois de la tête au bas des hanches dans un miroir aussi clair.

Mes cheveux ont des reflets dorés accentués par l'éclairage chaleureux de la pièce. Mon teint est très pâle, comme toujours, et mes lèvres sont légèrement rosées. Mes yeux sont vifs malgré les récents évènements et aucun cerne ne vient les souligner, à ma grande surprise.

Mes traits ne sont pas tirés de fatigue non plus. J'ai l'air presque en pleine forme. J'ai peut-être dormi plus longtemps que je ne le pensais d'abord. Et puis, j'ignore ce qu'on m'a administré là-bas, mais ça ne pouvait me faire que du bien.

Je passe une main dans mes cheveux dégoulinants et les ramène sur le côté, dégageant ainsi mon épaule. Pour l'une des premières fois de ma vie, je me trouve véritablement jolie. Je suis toujours aussi maigre, certes, mais je suis tout de même belle. Peut-être ne me suis-je jamais véritablement vue comme je l'aurais dû ?

Quant à ma blessure, elle n'est pas belle à voir. Les points de suture sont encore beaucoup trop apparents à mon goût et la peau semble encore à vif, à croire que cela s'est produit ce matin. Un grand périmètre coloré délimite le tout, résultat de l'afflux de sang important provoqué par la balle.

La faim me tenaille, mais j'ai appris à la maîtriser. Je baisse les yeux sur mon corps frêle. Je me demande quoi porter pour sortir de la pièce; je resserre la serviette autour de moi et sors sur la pointe des pieds. Je me dirige vers l'escalier et je sursaute en entendant la porte de l'entrée s'ouvrir, puis se refermer doucement. Exactement ce que je voulais éviter. Tout compte fait, il aurait été préférable que je reste dans la salle de bain.

Nayden lève les yeux vers moi et les écarquille légèrement, mais a le réflexe de se retourner assez rapidement.

— Emma!... Pardonne-moi. Je ne pensais pas que tu serais réveillée quand j'allais rentrer.

Tu ne pensais surtout pas que je sortirais de ta salle de bain si peu vêtue, ai-je envie de lui répliquer, mais la gêne m'en empêche. J'ouvre la bouche sans rien dire. Je mordille ma lèvre inférieure et me balance d'un pied à l'autre.

Je ne pipe mot, c'est à peine si je respire. *Ne le regarde pas.* Je veux le regarder. *Ne le regarde pas.* Je lève les yeux. *Bon Dieu qu'il est beau! Et me voilà devant lui avec rien de plus qu'une serviette de bain!*

— Je vais te chercher de quoi t'habiller. Je reviens tout de suite, s'empresse-t-il de dire en quittant la pièce.

Il gravit les marches quatre à quatre pendant que, moi, je reste complètement figée à le suivre des yeux jusqu'à ce qu'il revienne avec une pile de vêtements.

— Tiens. Tu peux mettre ça en attendant. Les sous-vêtements sont neufs, je ne les ai jamais portés si ça peut te rassurer.

— Merci, Nayden, dis-je avec un sourire gêné auquel il répond gentiment.

Je me rends à la salle de bain et referme prestement la porte.

Je récupère ensuite la jaquette que j'ai laissée tomber au sol à deux pas d'une mare d'eau que j'éponge autant que possible.

J'enfile un chandail à manches longues noir à col rond ainsi qu'un pantalon cargo gris foncé, qui doit lui arriver au bas des genoux, mais qui m'arrive au bas des chevilles. Il me tombe sur les hanches et dévoile légèrement les sous-vêtements noirs qu'il m'a prêtés, mais il tient beaucoup mieux que le pantalon que j'avais volé à Albert, lequel doit sans aucun doute être en train de chercher ses vêtements de travail à l'heure qu'il est. Le chandail est incroyablement doux, sûrement en cachemire. Je tire le col vers mon nez. On dirait que je porte Nayden autour de moi. C'est tellement agréable et sécurisant tout à la fois que je me surprends à inspirer encore un grand coup. Puis, je réalise à quel point je suis idiote de réagir de la sorte et je laisse retomber le vêtement. J'ai vécu tellement d'interdits que je me refuse même le petit privilège de me sentir en sécurité. Ce qui serait encore plus idiot de ma part serait de me laisser emporter. Il faut que je garde la tête froide et les idées claires.

J'accroche l'essuie-main sur le porte-serviette de métal au mur et sors en serrant la chemise d'hôpital contre ma poitrine.

Nayden est debout derrière l'îlot de pierre et coupe des fruits que je ne connais pas, mais dont les effluves sont parfaitement exquis. Il essuie ses mains avec un chiffon et approche pour récupérer ma chemise roulée en boule.

— Qu'est-ce que je fais de ça ?

Dans son bras qu'il tend vers moi, je peux voir les muscles bouger et les veines de son avant-bras saillir. C'est la première fois que je le vois sans uniforme, vêtu en civil. Pas d'uniforme, pas d'insigne, pas de manifestation de son autorité par un quelconque vêtement. Rien que Nayden tel qu'il est tous les jours.

Ce garçon est mieux sculpté qu'une statue de marbre.

— Laisse, je m'en occupe, dit-il en me souriant.

Il ouvre l'une des armoires du bas et la jette dans la poubelle qu'il referme.

— Ce ne serait pas mieux de la détruire ? dis-je d'un ton timide.

Il me fait signe d'approcher puis ouvre de nouveau le caisson.

Ma chemise a disparu et une partie du cauchemar qui y était associé aussi.

— On ne la retrouvera pas, je te le garantis.

Il me désigne l'un des deux tabourets de l'îlot.

— Assieds-toi, je t'en prie.

— C'est à toi tout ça ? demandé-je en désignant le loft d'un geste de la main.

— Oui. Tu as faim ?

J'acquiesce et il pousse le bol devant moi en y déposant une cuillère.

— Commence par ça, dit-il en me faisant un clin d'œil. Tu as besoin de vitamines pour reprendre des couleurs.

Je me redresse, regarde le contenu du bol d'un air intrigué. Nayden sort un pichet de jus de son immense réfrigérateur.

— Ce sont des mangues et des oranges, Emma. Tu n'en as jamais vu, pas vrai ?

Je suis tentée de lui répondre que oui, mais m'en abstiens. Je ne peux pas lui mentir, et il serait inutile de le faire sur un sujet aussi futile. Mes épaules s'affaissent et je secoue la tête.

— Non. Jamais vu, ni senti, ni goûté. Si ce n'est que je crois avoir vu Aleks s'en servir au bar.

Un mince sourire étire ses lèvres et il me tend un verre de jus pourpre, puis s'en verse un à son tour. Il prend une gorgée pendant que je mâche ma première mangue à vie.

— Et si tu répondais à mes questions maintenant ?

— Répondras-tu aux miennes ?

— Seulement si tu en fais de même pour moi, réplique-t-il du tac au tac.

Je me redresse, inspire en goûtant de toutes mes papilles ce fruit si sucré. Je plonge mon regard dans le sien, le coude contre le comptoir de marbre froid, le menton dans le creux de la paume.

— Que sais-tu au juste de moi, Nayden Keyes ?

Il pouffe de rire, pose ses mains à plat sur le comptoir et se penche vers moi. Son parfum emplit mes narines, se mêle au mien. Son souffle chatouille mon visage, son haleine chaude aux accents fruités se goûte presque sur mes lèvres que j'humecte de plus en plus nerveusement face à cette soudaine proximité. Il me scrute jusqu'au fond de l'âme.

Je pourrais presque compter les lignes dorées qui strient son regard d'émeraude tellement il est près de moi.

Et pourtant, rien ne m'aurait préparée à ce qu'il me dirait ensuite. C'est carrément le genre de phrases de peu de mots, mais qui ont un effet tellement puissant qu'ils vous font réaliser que l'écho d'un cœur qui bat est surfait.

Le mien vient de se figer à l'instant pour de longues secondes. Particulièrement quand sa voix aux notes presque langoureuses glisse à mes oreilles comme du miel chaud empli d'un poison incolore et inodore qui me fera paniquer plus que jamais en pensant à tout ce que j'ai laissé derrière, à la maison, et à ce que je présage devant, ici dans cet appartement, de ce côté où je ne devrais même pas me retrouver.

— À toi de me dire qui tu es, Emma Kaufmann de la Basse République.

Remerciements

Un grand merci, d'abord, à mes deux lectrices et amies extraordinairement fantastiques (j'exagère à peine), Flavie et Laurence. Merci pour vos conseils et votre enthousiasme insatiable. Je ne sais pas où j'en serais sans vous. Vous avez su pousser juste assez ma flamme pour l'écriture afin qu'elle en devienne un brasier qui n'est pas près de s'éteindre.

Merci à Caroline pour ton expertise et tes connaissances sur l'autisme, mais plus encore, pour ta passion pour ces jeunes aussi exceptionnels que tu as su partager avec moi. Merci un million de fois.

Merci à ma mère. Merci à toi, maman, pour ton amour inconditionnel et ton envie de me pousser toujours plus loin afin que je me surpasse, mais plus encore, merci de faire de moi quelqu'un de bien. Je ne te le dis pas assez souvent, mais je t'aime gros comme l'univers.

Merci à ma sœur, Maud, de me rappeler qu'on est tous humains et que c'est important de le sentir dans un roman, sans quoi il en perd tout son sens. J'espère avoir réussi.

Merci à mes grands-parents. À toi, grand-papa, à qui j'ai dédié ce livre. Merci pour tous les sourires que tu arrives à mettre dans mes journées et à l'amour incommensurable que tu me témoignes. À toi aussi, ma belle grand-maman, pour tout ce que tu as toujours fait pour moi avec la plus extraordinaire des tendresses. Gros bisous à vous deux.

Merci à mes plus proches amis : Matthew, Frédérique, Sandrine, Émilie, Isabelle-Anne et Mélissa (sans oublier Laurence et Flavie, mentionnées précédemment). Vous êtes tous, à votre façon, architectes de celle que je suis devenue aujourd'hui. Merci d'être ma deuxième famille cent quatre-vingts jours et plus par année.

Merci à Martin David de m'avoir supervisée tout au long de ce projet qui, jadis, portait le nom de projet personnel et qui maintenant prend la forme concrète d'un roman ; mon plus beau projet à ce jour, de toute évidence. Merci de m'avoir lue avec attention.

Merci à Sara, ou devrais-je dire un ÉNORME merci à toi, mon éditrice pleine d'enthousiasme d'avoir pris la relève de cette lecture attentive et méticuleuse. J'ai beau avoir sauté certains de tes commentaires (parce qu'en tant qu'auteure, on a bien quelques caprices), je ne t'en remercie pas moins pour ton travail plus que formidable.

Merci à Marie également, la plus merveilleuse des directrices littéraires. Ton instinct maternel a posé un véritable baume sur tout le long processus qu'est l'édition. C'est gentil de m'avoir guidée avec autant de patience et de gentillesse. Je n'aurais pu être mieux entourée avec Sara comme éditrice, toi comme mentor et toute la fantastique équipe de la maison Guy Saint-Jean Éditeur pour m'épauler dans ce superbe projet. Sans vous, sans votre confiance, sans votre passion pour les livres, mon roman ne figurerait pas aussi fièrement sur les tablettes de mes librairies préférées, où je ne pensais jamais me retrouver un jour. Vous êtes vraiment une belle famille dont je suis extrêmement fière de faire partie.

Et enfin, à tous ceux qui liront ce livre ou qui en auront tourné ne serait-ce qu'une seule page par simple curiosité, merci.

Mathilde

À lire prochainement...

Changer pour ne plus jamais être Emma Kaufmann. Changer pour devenir quelqu'un d'autre. Quelqu'un qui n'a pas le nom d'*Insoumise* comme diminutif. Ce nom ne doit plus exister, ne plus lui être associé.

Maintenant, elle s'appelle Lena. Lena Pavlova. Ce nom, c'est Nayden, un Lieutenant-Général de la République et qui a le pouvoir de faire exécuter Emma, qui l'a choisi. Dans la République, c'est par son nom qu'un criminel est identifié et reconnu avant toute autre chose; ainsi, il est possible de faire payer ceux qui menacent la paix. Pour la sécurité d'Emma et celle de toute sa famille maintenant menacée par les crimes qu'elle a commis, Nayden est prêt à risquer sa vie et sa carrière.

Débute alors une nouvelle existence pour Lena, qui n'efface pourtant en rien son passé et qui ne fait qu'assombrir toujours un peu plus son avenir, pendant que les mystères du présent s'éclaircissent peu à peu. En commençant par la République qui s'avère être le seul État non réformé de tout un monde qui s'étend bien au-delà du mur. Sans oublier la découverte d'un contrôle inouï des autorités sur la société et qui pourrait bien être la raison pour laquelle Lena est en vie: un composé électronique qui a donné à son cœur la chance de battre à nouveau.

Il y a aussi Nayden. Cette urgence de vivre qu'il insinue en elle par son toucher, par ses baisers, par cette tempête qui fait rage entre leurs deux corps électrifiés.

Une passion qui a fait naître une étincelle.

En lui qui s'anime. En elle qui s'enflamme.

En eux qui s'embrase…

Emma a fait une erreur. Sa liberté et sa vie sont mises à prix. Cette fois-là était trop risquée. Nayden avait raison : même avec sa nouvelle identité, elle n'aurait jamais dû partir sans lui.

Achevé d'imprimer chez
Imprimerie Norecob
en janvier 2015